中國學術思想_{研究輯刊}

研究輯刊

二　編
林　慶　彰　主編

第23冊

黃宗羲之經世思想研究

齊　婉　先　著

花木蘭文化出版社

國家圖書館出版品預行編目資料

黃宗羲之經世思想研究／齊婉先 著 — 初版 — 台北縣永和市：
花木蘭文化出版社，2008〔民97〕
目 2+184 面；19×26 公分
（中國學術思想研究輯刊 二編：第 23 冊）
ISBN：978-986-6658-24-8（精裝）
1.（清）黃宗羲　2.學術思想　3.清代哲學
127.11　　　　　　　　　　　　　　　　　97016597

ISBN - 978-986-6658-24-8

9 789866 658248

中國學術思想研究輯刊
二　編　第二三冊　　　　　　　　ISBN：978-986-6658-24-8

黃宗羲之經世思想研究

作　　者　齊婉先
主　　編　林慶彰
總 編 輯　杜潔祥
出　　版　花木蘭文化出版社
發 行 所　花木蘭文化出版社
發 行 人　高小娟
聯絡地址　台北縣永和市中正路五九五號七樓之三
　　　　　電話：02-2923-1455／傳眞：02-2923-1452
網　　址　http://www.huamulan.tw 信箱 sut81518@ms59.hinet.net
印　　刷　普羅文化出版廣告事業
封面設計　劉開工作室
初　　版　2008 年 9 月
定　　價　二編 28 冊（精裝）新台幣 46,000 元

黃宗羲之經世思想研究

齊婉先　著

作者簡介

齊婉先 美國賓州大學（University of Pennsylvania）亞洲與中東研究所漢學研究博士，現為彰化縣明道大學中國文學學系助理教授，曾任教於高雄市文藻外語學院應用華語文系，並擔任文藻外語學院華語中心主任。學術研究領域為：王陽明思想、歐美漢學、宋明理學、黃宗羲思想及明末清初學術。

提　　要

　　晚近研究經世思想之風氣頗盛，而多著重於明末清初與清朝中葉以來兩時期：前者居歷來經世發展之關鍵地位，而後者則受近代西方思想之影響。筆者自來即對儒家經世致用之學存有濃厚興趣，加之有感於明末清初經世思想之特殊地位與意義，乃以明末清初時期極具代表意義之經世思想家黃宗羲為本論文研究對象，深入探討其經世思想之意涵及相關問題。本論文分為七章，各章主要內容如下：

　　第一章　緒言。概略介紹本文之研究動機、問題意識、論述內容、探討方法與預期結果。

　　第二章　經世思想探源。主要乃自宏觀角度對經世思想之發展做溯源工作，以彰顯黃宗羲經世思想在歷來儒學之經世致用傳統中，所代表由傳統步向近代發展之轉折意義。

　　第三章　黃宗羲承心學而轉經世思想之歷程。此則由微觀角度就黃宗羲之經世思想做溯源工作，主要針對其學承與轉變進行檢視，藉以輔助前文所做宏觀之溯源，從而更明確呈現黃宗羲經世思想之源起。

　　第四章　黃宗羲經世思想之意涵。黃宗羲有鑑於明代政治窳敗，其經世理念以尊三代、重應務，反蹈虛為重要核心價值，而其政治理想之建構正反映如此之核心價值，故而首重國家體制之建立，並自人才拔擢、建都考量、民生經濟、軍事制度及明末時期極為嚴重之奄宦問題等方面擘畫其心中理想政治之藍圖。

　　第五章　黃宗羲經世思想之特色。主要自經術之學，史籍之教及科學精神三方面解釋黃宗羲之經世思想深具儒學經世傳統特色，即自孔、孟以來已然確立之經、史並重學術體系，惟黃宗羲在經、史並重傳統上，亦同時展現科學精神，然而，此一精神實又蘊藏於其通經致用與史學經世所講求之明理、徵實思想中。

　　第六章　黃宗羲經世思想之實踐。檢討黃宗羲實踐經世思想時所遭遇之困境、難題，與其解決之道，從而體現黃宗羲之際遇與困境正與歷來儒者所遭逢之境遇相同，即身處胸懷經世高度熱忱而力求用世與受制於現實情勢而屢次受挫之衝突及緊張中。同時，亦對黃宗羲所採行解決之道，分析所代表之歷史意義。

　　第七章　結論：黃宗羲經世思想對後世之影響。對清代浙東史學與清末之變法、革命，進行觀察，以見黃宗羲經世思想影響之深遠。

　　本論文乃欲藉對黃宗羲經世思想之探討，體現儒家之經世精神，從而彰顯儒家體用之學真諦所在。

謝　誌

　　謹以此書獻給我一生力量之泉源與榮耀之歸趨——雙親大人，沒有二十多年來辛勞不悔、慈愛無私之教養，無能造就今日之我。感謝恩師　董金裕教授，於論文撰寫期間之諄諄指導，恩師愛護學生之情誼，畢生難忘；而於學術研究路途之帶領，更爲學生終生努力之祈向。至於諸位師長、好友、學長、妹們及家人於論文完成前後，不時指正、關懷與幫助，永遠感念在心，特此申致至深謝意。最後，願藉此書與致力於儒家經世之學研究者切磋、共勉，期能同爲儒家研究未來之發展前景努力，並踐履儒者經世致用之大志，以續成前人平治天下之心願。

齊婉先誌於南山城

一九九一年六月

目次

第一章　緒　言

梁啓超嘗言：

> 凡大思想家所留下話，雖或在當時不發生效力，然而那話灌輸到國
> 民的「下意識」裡頭，碰著機緣，便會復活，而且其力極猛。清初
> 幾位大師——實即殘明遺老——黃梨洲（案：黃宗羲，號梨洲）、
> 顧亭林、朱舜水、王船山……之流，他們許多話，在過去二百多年
> 間，大家熟視無睹，到這時忽然像電氣一般把許多青年的心絃震得
> 直跳；他們所提倡的「經世致用之學」，其具體的理論，雖然許多不
> 適用，然而那種精神是「超漢學」、「超宋學」的，能令學者對於二
> 百多年的漢、宋門戶得一種解放，大膽的獨求其是。（《中國近三百
> 年學術史》，四）

由是可知明末清初之際，誠爲「經世致用之學」昂揚、躍動之時代。而殘明
遺老如黃梨洲、顧亭林、朱舜水、王船山等人，俱於當時展露超絕才華，而
引領一時風氣。梁啓超此段文字原爲說明，光緒年間，青年從事推翻幾千年
舊政體之猛烈運動之最初原動力；[註1] 然亦顯露殘明遺老「經世致用之學」
之獨特價值，而值得後人探研。其中，尤以黃宗羲最具「轉折意義」，[註2]

〔註 1〕參見梁啓超，《中國近三百年學術史》（臺北：臺灣中華書局，1987 年 2 月臺
　　　　十一版），頁 29。

〔註 2〕除由心學轉經世之轉折意義外，另有李澤厚自「治人」與「治法」之角度論
　　　　梨洲所居轉折地位。李澤厚認爲，明末清初之際，「不再是靠宗教的信仰、道
　　　　德的善惡，而是明確地由現實的利害、生活的功用來維繫、調節和處理社會
　　　　現象和人際關係。這其實正暗含著中國式的『政』（行政）、『教』（倫常教義）
　　　　相分離的近代要求。黃宗羲應該被看作是體現這一要求的具有轉折意義的人

蓋因其學乃上承心學而下轉經世，故意義尤其非凡。唯歷來研究黃宗羲者雖眾，然少有專門全面探討其經世思想，此即本論文研究動機之一。

儒學本講求「經世致用」，儒者之積極入世，目的亦在「經世致用」。雖然而，檢視往古歷史，儒者之得遂「經世致用」之志者，誠少矣。生存在理想與現實，理論與實踐中之儒者，究竟橫跨何種困境或難題？而黃宗羲之經世思想又究竟實踐多少？若其果遭逢困境或難題，又是否真能克服？凡此即本論文研究動機之二。

「經世致用」既為儒學之一特色，則在二千多年儒學發展過程中，「經世致用」特色之呈現，與經世義蘊之釐析及界定，應可藉由對黃宗羲經世思想之探究，側面進行了解。此即本論文研究動機之三。

關於本論文之研究範圍，主要乃著重黃宗羲之經世思想部分，若其他不相關涉者，即使乃黃宗羲特出見解或成就，亦不詳加論述。此外，基於前人甚多以黃宗羲為研究課題，而於黃宗羲之生平、著作已有所介紹，為嚴整論文結構，避免不必要重覆，本論文不另介紹黃宗羲之生平與著作。

至於本論文採行之研究方法，可就兩方面言，有關探討相關之外圍問題，採弘觀、微觀角度，配合歷史與問題研究法，分別進行溯源，而互為輔助。若探究本題部分，則就相關論述，進行通盤考察，予以分類、歸納，注意分類後文本間之關聯意義，並針對資料進行闡釋或就論點加以佐證，然後綜合其要旨，既彰顯黃宗羲經世思想之面貌，亦明析儒者經世困境之由來，而能對經世思想之義涵，加以掌握，以期對儒學經世傳統之於現代發展提供助益。

本論文共分柒章。第壹章、諸言。簡述研究動機、範圍、方法及篇章大要。第貳章、經世思想之探源。主要乃針對經世思想之義蘊與歷來經世思想之發展，進行檢視，予以釐清，期能有概括了解，而有助於對黃宗羲經世思想之研究。第參章、黃宗羲心學而轉經世思想之歷程。重點在於黃宗羲學術所承與轉變之探究，冀得深入說明黃宗羲經世思想之形成與所居轉折性關鍵地位之意義。第肆章、黃宗羲經世思想之本質。透過經世理念與政治理想之

物。他的《明夷待訪錄》一書在晚清被梁啟超、譚嗣同等人秘密刊行，同時也為章太炎所詆毀，都是具有典型意義的事情。黃在當時特定歷史條件下，以中國思想的傳統形式，銳利地開始表述了近代民主政治思想。這不是舶來品、西洋貨，而仍然是打著『三代之治』旗號的儒家傳統。黃本人是忠實的王門理學家，但他確然說出了一種新意識新思想」。見氏著〈經世觀念隨筆〉，《中國古代思想史論》（臺北：三民書局，1996 年初版），頁 330。

論析與檢討，以凸顯黃宗羲尊崇三代古風之經世思想。第伍章、黃宗羲經世思想之特色。經由黃宗羲自述其思想之重點，循線以明其承自孔、孟之經、史並重與科學精神呈露之特色。第陸章、黃宗羲經世思想之實踐。檢討黃宗羲實踐經世思想時所遭遇之困境、難題，與其解決之道；從而呈顯並解釋儒者經世困境之所在。第柒章、結論：黃宗羲經世思想對後世之影響。藉由對清代浙東史學與清末之變法、革命，進行觀察，以見黃宗羲經世思想影響之深遠。

論文撰寫期間，幸蒙董師金裕詳為疏通文句、刪除冗贅語辭，並於標目增修、邏輯思辨上惠予甚多寶貴意見，謹在此申致無盡謝意。惟筆者才疏學淺，恐多疏漏謬誤，尚祈博雅君子，不吝指正。

第二章　經世思想探源

第一節　經世思想之義蘊

一、經世思想之內涵

　　「經世」一詞，自古即有，然因社會、時代之不同，關於經世之定義，看法頗有歧異。今之所謂「經世」，即「經世致用」，或作「經濟」，亦即「經國濟世」。﹝註1﹞然而，最初之經世並不作如是解。《莊子》、〈齊物論〉首先揭示「經世」二字。其文曰：

　　　　六合之外，聖人存而不論；六合之內，聖人論而不議；春秋經世，

　　　　先王之志，聖人議而不辯。

對於《莊子》、〈齊物論〉中「經世」之涵義，說法不一。章炳麟認爲此二字當作「紀年」解。﹝註2﹞梁啓超則視之爲濟世致用義。﹝註3﹞唯二說中，本諸

﹝註1﹞　查諸《文史辭源》，所謂「經世」，乃治理世事；而所謂「經濟」，乃經國濟民。
　　　　則「經世」、「經濟」，其義當等同。王爾敏有言：「『經世』辭旨，本不深奧，
　　　　由『經國濟世』一詞簡化而來。同時『經國濟世』亦可簡化爲『經濟』，二者
　　　　應具同等意義。」見氏著〈經世思想之義界問題〉，《中央研究院近代史研究
　　　　所集刊》第13期（1984年6月），頁31。
﹝註2﹞　章炳麟，〈原經篇〉：「〈齊物論〉語經猶紀也。三十年爲一世，經世猶紀年耳。」
　　　　見氏著《國故論衡》，《章氏叢書》（杭州：浙江圖書館刊本，1917～1919年，
　　　　線裝版），第十四冊。
﹝註3﹞　光緒二十三年（1897）冬，梁啓超出任湖南時務學堂總教習，嘗爲諸生訂立學
　　　　約十條，其中第九條即以「經世」爲目。其並言：「九曰：經世：莊生曰：『春
　　　　秋經世，先王之志。』凡學焉而不足爲經世之用者，皆謂之俗學可也。居今日
　　　　而言經世，與唐宋以來之言經世者又稍異。必深通六經制作之精意，證以周秦

《莊子》一書思想推之，或以章炳麟之說較爲可信。〔註4〕此外，後世亦有視「經世」爲「入世」之同義詞，以與佛教之「出世」相對。〔註5〕然此原乃「經世」一詞之泛說，並未特涵「經世致用」義。至於今人所謂經世之意義，大致可由兩方面來理解；一爲廣義性之經世，一爲狹義性之經世。廣義性之經世，乃一般性之泛說，涵蓋範圍較廣，上自天文，下至地理，舉凡一切與人倫日用、社會制度、國計民生有關之主張皆屬之。因此不特儒家，即法家、墨家、名家……等，凡其思想、主張、乃以現世人生、大眾生命及家、國、天下之福祉爲考慮者，均可謂具經世思想之特質。至於狹義性之經世，則以儒家思想爲主要內容，故亦可稱爲儒家之經世思想。儒家思想在中國思想史上長期居主導地位，以其影響中國知識份子甚鉅，故近來學者們探究中國之經世思想時，對經世思想之界定範疇，多採以儒家思想爲主要內容之狹義性說法，本論文亦然。〔註6〕

諸子及西人公理公法之書以爲之經，以求治天下之理。必博觀歷朝掌故沿革得失，證以泰西希臘羅馬諸古史以爲之緯。以求古人治天下之法。必細察今日天下郡國利病，知其積弱之由，及其可以圖強之道，證以西國近史憲法章程之書，及各國報章以爲之用，以求治今日之天下所當有事。夫然後可以言經世。」見梁啓超，《飲冰室文集》（臺北：新興書局，1962年二版），卷二。

〔註4〕王爾敏有言：「梁啓超所認識之『經世』，實累積明清以來數百年流習常識，而加以學術化，使之成爲一種學課。其正確宗旨與實質意義，應是等於今日所謂之政治學。至少說其性質亦必相等。」見氏著〈經世思想之義界問題〉，《中央研究院近代史研究所集刊》1984年第13期，頁31，則知梁啓超所體認「春秋經世」中「經世」之義，當非莊子之本意。此外，尚有一說可供參考，即張灝「由道家出世的觀點，反襯出儒家的入世精神」之論。見氏著〈宋明以來儒家經世思想試釋〉，此文收入於《近世中國經世思想研討會論文集》（臺北：中央研究院近代史研究所，1984年），頁34。

〔註5〕陸象山曾言：「儒者雖至於無聲無臭、無方無體，皆主於經世；釋氏雖盡未來際普度之，皆主於出世。」見〈與王順伯〉，《陸象山全集》（臺北：世界書局，1979年再版），卷二。而明代泰州學派之趙貞吉則欲作「二通」以括今古之書。〈泰州學案二〉，〈文肅趙大洲先生貞吉〉載其：「杜門著述，擬作《二通》，以括今古之書。內篇曰〈經世通〉，外篇曰〈出世通〉。內篇又分二門：曰史、曰業。史之爲部四：曰統、曰傳、曰制、曰誌。業之爲部四：曰典、曰行、曰藝、曰術。外篇亦分二門：曰說、曰宗。說之爲部三：曰經、曰律、曰論。宗之爲部一：曰單傳直指。書雖未成，而其緒可尋也。」見《明儒學案》（臺北：華世出版社，1987年2月臺一版），卷三十三，則知趙貞吉亦視經世爲出世之相對詞，而與入世義近。

〔註6〕由於本論文旨在探討黃宗羲之經世思想，以其學承儒家，加以儒學自來即爲中國學術思想之主流，故於本論文中，對經世之定義乃採狹義性說法；而於其後所論經世思想之發展，亦以儒家之經世思想爲主要探討對象，如此方能

經世一詞雖由莊子首先提出，但眞正對於經世思想之內容，加以確定、闡釋、發揮與應用者則爲儒家。儒家思想之具經世精神，王爾敏認爲非但淵源有自，且與儒家之起源有關。〔註7〕王爾敏據劉師培〈儒家出於司徒之官說〉之觀點，〔註8〕認爲親民治事，化民成俗，本爲司徒應有之職；儒家者流，由此轉化，而成學派，乃職守本原，故當以入世從俗教化爲本務，依其本有職能行事。儒家經世精神之歷史淵源，由此可見。〔註9〕王爾敏此說雖可成立，然猶有不足。儒學於二千多年之發展過程中，經世致用之觀念自始即相隨以從，其間雖因學術思潮、時代環境之變遷而或隱或顯，然總未嘗斷絕，甚且猶爲各時代知識分子之所縈繫於懷者，個中緣由，絕非職守本原或盡其職分之言所可解

切近本論文之研究主旨。

〔註7〕關於儒家起源問題之探討，已成爲近代學術思潮之一新路向。王爾敏曾撰有〈當代學者對於儒家起源之探討及其時代意義〉一文，對於主要幾家說法之重點與異同，均有載述，其文收於所著《中國近代思想史論》（臺北：華世出版社，1982年），頁481～518。

〔註8〕班固，〈藝文志〉，〈諸子略〉，劉歆謂：「儒家者流，蓋出於司徒之官。」見《漢書》（臺北：鼎文書局，1979～1980年），卷三十，劉師培嘗針對此說加以解析，著有〈儒家出於司徒之官說〉一文見《國粹學報》，第33期（光緒三十三年八月）。

〔註9〕王爾敏論述儒家經世精神有其歷史淵源時，曾引用劉師培〈儒家出於司徒之官說〉一文中三段重要文字，因爲其立論核心，茲摘錄於下，以供參考：「夫儒家出於司徒之官者，以儒家之大要在於教民。周官冢宰，言儒以道得民，道也者，即儒者教民之具也。蓋以道教民者謂之儒，而總攝儒者之職者則爲司徒。說者以司徒爲治民之官，豈知司徒之屬，均以治民之官而兼教民之責乎？舍施教而外，固無所謂治民之具也。……古代地方之吏，以施教於民爲專責，與儒者以道得民者相同。意鄉大夫以下諸職，均以儒者充其位。故當時之鄉官，屬於土著之民。進則爲鄉大夫，退則爲鄉先生，而化民之政，訓俗之權，均操於其手，……此司徒所司之務，亦儒者所盡之職也。」又：「至於東周，司徒之職漸廢，九流百家，各持異說，惟孔子之說近於教民，以道德禮儀之言爲天下倡，欲漸復學校井田之制。雖出詞近迂，立身近僞，然在九流之中，與古儒者之學相近者厥惟孔子。故其學以儒家爲名，而班志溯其源始，以爲出於司徒之官也。特孔子以後，奉其學者，均以儒爲名。實則孔子之言，近於古代之儒者，而孔子之所行，則與古代之儒不同。孔子以後之儒，較之古代之儒，其行事尤爲相遠。」又：「自《史記》立〈儒林傳〉，班、馬二史沿之。然後以通經之人爲儒。夫兩漢經生，均以師法相教授，與儒者教民之事，亦復相符。惟其所教授者，在於先生之成績，與化民訓俗之義迥殊，名之曰儒，蓋有儒名而無其實者也。」王爾敏據此三段文字，乃謂：「儒家本有職能所在，應以入世從俗教化爲本務。」詳論見氏著〈經世思想之義界問題〉一文，頁31。至於所引劉師培之三段文字，則見氏著〈儒家出於司徒之官說〉。

說殆盡。若非經世之歷史傳統已內化於儒家思想中，成為儒家思想本身之特色，而非僅為儒者個人行事之特色，何能至此？故於歷史淵源考察外，尚須對思想本身之轉化與確立加以審視，方能確實掌握儒家經世思想之內涵。

古之儒者，化民訓俗，誠具經世精神，然此乃本其職能行事，故「盡職」意味濃厚。至孔子出，承原有之經世精神，其言雖仍近於古之儒者，但其所行則與古之儒者不同。此乃因孔子已將經世觀念由職官之「盡職」層次，提升、轉化為儒家思想本質之體現，亦即「理想道德」層次。經世至此不再為某職官「盡職」之表徵，而具有學術思想之生命，且朝向更開闊、豐富、積極、高超之路徑發展，孔子非但轉化經世之層次，同時亦大致確立儒家經世思想之內容；雖然孔子從未述及「經世」一詞，但檢視其思想與一生行事，無一不為故儒經世觀念之充分、圓熟之體現，並隱然指出日後儒學「經世歸趨」之發展方向。故此後之儒家，縱為因應時空轉移、思潮變遷，而於經世思想之內容闡發與實際應用上，呈現不同於前之面貌，但其大要卻未嘗偏離孔子所確立、指示之經世內容與精神。

然則，經由孔子轉化、確立之經世觀念，具有何種精神與內容？關於此，可由孔子之中心思想——仁——得見。孔子嘗言：

> 夫仁者，己欲立而立人，己欲達而達人。能近取譬，可謂仁之方也已。（《論語》，〈雍也篇〉）〔註10〕

仁乃孔子思想中人格發展之最高境界。孔子以「己立立人，己達達人」釋仁者，則孔子心中之仁者，當不以己立、己達為滿足，而更以立人、達人為懷抱。此種由己至人，由內至外之具道德意義之人文關懷，亦即經孔子轉化後之經世精神。至於轉化後所確立之經世內容，可由孔子與子路之一段對話得知。

> 子路問君子，子曰：「修己以敬。」曰：「如斯而已乎？」曰：「修己以安人。」曰：「如斯而已乎？」曰：「修己以安百姓，修己以安百姓，堯舜其猶病諸！」（《論語》，〈憲問篇〉）

孔子思想中之君子，乃蹈仁行義，德學兼備者；苟能充其才德於至極，即能達「博施於民而能濟眾」之聖人之境，故孔子特重之。〔註11〕由孔子所揭示

〔註10〕案：此段文字，乃孔子答子貢「博施於民而能濟眾，可謂仁乎」之問。

〔註11〕《論語》（《十三經注疏》本，臺北：藝文印書館，1985年12月十版），〈雍也篇〉。案：孔子認為「博施於民而能濟眾」者，「必也聖乎」？則孔子心中之仁與聖，無論就意涵或實踐面向言，終究有別，然而，成聖之必具仁、由仁者，乃不易之理。

修爲君子之內容在於「修己以敬」、「修己以安人」、「修己以安百姓」，則孔子理想中之君子、聖人，當非只求獨善其身，更欲兼善天下，建立理想之社會，亦即以國家、天下乃至全人類，爲終極關懷。此種始以修己，終以治世，實乃孔子體現故儒經世觀念後所確立之經世內容。

至若孔子一生之周遊列國，即欲見用於世，建立一理想社會，以安天下百姓，博施民而濟眾，雖終未能實現，然此誠亦爲孔子發揚故儒經世觀念更進一層之具體表現。則無論自孔子之思想或行事論，經世觀念均已內化於其中，非但漸次步向學術理論之形式，更初步建立具體實踐之準據，爲日後經世思想之發展立下典範。

大體而言，經世思想之充分體現當爲學術理論與具體實踐相結合，而此亦即經世思想內涵之所在。則二者縱或於程序上有先後之分，卻於價值上無輕重之別。然則學術理論當如何與具體實踐相結合？其原則有六：〔註12〕

第一、學術理論須具現實性。唯其不脫離現實，方能落實於實際事物上。

第二、學術理論須富當代性。時代改變，因應時代之需求自亦須有所調整，能掌握時勢所趨，方能產生時效。

第三、學術理論須重制度性。客觀制度之建立，乃學理與實務結合之最具體方法。如此，經世精神方得彰顯。

第四、學術理論須有開放性。所謂開放，乃指不以少數人之利益爲慮，而以天下百姓之福祉爲意。則學理與實務之結合方爲徹底。

第五、學術理論須富積極性。積極進取方能隨時協調學理與實務間於結合時不可避免之差距，反之，若消極等候，則徒然加大差距，無濟於事。

第六、學術理論須具包容性。唯有兼容眾多領域之學，方能與具體實踐充分結合。

總言之，孔子固未嘗明言經世，但不容否認，經由孔子所創立之儒家學說，確實充分體現故儒之經世觀念，並大致確立日後經世思想之內容與精神，至此，經世觀念之於儒家思想，非僅爲一固有傳統，甚且亦已內化於儒家思

〔註12〕關於此六點原則，主要乃參考林聰舜〈傳統儒者經世思想的困境——從明清之際的顧、黃、王等人談起〉一文中，於解釋經世意義時，所提出之六點原則。筆者認爲林聰舜所提之六點原則，非僅能解釋經世之意義，亦可爲學理與實務結合之經世內涵做一說明，故於此處轉而用之。林聰舜之文，參見《哲學與文化》1987 年第 14 卷第 7 期，頁 56～57。

想中，而為儒家思想之特質。

二、經世思想之目的

自故儒至孔子以後諸儒，縱令經世之內涵頗有改易，以人民為意之經世目的之原則，則未嘗有異。所不同者，故儒之經世目的，乃本諸職官之盡職本分化民訓俗；至孔子以後諸儒，則出乎人文之道德關懷欲致天下於太平，登萬民於衽席。明人劉彝曾言：

> 聖人之道，有體、有用、有文。君臣父子，仁義禮樂，歷世不可變者，其體也。詩書史傳子集，垂法後世者，其文也。舉而措之天下，能潤澤斯民，歸于皇極者，其用也。（《宋元學案》卷一，〈安定學案〉）

儒學自始即為體用兼備之學，德行，術業固為儒學所講求，其最終目的則在「措之天下，潤澤斯民」。換言之，經世之目的，非僅身修，更欲國治天下平，亦即達到「內聖外王」之理想。〔註13〕關於儒家內聖外王之觀念，《大學》第一章言之甚明：

> 大學之道，在明明德，在親民，在止於至善。……古之欲明明德於天下者，先治其國；欲治其國者，先齊其家；欲齊其家者，先修其身；欲修其身者，先正其心；欲正其心者，先誠其意；欲誠其意者，先致其知，致知在格物，物格而后知至，知至而后意誠，意誠而后心正，心正而后身修，身修而后家齊，家齊而后國治，國治而后天下平。

所謂內聖，乃指個人內在心性修養之至高境界，即《大學》中所揭示，由格物而致知而誠意而正心而修身，以明明德；所謂外王，則指個人外在事功建立之至高境界，即《大學》中所揭示，由齊家而治國而平天下；至若內聖外王之全體呈現，則為由個人修身之自我實現輻射為理想國家、社會之建構，再上達而為全人類之明明德，亦即《大學》中所揭示，明明德於天下以止於至善。如此，儒家內聖外王之理想乃得實現，而經世思想之目的亦得以達成。

內聖與外王原乃同條共貫，不容分割。然不可否認，自個人至社會、國家此一實踐經世目的過程中，實「存有無數非個人所能控制的外在『變數』，足以阻礙，甚至破壞其進展。」〔註14〕故儒者於切實踐履時，未免有所偏傾，

〔註13〕「內聖外王」一詞首見於《莊子》，〈天下篇〉。莊子概括古之道術為內聖外王之道。雖然，道家之內聖外王觀念，則與儒家之內聖外王觀念有別。

〔註14〕見林保淳，〈舊命題的全新架構──明清之際的經世思想〉，《幼獅學誌》1987

或偏向內聖，即著意心性修養，或偏向外王，即特重事功建立。然則，何謂外在變數？察諸內聖外王之本質，當可發現，心性修養之圓滿乃內在個人之力行，事功建立之完成則爲外在人事之配合，故客觀環境之能否配合遂爲內聖外王全然體現之決定因素，亦即影響經世目的達成之外在變數。換言之，儒者雖皆冀求實現內聖外王之理想以達經世目的；但基於各人面對外在變數之因應態度與方式不同，遂有心性修養與事功建立分趨發展之偏傾現象。關於此，林保淳將之分爲「心性派」與「事功派」，並就二者之不同觀點詳加說明。〔註15〕曰：

> 傾向「心性派」的經世思想，未必不明瞭這些「變數」的存在及其強大的障礙性，但是，外在的領域，既非個人能作主的，那麼人生只要能善自掌握住個人的分內之事即可，而不必顧慮外在複雜多變的各種因素。董仲舒的「正其誼不謀其利，明其道不計其功」，正是這種精神的表現，同時，持「心性」論者，通常具有樂觀的信念，肯定世界萬物終必朝向一合理的境界發展——這即是「道」的作用。因此，人只要能掌握住這個「道」，就可以順著其既定的合理方向而完成自我。同時，由於此「道」是「體一分殊」地呈顯於每個個體上，是則也肯定了通過教化的方式，個人可以以其完美的道德修持，對社會人心產生或潛或顯的正面影響。因此，其自覺的要求在於個人透過學識、經歷的涵養，以建樹出完美的品格。

則著意心性修養者，乃欲藉緩慢漸進之法，以達致經世目的。故其呈露於外之風格，乃較靜態。至若特重事功建立者，則謂：

> 而傾向「事功派」的經世思想，則通常較敏感地體會到「變數」的壓力，對個人能否無視於障礙的存在而達到自我完成，表示了極度的懷疑。因此，雖然並不否認道德修持的正面感染力，但並不認爲其力量能普遍地及於社會中的每一個人，是以其一切嘗試，總針對此「變數」而來，企圖加以紓解。因此，除了個人品格的建立外，更重要的是，個人必須具備足以破除外在困境的能力及學識，同時，以震驚天下耳目的方式，建立赫赫的事功。

年第 19 卷第 4 期，頁 174。

〔註15〕有關林保淳對「心性派」與「事功派」之詮釋及下兩段引文，均見於其〈舊命題的全新架構——明清之際的經世思想〉一文，頁 174。

爲徹底突破困境，確保經世目的之達成，特重事功建立者，乃採迅速激進之法，故呈露出較動態之風格，而不同於著意心性修養者。然而，無論「心性派」或「事功派」，其體現經世思想，實現內聖外王理想之目標，絕無二致。

然則，經世思想之目的，於儒學兩千多年發展歷程中，果曾達致乎？檢視中國歷史，儒家內聖外王之經世目的，幾可謂未嘗實現。此主要肇因於外在變數之必然存在與無法徹底突破，誠如余英時所言：「從主觀方面看，儒家的外王理想最後必須要落到『用』上才有意義，因此幾乎所有的儒者都有用世的願望。」〔註16〕用世既爲儒者之願望，則於積極用世過程中，外在變數之遭逢，實屬難免，故雖賢聖如孔子、孟子，亦不得不發出「道不行，乘桴浮於海。」、〔註17〕「歸與！歸與！」、〔註18〕「夫天，未欲平治天下。」〔註19〕慨歎。觀孔子、孟子一生，周遊列國，栖栖遑遑者，即爲得君行道，以達「措之天下，潤澤斯民」之經世目的。孔子嘗言：「天下有道，丘不與易也。」〔註20〕又言：「苟有用我者，朞月而已可也；三年有成。」〔註21〕孟子亦謂：「如欲平治天下，當今之世，舍我其誰也？」〔註22〕然終因外在變數多所阻撓，其抱負並未能實現。雖然，孔、孟二人仍篤信執守，無改其志，唯用世之方式，頗有改易，即由直接之出仕執政轉爲間接之退隱養志，故孔子言：「天下有道則見，無道則隱。」〔註23〕孟子亦言：「得志，與民由之；不得志，獨行其道。」〔註24〕則孔、孟之所謂隱，乃因應外在變數，爲達致經世目的所做之調整，意在退隱養志以待時，俟時機成熟即復出入仕，以成就「博施於民而濟眾」、「明明德於天下」之理想；絕非棄守理想、失望沮喪而徹底忘世之意。此種「守死善道」，〔註25〕積極用世之態度與精神，影響所及，遂爲後世儒者援以信守實現內聖外王理想之憑藉。則就實質成果言，經世之目的固

〔註16〕見余英時，〈清代思想史的一個新解釋〉，收錄於氏著《歷史與思想》（臺北：聯經出版事業公司，1987 年 1 月第十二次印），頁 138。
〔註17〕見《論語》，〈公冶長篇〉。
〔註18〕同前註。
〔註19〕見《孟子》（《十三經注疏》本，臺北：藝文印書館，1985 年 12 月十版），〈公孫丑篇〉。
〔註20〕見《論語》，〈微子篇〉。
〔註21〕見《論語》，〈子路篇〉。
〔註22〕同《孟子》，〈公孫丑篇〉。
〔註23〕見《論語》，〈泰伯篇〉。
〔註24〕見《孟子》，〈滕文公篇〉。
〔註25〕見《論語》，〈泰伯篇〉。

終未達成，但就精神體現言，經世之意義確已全然呈現。

　　孔、孟之時，雖已感經世目的之難成，然猶力求心性修養與事功建立合一。至後儒，因主觀之個人涵養與客觀之時勢變遷各有不同，遂有心性與事功異趨，內聖與外王分途之現象，如此誠有流弊。〔註26〕然而，以其仍持守內聖外王之理想爲經世之最終目的，則無論心性與事功如何分途、異趨，二者終須匯歸合一。

三、經世思想興起之因素

　　經世思想之目的，既在平治天下，以達內聖外王之理想境界，則用世行道遂爲歷代儒者之願望，然而，誠如余英時所言：

> 這種願望在缺乏外在條件的情況下當然只有隱藏不露，這是孔子所說的「用之則行，舍之則藏」。但是一旦外在情況有變化，特別是在政治社會有深刻的危機的時代，「經世致用」的觀念就會活躍起來，正像是「瘖者不忘言，痿者不忘起」一樣。（《歷史與思想》，〈清代思想史的一個新解釋〉）

則經世思想相應於時代——有深刻危機之時代——間之關係，確實密切而重要。然則，此相應關係之建立，究竟立基於何種因素？關於此，林保淳有段文字可爲說明，〔註27〕其文云：

> 「經世致用」思想的形成，與時代的「變局」是緊密結合在一起的。迫在眉睫的「歷史難題」，如不以迅快雷屬的方式加以紓解，則必然形成一個絕大的困境，使知識分子無法發揮所長，以踐履自身所負的社會責任；而也正因對踐履社會責任的自覺，對此困境的感受

〔註26〕經世之目的乃在平治天下，達致內聖外王之理想，而此有賴於心性修養與事功建立之相互配合方得完成。則心性與事功二分之偏傾發展，非僅有礙經世目的之圓滿達致，抑且造成弊端，林保淳即謂：「就理論而言，『心性派』所持的觀點，不免傾向於理想主義，雖然在個人道德修持的層面上，有其一定的價值，但是一旦面臨外在情境所引發的難題時，就不免難以濟變，形成空談了；相對地，『事功派』將著眼點置於歷史難題的解決，無可避免地帶有實用功利的色彩，定策戡亂之功雖多，然當難題消解後，則不免流於權術一路，反而造就了新的難題。」其說見氏著〈舊命題的全新架構——明清之際的經世思想〉，頁175。

〔註27〕見林保淳，《明末清初經世文論研究》（臺北：臺灣大學中文研究所博士論文，1990年），第一章，頁7。

更格外強烈，而亟思作某種突破。因此，「歷史難題」愈迫切，困
境的窘迫性愈強大，相應地，要求落實於社會的「經世」思想，也
愈顯熱烈。

經世思想之與時代「變局」相聯繫，乃因變動之時代產生亟待解決之「歷史
難題」，而未獲解決之「歷史難題」又形成「絕大的困境」，知識分子遭逢此
困境，本諸其所負之社會責任與自覺，無不亟思突破，經世思想遂應運而起
且備受重視，則此社會責任與自覺，著實影響經世思想之興起；而所謂之社
會責任與自覺，主要來自儒家之憂患意識，故推根溯源，經世思想興起之因
素乃在儒家之憂患意識之深化。

「憂患意識」之觀念，由徐復觀首先提出，其認為：

> 憂患意識，不同於作為原始宗教動機的恐怖、絕望。……「憂患」
> 與恐怖、絕望的最大不同之點，在於憂患心理的形成，乃是從當事
> 者對吉凶成敗的深思熟考而來的遠見；在這種遠見中，主要發現了
> 吉凶成敗與當事者行為的密切關係，及當事者在行為上所應負的責
> 任。憂患正是由這種責任感來的要以己力突破困難而尚未突破時的
> 心理狀態。所以憂患意識，乃人類精神開始直接對事物發生責任感
> 的表現，也即是精神上開始有了人地自覺的表現。(《中國人性論史‧
> 先秦篇》，〈周初宗教中人文精神的躍動〉)

是以「只有自己擔當起問題的責任時，才有憂患意識」。〔註28〕韋政通則主張：
〔註29〕

> 中國古文化中的憂患意識，最初就是於原人當月面黑暗時，夾雜著
> 混沌恐怖的感覺而起的。面臨月黑風高的景象時，一般的原人，就
> 只有混沌恐怖的感覺，對少數負著實際群體責任的領袖，就轉變為
> 一種憂患意識。混沌恐怖的感覺，能激發人對神的皈依。皈依於神
> 是個人解除恐怖感的一種方式，負有群體責任的領袖，他要為大家
> 解決問題，當大家的問題得不到解決時，領袖人物的感覺不止是恐
> 怖，而是比恐怖更進一步，由責任感而發的憂患意識。

〔註28〕見徐復觀，《中國人性論史‧先秦篇》(臺北：臺灣商務印書館，1987年3月)，
第二章，頁21。
〔註29〕見韋政通，〈從周易看中國哲學的起源〉，《現代學苑》1967年第4卷第9期，
頁21。

無論自當事者對吉凶成敗之深思熟慮之遠見著眼，或由群體領袖之由混沌恐怖進而爲責任感覺立論，其於憂患意識之共通認知，實涵攝責任與自覺之突破困難，解決問題之意識型態。此爲初時之憂患意識。而「在憂患意識躍動之下，人的信心的根據，漸由神而轉移向自己本身行爲的謹愼與努力，這種謹愼與努力，在周初是表現在『敬』、『敬德』、『明德』等觀念裡面。」〔註30〕本此，周初諸王乃戒愼於遵循文武之德，勤勞於政，以答天命，憂患意識乃從而深化，然因王位傳承採世襲制，而先王虔敬憂患之存心，未必能爲後世子孫所承認延續，故後之君王或荒怠淫逸、不恤民命。雖然，此關懷生靈疾苦之憂情乃早已形成道德教化，深植於一般儒者士人心中。士人儒者承此敬德恤民之周初聖王之憂患意識，於目睹國祚將喪，黎民困厄時，乃滿懷不忍之情，而以其悲憫之心，欲承擔環境之苦難。〔註31〕唯因周初之聖王合一，至此，已演爲聖王分途，有德者不在其位，士人儒者縱有用世之心，卻無用世之機會。然則，由其人之不忍逃避世局困境而挑起拯溺解懸之悲願，卻因無政治實權支持而未得施行以觀之，「其欲突破困境之艱難與無助的憂患之心，比之於周初聖王惟恐不敬德之戒愼更爲深刻，因此，先哲之憂患意識也愈益強烈。」〔註32〕唐端正即嘗言：〔註33〕

> 中國古代哲人，多屬聖君賢相，擔負著實際社會政治的責任，與萬
>
> 民休戚相關，其問題不來自對自然之驚奇，而來自對於人生的憂患。

則憂患意識發展至此，已由初時面對自然界困境之欲求突破、解決之意識型態，引發具「敬德」、「明德」觀念之人文精神，從而促成道德意識之萌芽，〔註34〕遂有以德行體現天命，寓天於萬民之思想之產生。周初此種修德入世

〔註30〕 徐復觀，《中國人性論史‧先秦篇》，第二章，頁22。

〔註31〕 儒者士人因萬目時艱，感時憂苦，乃生緬懷聖王遺風，亟思救國濟民之心意，此屢見於《詩經》中之詩篇。詳論參見林火旺，《從儒家憂患意識論知行問題》（臺北：正中書局，1981年7月臺初版），第二章，頁18～23。

〔註32〕 同前註，頁22。

〔註33〕 見唐端正，〈試論儒家之道德的宇宙觀〉，《新亞書院學術年刊》1963年第5期，頁20。

〔註34〕 牟宗三有言：「中國哲學之重道德性是根源于憂患的意識。中國人的憂患意識特別強烈，由此種憂患意識可以產生道德意識。憂患並非如杞人憂天之無聊，更非如患得患失之庸俗。只有小人才會長戚戚，君子永遠是坦蕩蕩的。他所憂的不是財貨權勢的未足，而是德之未修與學之未講。他的憂患，終生無已，而永在坦蕩蕩的胸懷中。……這樣的憂患意識，逐漸伸張擴大，最後凝成悲天憫人的觀念。悲憫是理想主義者才有的感情，在理想主義者看來，悲憫本

之精神，至孔子乃得全然體現；孔子將前此專屬於君主之「敬德」觀念，轉化爲個人生活之具體內容，即凡人皆應修德以體現天道，而以聖王成己成物，己立立人之理想爲個人修德之目標，則儒家「內聖外王」之道乃由此具體呈現。然則，憂患意識至孔子，其內涵已極雄渾、豐富、深刻，而表現於人之自覺、愼獨、悲憫與責任上。〔註35〕本諸此圓熟之憂患意識，相應於時代之變局，經世思想於焉興起。

綜上所述，可知現世問題原爲憂患意識所關注，而生靈之疾苦與道德秩序之建立，亦本爲憂患對象之所在，至儒家，此憂患之對象更落實於天下眾生上，而具民胞物與之情懷。後世儒者繼承此憂患意識，敬德安民之思想，非謹強調道德、傾向政治，更對其所處時代之變局，存有高度敏銳之感應力。面對時代變局之迫力，儒者們一方面被動接受由變局所引發之種種劇烈變化，從而廣泛擷歷史經驗，以爲探討變局產生因素之用；另方面則主動對變局產生因素進行分析歸納，企圖掌握解決變局之線索，以因應橫梗於面前之變局。而此即經世思想之昂揚與發用。審諸歷來經世思想蓬勃興蔚之各時期，如：春秋戰國之孔、孟儒家，南宋之永康、永嘉學派、明清之際之儒家、鴉片戰爭前後之公羊學派，乃至民國初年之西化運動，均爲面臨劇烈變動之時局，儒家學者之憂患意識乃因之深化，而亟欲用世行道以安民定邦平治天下。然則，儒家憂患意識之深化，對應於政治社會危機之深化，〔註36〕實乃經世思想勃興之主要因素。

身已具最高的道德價值。」德修學講既爲憂患之所在，則憂患意識已涵攝道德之意，至若擴張爲悲憫之情，實已臻道德之至高境界，故謂道德意識根源於憂患意識。有關牟宗三之言，見氏著《中國哲學的特質》（臺北：臺灣學生書局，1990 年 10 月再版），第二講，頁 16。

〔註35〕儒家憂患意識之內涵較初時之憂患意識，更具人文精神，此乃由自覺、愼獨、悲憫、責任四點上充分表露無遺。林火旺曾針對此詳加說明，可參見氏著《從儒家憂患意識論知行問題》第二章，頁 23～32。

〔註36〕所謂「政治社會危機之深化」，乃轉用余英時論經世觀念之言，余英時認爲儒家本有一種「用」的衝動，因此，「用」乃正常期待，屬第一義，但若不能「用」，則須「藏」，「藏」乃不得已，屬第二義。故其謂：「明代以來，中國專制傳統發展到最高峰，儒者不能『行』其道於外，只有『藏』其心於內，這是一種無可奈何的遭遇。但儒家並未完全喪失其原始的『用』的衝動，因此每當政治社會危機深化之際，『經世』的觀念便開始抬頭，明末與清末都是顯例。」唯其於「政治社會危機深化之際」，儒家憂患意識之深化乃得具現，而經世思想亦得興起，故於此處轉用以爲說明，有關余英時之言，見氏著〈清代學術思想中重要觀念通釋〉，《史學評論》1983 年第 5 期，頁 23。

第二節　經世思想之發展概述

　　由前一節之論述中，當可發現，經世思想無論自其內涵、目的或興起因素以觀之，皆具有一共通性，即與時代 —— 尤指變動之時代 —— 有關，則「時代性」實爲經世思想之一大特色。大凡論經世思想，未有棄時代而不顧者，事實上，經世思想之意義與價值，亦僅於其與時代結合時方得顯現。有關經世思想與時代之關係，已述說於前一節中，茲再進而針對經世思想歷來之發展，加以檢視、體察、以求進一步了解經世思想發展之眞實面貌。爲敘述方便，且更清楚顯現經世思想之發展脈絡，乃依經世思想與時代結合之情況，劃分爲五階段。〔註37〕雖然，經世思想之發展，乃一綿延不斷之過程，是以，形式上之階段乃爲求方便理解而劃分，未可因此而窒礙對經世思想發展之實質了解。特此說明。

一、第一階段 —— 自先秦至兩漢時代

　　遠在先秦孔、孟之前，經世觀念即已伴隨職官存在，然初時之經世乃爲盡職，未具任何學術生命，更無明確之思想理念可言。至孔子，因處於周室衰微、禮樂崩壞、制度毀棄、動亂跡象漸顯之時代，憂患意識因之深化，乃將故儒本其職責所需而體現之經世觀念，轉化入於儒家學術思想中，非但賦以學術生命，更確立經世思想之大體內容與精神。逮至孟子，以其所處時代之動亂較之孔子時代尤烈，當其時，封建瓦解，貴族崩潰，征戰連年，社會規範破壞殆盡，違反傳統價值體系之道德判斷大行於世，眾暴寡、強凌弱、強權逐利、禮信全失，風紀蕩然。〔註38〕儒者之憂患意識乃更加深化、高漲，遂於孔子所立經世思想基礎上，予以豐富化，周延化之闡發。此後之經世思想大抵乃準此發展。

〔註37〕有關此五階段之劃分法，主要乃依梁啓超於《儒家哲學》一書中，分哲學研究法爲：問題研究法，時代研究法及宗派研究法三種，而採其中之問題與時代研究法二種綜合而成。所謂問題研究法，乃將哲學中之主要問題全部提出，針對每個問題之內容，自古至今各家之主張，加以研究。所謂時代研究法，則專看各代學說之形成、發展、變遷及其流別，將數千年歷史，劃分爲若干時代，於每時代中，求其特色，代表及其與他者所有之交涉。至於其他相關說明，可參見梁啓超，《儒家哲學》（臺北：臺灣中華書局，1956年5月臺一版），第三章，頁11～12。

〔註38〕參見韋政通《開創性的先秦思想家》（臺北：現代學苑月刊社，1972年），頁37～38。

　　有關孔子確立經世思想之大體內容與精神，已於前文論說，此處不再贅述，僅就孔、孟學術思想中之經世風格加以探析，以見先秦時代經世思想之特色。審諸孔、孟一生言論，固未嘗揭示「經世」二字，然觀二人之思想主旨與一生行事，誠足以稱爲經世思想之實踐者。綜合歸納二人之思想主旨與行事，其經世風格大抵有如下五點：

　　第一、積極入世。孔、孟積極入世之經世風格，主要表現於其信守聖王之道，縱使面臨時代變局，明知「道之不行」，仍「知其不可而爲之」，〔註39〕終不放棄。所謂聖王之道乃修己治人而安天下──老者安之、朋友信之、少者懷之〔註40〕──之道。則孔、孟之理想境界仍建構於人生現世中，未嘗如宗教般求理想境界於人世外之另一世界；亦正因孔、孟肯定人生現世之理想境界之可爲，遂積極入世、汲汲奔走，欲得君行道以具體呈現人世之理想境界。

　　第二、退隱養志。孔子有言：「危邦不入，亂邦不居。天下有道則見；無道則隱。邦有道，貧且賤焉，恥也；邦無道，富且貴焉，恥也。」〔註41〕又嘗對蘧伯玉「邦有道則仕，邦無道則可卷而懷之」之行事態度，許以「君子」之名。〔註42〕則孔子之「用行舍藏」，〔註43〕乃守經通權以達變，而其所謂之「藏」、「隱」，實爲沈潛以待發用。孟子紹承孔子之意，非但謂：「古之人，未嘗不欲仕也，又惡不由其道；不由其道而往者，與鑽穴隙之類也。」〔註44〕更明言：「古之人，得志，澤加於民；不得志，修身見於世；窮則獨善其身，達則兼善天下。」〔註45〕則孔、孟以尚志爲士人之事，行藏或可權衡爲之，然其志絕不可失，故縱令退隱，亦當養志、持志，以待未來之用。

　　第三、講學論道。於經世心理主導下，孔、孟對國事、朝政均深切致意。然幾經奔走，仍不得明君以行其道，乃退隱養志；唯以天下無道，恐道亡而不傳，遂講學論道，既明示聖王之道於門徒，又期爲時君施政之明鑒。則孔、孟之講學論道仍以當時之時代變局爲念，因此，孔、孟講學論道之內容，自

〔註39〕此語乃晨門評價孔子一生行事、作爲之言。見《論語》，〈憲問篇〉。
〔註40〕子路嘗問孔子：「願聞子之志。」孔子即以此三句話答之，事見《論語》〈公冶長篇〉。則此誠爲孔子心目中之理想社會。後世儒者承此構想，乃有《禮記》，〈禮運篇〉之「大同」社會之設計。
〔註41〕同《論語》，〈泰伯篇〉。
〔註42〕見《論語》，〈衛靈公篇〉。
〔註43〕見《論語》，〈述而篇〉。
〔註44〕同《孟子》，〈滕文公篇〉。
〔註45〕見《孟子》，〈盡心篇〉。

無可避免涉及時政，甚或本時政而發。〔註46〕如：孔子之論「季氏將伐顓臾」一事，〔註47〕孟子對梁惠王論王道，〔註48〕類此之言論，均可見於論語，孟子二書之諸多篇章中。則孔、孟之講學論道可謂體現經世思想之另一面貌。

　　第四、景仰古風。孔、孟之經世目的乃於人生現世建立一理想社會，然則，此理想社會究竟何所指？孔子嘗言：「周監於二代，郁郁乎文哉！吾從周。」〔註49〕孟子亦言：「爲政不因先王之道，可謂智乎？」、〔註50〕「三代之得天下也以仁，其失天下也以不仁。」〔註51〕大抵三代聖王之平治天下，乃本己飢己溺之心，行仁推義，致力於國計民生之改善，依其實際經驗而爲典章制度，故足爲後人準則以參考施用，則三代聖王「仁心仁聞」之古風，誠爲孔、孟所景仰，而三代聖王之仁政，遂爲孔、孟心中理想社會之典範。

　　第五、特重史書。孔、孟之特重史書乃本諸濃厚之歷史意識，而歷史意識則爲經世心理之反映。早在周代，中國之人文精神即已出現，而「史」之觀念，亦由原始之宗教判斷轉入於人文精神中，亦即以歷史取代宗教永生之徵驗，並記錄人世重要行爲之善惡，昭告於天下後世，以史之審判代替神之審判。周公明此，乃吸收夏、殷二代之歷史經驗，而開創西周盛世。〔註52〕

〔註46〕對於孔、孟論道之涉及時政，大陸學者崔永東認爲乃士人議政之表現。其論點主要由孔子對子產設鄉校使國人「朝夕退而游焉，以議執政之善否」，並持「其所善者，吾則行之：其所惡者，吾則改之，是吾師也。」之態度，許以「以是觀之，人謂子產不仁，吾不信也。」一事（事見《左傳》，襄公三十一年），謂：「孔子對統治者開放國人評議朝政的言論自由，給予了充分的肯定。」而孟子承孔子意，非但強調士人本其以道爲己任之獨立人格意識，當無視於統治者權勢之存在，而敢於直言批評執政者之失，更因孟子嘗與於齊國之稷下學宮，而爲稷下先生之一，又以稷下諸先生喜言治亂，議政事，故崔永東謂：「可以說是他們開啓了知識分子群議政事的先河。」有關論證之詳細內容，可見崔永東，〈孔學的經世風格及其對中國知識分子的影響〉，《中國文化月刊》1990年第126期，頁12～16。案：士林議政誠爲後世經世思想家之一大特徵；觀孟子一生行事，或頗具士人議政之風，然檢視孔子一生言行，則似未嘗對士人議政明確表態。以故，筆者乃採較嚴謹態度，而以孔、孟論道或有「涉及時政」，或有「本時政而發」說明孔、孟對於時政之態度與作法。雖然，崔永東之見解仍有可取之處，特列於此，以供參考。

〔註47〕見《論語》，〈季氏篇〉。

〔註48〕見《論語》，〈梁惠王篇〉。

〔註49〕見《論語》，〈八佾篇〉。

〔註50〕《孟子》，〈離婁篇〉。

〔註51〕同前註。

〔註52〕參見徐復觀，《兩漢思想史》（臺北：臺灣學生書局，1979年9月初版），卷三，

孔、孟身處時代變局中，亟思平治天下，更深體此理，故於《詩》、《書》、《禮》、《樂》、《易》、《春秋》等有關歷史文物之記載，莫不重視，孔子嘗言：「小子！何莫學夫《詩》？《詩》可以興，可以觀，可以群，可以怨。邇之事父，遠之事君，多識於鳥獸草木之名。」〔註53〕孟子更明言：「王者之迹熄而《詩》亡，《詩》亡然後《春秋》作。晉之《乘》，楚之《檮杌》，魯之《春秋》，一也。其事，則齊桓，晉文。其文，則史。孔子曰：『其義，則丘竊取之矣！』」〔註54〕則孔、孟之特重史書，確有其經世之苦心孤詣。

孔、孟之經世風格既立，乃依隨儒家思想發展。時至秦朝，雖天下一統，然因始皇實行專制統治，非但嚴刑峻法，繫徭苛賦，甚且採愚民政策，禁絕私學，並焚書坑儒。〔註55〕儒學之發展遂因此受到抑制。然而士人儒者已於社會上形成特出之生活形態，其本諸孔、孟退隱養志之經世風格，正乃沈潛待發，實未嘗因此絕跡或放棄儒者固有之經世理想。此由陳涉起兵後，此類沈潛之儒者亦為亡秦力量之一〔註56〕可以得見。則經世思想於秦時之發展，大抵仍不出孔、孟之經世風格。

至兩漢時代，經世思想始有新變化。兩漢以前之所謂「儒」，乃指「立身行己，誦法先王，務以通經適用」〔註57〕之知識分子，至漢方有因授經而稱為儒者，此可明見於《史記》、《漢書》之〈儒林傳〉中。〔註58〕則漢代史書〈儒林傳〉中所選錄之儒，乃通經之「職業儒」，不同於先秦時代以修己安人為依歸之儒。〔註59〕雖然，經世之儒仍然存在，唯以不同面目，不同作風展

〈原史──由宗教通向人文的史學的地位〉，頁224～261。

〔註53〕見《論語》，〈陽貨篇〉。

〔註54〕見《孟子》，〈離婁篇〉。

〔註55〕參見司馬遷，《史記》（臺北：鼎文書局，1979～1980年）卷六〈秦始皇本紀〉及卷八十七〈李斯列傳〉。

〔註56〕同前註，卷一二一，〈儒林列傳〉云：「陳涉之王也，而魯諸儒持孔氏之禮器往歸陳王。」即為一例。

〔註57〕見紀昀等著之《四庫全書總目提要》（臺北：臺灣商務印書館，1971年增訂初版），卷九十一，〈子部儒家類引言〉，頁1874。

〔註58〕見司馬遷，《史記》，卷一二一，〈儒林列傳〉，唐代張守節撰《史記正義》（臺北：臺灣商務印書館，1983年）引姚承言：「儒謂博士為儒雅之林，綜理古文，宣明舊藝，咸勸儒者以成王化者也。」又范曄於所著《後漢書》（臺北：鼎文書局，1979～1980年），《列傳》，卷六十九〈儒林列傳〉引言中指出，是篇所錄乃「能通經名家者。」

〔註59〕參見李焯然，〈論儒家的經世之學〉，《大陸雜誌》1989年第79卷第4期，頁19。

現其經世思想與精神。而此即成兩漢經世思想之特色——通經致用。

綜觀兩漢學術，經學誠爲代表。然亦有今古文之分，大體而言，西漢時代乃今文經學佔主導地位，東漢時代則古文經學較盛，至東漢末年，經學兩派方漸趨合流。皮錫瑞嘗言：

> 前漢今文說，專明大義微言；後漢雜古文，多詳章句訓詁。……武、宣之間，經學大昌，家數未分，純正不雜，故其學極精而有用，以〈禹貢〉治河，以〈洪範〉察變，以《春秋》決獄，以三百五篇當諫書，治一經得一經之益也。當時之書，惜多散失。傳於今者，惟伏生《尚書大傳》，……董子《春秋繁露》，……《韓詩》僅存《外傳》，……學者先讀三書，深思其旨，〔註60〕乃知漢學所以有用者在精不在博，將欲通經致用，先求大義微言。(《經學歷史》，〈經學昌明時代〉)

則西漢諸儒之講習經學，乃爲應用於實際政治，即所謂「通經致用」，其視經學絕非書於紙上之空理，而爲可付諸施行者。然則，孔、孟特重史書之經世風格，至此乃一轉而爲通經致用，其間之不同，主要在於：一、孔、孟特重之史書，至漢乃列爲經；二、以陰陽學說解儒家經典，此乃因黃老，陰陽之說至漢已與儒家思想雜糅，儒者與方士合一之故。

西漢經學之盛，固因帝王提倡，然「導以祿利」〔註61〕方爲關鍵之所在。亦唯如此，儒者修身養志之德乃從而敗壞，孔、孟之經世風格遂因之有所減損。西漢亡，新莽立，非僅社會風俗敗壞益甚，即儒者士人之節操亦日漸低落，故自光武帝即位，乃思有所導正，顧炎武嘗言：

> 漢自孝武表章六經之後，師儒雖盛而大義未明。故新莽居攝，頌德獻符者徧於天下。光武帝有鑒於此，故尊崇節義，敦屬名實，所舉用者，莫非經明行修之人，而風俗爲之一變，至其末造，朝政昏濁，國事日非，而黨錮之流，獨行之輩，依仁蹈義，舍命不渝，風雨如晦，雞鳴不已，三代以下，風俗之美，尚無於東京者。(《日知錄》，

〔註60〕此三書之主旨，皮錫瑞分別說明爲：「伏生《尚書大傳》，多存古禮，與〈王制〉相出入，解《書》義爲最古；董子《春秋繁露》，發明《公羊》三科九旨，且深於天人性命之學；《韓詩》僅存《外傳》，推演詩人之旨，足以證明古義。」見皮錫瑞所著《經學歷史》(臺北：藝文印書館，1985年)，〈經學昌明時代〉，頁85。

〔註61〕皮錫瑞有言：「在上者欲持一術以聳動天下，未有不導以祿利而翕然從之者。」同前註，〈經學極盛時代〉，頁133。案：皮錫瑞乃引班固之言，並以此言合之，以說明西漢經學之盛，乃由於祿利。

卷十三,〈兩漢風俗〉條)

所謂「經明行修之人」,即才德兼具之儒者,既蒙舉用而美風俗,則儒家之經世目的,可謂獲得初步實現。至若士林清議,品評朝政,人物得失,更爲孔、孟講學論道之經世風格之體現。尤有甚者,東漢士人雖遭黨錮之禍,猶依仁蹈義,舍命不渝,則於士人風骨與經世精神之高度發揮上,東漢士人誠爲後世儒者奠立優良之典範。是以,光武帝舉逸民,賓處士,尊崇節義之改革措施,實已將西漢之通經致用帶入一新方向。〔註62〕

然則,無論西漢之通經致用,或東漢之士林清議,均於孔、孟之經世風格有所轉化或發揮,而爲兩漢儒學經學化下之經世思想表徵。

二、第二階段 —— 自魏晉至隋唐時代

自魏晉至隋唐,中國社會可謂歷經一甚爲複雜多變之歷史時期,就封建王朝言,乃爲自分裂至統一至再分裂至再統一之數度分合歷程;就中華民族言,則爲自各族對立,混戰至融合統一之複雜變化歷程;而就儒家思想文化言,則爲自經學鼎盛至深受佛教文化及道家、道教衝擊至再萌新機之歷程。然則,魏晉南北朝隋唐時期,乃儒學衰落,道佛興盛時期;而亦爲經世思想沈隱時期。

關於此時期之儒學大勢,大陸學者吳光嘗論述曰:

> 在魏晉時期,經學衰落,玄學大興,同時有道教的興起,佛教的傳播,儒家文化只是在綱常名教制度上顯示出強大的力量,而在理論形態上則淪爲玄學的附庸,……雖然如此,儒學並沒有被趕出歷史舞台,而是依靠著傳統政治制度,宗法制度,教育制度的保護以及儒家經典的傳承抵抗著佛教文化的衝擊。(《儒家哲學片論》,〈儒學的演變(上)—— 漢唐經學〉)

面對玄、佛思潮大盛,儒學地位之低落可謂空前。雖然,士人儒者之經世志向卻未嘗亡失,大抵「魏晉清談之士,雖然祖尚玄虛,推崇老莊,然而並非菲薄儒學,不親世事。魏晉之際的清談之士,仍然關心世事,早期清談的代表人物,首推何晏與王弼,而兩人均有經世志向與能力。」〔註63〕其後因政

〔註62〕參見周師浩治,〈「通經致用」的再出發〉,《孔孟學報》1982 年第 43 期,頁304。

〔註63〕見孫鐵剛,〈書生議論 —— 士人與士風〉,此文收錄於杜正勝主編,劉岱總主編《中國文化新論·社會篇——吾土與吾民》(臺北:聯經出版事業公司,1982年初版),頁 108。

治環境愈趨惡劣，名士或趨炎附勢，或任誕曠達；前者固不待言，然後者之中，則仍不乏關懷眾民，以經世爲念之士人。如：阮籍、嵇康即是。〔註64〕唯因時代變局之積重難返，甚難突破，遂令此類名士懷藏經世之志，而以曠達行徑表達其人對政治威權之諷刺與抗議。〔註65〕則經世思想至魏晉時代，內因儒家思想本身衰微，外因政治環境變數無法克服，乃沈淪不顯，而經世思想因應時代所做之調整與展現之面貌亦由此可見。

南北朝時代，南朝士人之放任萎靡尤甚於前朝，經世思想與精神至此幾已斷絕，唯北朝士人學奉儒學，加以北方各胡族政權皆留心提倡儒學，〔註66〕因此，經世思想乃不絕如縷延續而下。

至隋代王通，儒家經世思想乃再現一線光明。王通身處玄、佛興盛而儒學衰微時代，本諸儒者對中國文化傳統「存亡繼絕」之歷史關懷，而有「要爲伊、周事業」、「急急地要做孔子」〔註67〕之經世志向。〔註68〕大抵王通儒學思想之特色，乃在超越六朝注經習氣與漢儒說經模式之樊籬而直接周公、孔、孟之人文主義精神。則王通之經世乃較漢儒之經世更切近於孔、孟之經世風格。

初唐時代，因佛學大興，而儒學猶衰，加以六朝注經風氣未去，經世思想又再沈隱。然至中唐之韓愈、李翱，經世思想乃得振興。唯此時之經世思想乃傾向於內聖方面發展。此可見於韓、李提出之「道統」論，韓、李之論

〔註64〕《晉書》，〈阮籍傳〉云：「籍本有濟世志，屬魏晉之際，天下多故，多士少有全者，籍由是不與世事，遂酣飲以爲常。」見《晉書》（臺北：鼎文書局，1979～1980年），卷四十九，〈阮籍傳〉，嵇康之兄喜嘗爲作傳，傳云：「家世儒學，少有儁才，曠邁不群，高亮任性，不修名譽。」見《三國志》（臺北：鼎文書局，1979～1980年），〈魏書〉，卷二十一，〈王粲傳注引喜爲嵇康傳〉，此外，嵇康於其〈六言詩〉十首中「惟上古堯舜」云：「二人功德齊均，不以天下私親。高尚簡樸茲順，寧濟四海蒸民。」由上所引之文，可知阮籍、嵇康雖列名於竹林七賢中，然審二人志向本心與從學歷程，二人實皆懷藏經世大志，以其志不得伸，乃放任曠達，不與世事，反對名教，漢視禮法，酣飲以爲常，則如此行徑誠不得已也。詳論參見呂師凱，《魏晉玄學析評》（臺北：世紀書局，1980年7月初版），第七章，頁178～179及頁190～191；與孫鐵剛之文，同前註，頁110。

〔註65〕見孫鐵剛之文，同前註，頁110。

〔註66〕同前註，頁111。

〔註67〕見朱熹，《朱子語類》（臺北：正中書局，1962年），卷一三七，評「文中子」語。

〔註68〕參見吳光，《儒家哲學片論》（臺北：允晨文化實業公司，1987年12月初版），第二章，頁71。

「道統」雖皆回到先秦儒家之「聖人之道」而宗奉孔、孟，然其間仍有差異，吳光嘗分別之：

> 韓愈論「道」，雖然比孟子以後的任何儒家都更強調道德主體性，即以「仁與義爲定位，道與德爲虛位」，但他仍然很強調君臣父子之綱常倫理的重要性，「內聖外王」的統一性。而李翱論「道統」，……對「道」的理解亦異於韓愈。他雖然承認「聖人之道」即「君臣、父子、夫婦、兄弟、朋友而養之以道德仁義之謂也」，但更強調的是子思和孟子的「性命之道」，即《中庸》之「誠」和孟子「性善」論。
> （《儒家哲學片論》，〈儒學的演變（上）——漢唐經學〉）

在經世思想上，韓愈猶講「內聖外王」之統一，然至李翱，雖仍認同「聖人之道」，卻已特重「性命之道」，經世思想至此遂有傾向內聖方面發展之跡象，大抵前此之經世思想發展雖亦不免有所偏傾，而不能使「內聖外王」一貫體現，如：西漢通經致用之偏外王、東漢經明行修之偏內聖、魏晉南北朝經世思想之沈隱於清談曠達面目下。然凡此多因外在客觀之環境、條件造成偏傾，而與內在主觀之思想理論無關，事實上，其思想理論仍爲「內聖外王」一貫體現。至李翱始直接就思想理論本身偏傾內聖方面，則經世思想發展至此，可謂產生巨大變化，而此後之發展，遂呈現不同於前之型態。雖然，大體而言，經世思想於此階段，可謂沈隱不彰，少有新意出現。

三、第三階段——自兩宋至明朝中葉

韓愈、李翱之儒家思想，雖爲儒學振興帶來新機，但因佛學猶盛行於當世，遂未見振衰起弊之效。唐亡宋立，儒學至此乃一掃魏晉、隋唐以來之消沈而以理學面貌復興；推本溯源，則韓愈，李翱實爲理學先導。〔註69〕

儒學發展至宋明理學，可謂進入一新階段。基本上，理學可分爲「性理學派」與「心理學派」，亦可簡稱爲「理學」和「心學」。就理學兩派與先秦儒學、漢魏經學關係言，兩派雖皆推崇孔、孟之學，尊奉四書、五經、唯於繼承與發揮之著重點上仍有不同。〔註70〕理學家大抵喜言心性本體，雖然，

〔註69〕董師金裕嘗就五方面以論說韓愈、李翱對理學之啓發與貢獻。此五方面即：講學風氣的提倡，對四書與易傳的重視，對道佛的理解與態度，對心性問題的探討與道統說的倡立等，有關詳細內容，參見董師金裕，〈理學的先導——韓愈與李翱〉，《書目季刊》1982年第16卷第2期，頁33～40。

〔註70〕對於此問題，大陸學者吳光嘗分析論說。其云：「程朱理學堅持『性即理』的

於儒家之經世則亦未嘗放棄。如宋儒二程即有言：

> 百工治器，必貴於有用。器而不可用，工不爲也。學而無所用，學將何爲也？（《河南程氏粹言》，卷一）

又言：

> 窮經，將以致用也。……今世之號爲窮經者，果能達於政事專對之間乎？則其所謂窮經者，章句之末耳，此學者之大患也。（《河南程氏粹言》，卷四）

雖然，性理之探討仍爲兩宋理學之主流趨勢，因此，具體觸及實際政治體制之論點遂不多見，則儒家之經世思想於宋代儒學復興之際實未得充分體現。此種現象之造成，可由理學內在思想與宋代客觀環境兩方面來檢視，[註71] 自理學內在思想言，理學之興起原有對抗佛學迅速發展之特殊意義，而理學家所提修養身心之方法與理論，正足以與佛教治心之論相抗衡。然因過於強調心性修養，遂令原先安百姓之終極關懷無暇顧及，久之，甚且誤以修身作爲最終目標。此由宋代《大學》一書高於五經而位居四書之首可見端倪，《大學》中所揭示之格、至、誠、正、修、齊、治、平，實爲宋儒以修身即可達致天下太平觀點之依據。再自宋代客觀環境言，此即涉及儒家經世思想求「致用」之抱負，是否能於實際環境中實現。觀北宋王安石變法，乃以儒家理想爲主導方針，實可謂爲儒家經世思想規模最大之一次實驗，然而不幸失敗。王安石之失敗固因其個人行事作風，然外在客觀人事之不能配合亦爲重要因素。儒家經世理想於政治領域內所遭逢挫折之大由此顯現，而亦造成南宋之後儒學逐步轉爲內傾之發展。余英時即謂：

> 北宋王安石變法的失敗是近世儒家外王一面的體用之學的一大挫

根本觀念，……從思想淵源來說，程朱更多地承接了從孔子到大學、中庸、易傳的理論系統，同時也吸收了孟子、荀子和漢唐經學乃至佛教（主要是華嚴宗和禪宗）和道教的重要思想資料，表現出較大的包容性。陸王心學則堅持『心即理』的根本觀念，撇開漢唐經學傳統而直接孟子心性之學，在孟子『盡心知性』，『存心養性』，『求其放心』的理論基礎上，吸取佛教禪宗的『明心見性』理論，而建立了一以『心』（道德之心或良知）爲本體的心（理）學理論體系。……前人討論朱陸異同時，謂象山『尊德性』而朱子『道問學』，是基本上反映了宋明理學兩大派的基本學術特點的。」吳光，《儒家哲學片論》，第三章，頁 79～80。

〔註71〕此部分之論說，主要參考李焯然之觀點，見氏著〈論儒家的經世之學〉，頁19～20，以及余英時之見解，見氏著〈清代學術思想中重要觀念通釋〉，頁33。

折。南宋以下，儒學的重點轉到了內聖一面，一般地說「經世致
用」的觀念慢慢地淡薄了，講學論道代替了從政問俗，少數儒者
雖留心於社會事業如朱子倡導社倉、鄉約之類，但已遠不能和王
安石變法的規模相比了。(《歷史與思想》，〈清代思想史的一個新
解釋〉)

至此，儒家之經世遂再度發生變化，形成內聖與外王之分途發展。

逮至南宋初葉，因方經歷北宋滅亡之痛，加以外患猶烈，學者或目睹或
反省其時理學之講修身養性，而於遭逢亂世時竟無大用，乃斥爲空談，起而
反之，提出注重實用，講求功利之主張，永康、永嘉學派於焉形成，代表人
物有陳亮、葉適。經世思想至此乃一轉而偏傾於外王方面發展，對於永康、
永嘉學派之經世思想、林保淳嘗評論，〔註72〕曰：

> 陳亮等之倡言事功，其意義在於指出，除了「心性」之外，人生尚
> 須另有一著力之處，才能解決當前的歷史難題，因此對漢唐武功，
> 艷稱不已，由此再進一步，則不免如陳傅良所評的，以爲「功到成
> 處，便是有德；事到濟處，便是有理」，將事功視作人生的終極意義，
> 功利色彩過於凸顯，不啻否定了道德理義的價值；同時，陳亮所論，
> 也僅止於強調事功之意義而已，並未建構出如何針對不同歷史難題
> 加以紓解的理論體系，是以亦不免英雄大言欺人。

則南宋初期之經世思想實以經濟事功爲著力處，唯陳亮之重功利，而主張王霸
雜用，天理人欲並行，就儒家經世思想中之外王言，實可謂達極端發展而已有
所偏離。雖然，此特重事功之現象，僅曇花一現，於永康、永嘉之後，經世思
想復偏傾內聖發展，此於當時著名之經世作品《大學衍義》一書〔註73〕中可得
見。該書作者眞德秀乃朱熹之再傳弟子，嘗於〈上大學衍義表并箚子〉一文中
明示《大學》體用之學兼具爲儒學特質之所在，是以備受重視。〔註74〕唯細察

〔註72〕見林保淳，〈舊命題的全新架構──明清之際的經世思想〉，頁 177～178。
〔註73〕《大學衍義》共四十三卷，乃宋代儒家企圖藉闡釋大學之教以達致治平目的
　　　之重要作品。作者眞德秀撰作此書之目的，實欲呈獻此書於宋理宗，而寄望
　　　理宗成爲一獨立勤政且實擁政權之君主。關於眞德秀《大學衍義》一書相關
　　　問題之討論，可參見朱鴻林，〈理論型的經世之學──眞德秀大學衍義之用
　　　意及其著作背景〉一文，《食貨月刊》1985 年第 15 卷第 3～4 期。
〔註74〕眞德秀所謂《大學》乃體用兼備之論點，原文如下：「聖人之道，有體有用。
　　　本之一身者，體也；達之天下者，用也。堯舜三王之爲治，六經孔孟之爲教，
　　　不出乎此。而《大學》由體而用，本末先後，尤明且備。故先儒謂于今得見

該書內容，多集中闡釋修身齊家之要，而未涉及治國平天下之法。此外，眞德秀亦言：「四者之道得，則治國、平天下在其中。」〔註75〕是知眞德秀之經世思想乃以修身爲要務，身既修，則國家天下自得平治。大抵南宋諸儒多抱存此觀念，遂於禮樂刑政、兵馬錢糧等實際知識之掌握與施爲多所輕忽，而形成經世思想偏傾內聖發展之態勢。是知南宋初期雖有陳亮、葉適倡事功、講實用，然以二人學說，或略嫌淺薄，或未獲施用，遂令二人之經世思想未得體現於當世，〔註76〕而亦未能影響南宋經世思想朝向事功講求發展。然則，經世思想至宋代，固已由內在思想理路之分裂而成偏傾一方之極端發展，而非僅受外在客觀環境之限制所致。雖然，偏傾內聖之經世學風仍居南宋之主流地位。

宋亡元立，元代之學術思想大率承宋發展，少有新意。故宋代偏傾內聖之經世學風，至明代方有改變，而明中葉丘濬之著《大學衍義補》，〔註77〕可謂提出具體反對理論與做法之重要代表。丘濬深感宋儒眞德秀〈大學衍義〉之偏重修身、齊家而忽略治國、平天下之弊，認爲必修身與充分了解實際政治問題兩相結合，方能達致儒家全體大用之目標，乃搜羅古今制度變革、時政得失，撰爲《大學衍義補》，以補〈大學衍義〉之不足，丘濬於序中即明言：

> 儒者之學，有體有用。體雖本乎一理，用則散於萬事。要以析之極
> 其精而不亂，然後合之盡其大而無餘。是以大學之教，既舉其綱領
> 之大，復列其條目之詳。而其條目之中，又各有條理節目者焉。其
> 序不可亂，其功不可闕；闕其一功，則少其一事，欠其一節，而不

古人爲學次第者，獨賴此篇之存，而《論》，《孟》次之。蓋其所謂格物、致知、誠意、正心、修身者，體也；其所謂齊家、治國、平天下者，用也。人主之學，必以此爲據依，然後體用之全以默識矣。」見《大學衍義》（《景印文淵閣四庫全書》本，臺北：臺灣商務印書館，1983～1986年），卷首，〈上大學衍義表并劄子〉。

〔註75〕同前註，〈大學衍義序〉，案：《大學衍義》一乃分六部分，即：帝王爲治之序，帝王爲學之本，格物致佑之要，誠意正心之要，修身之要及齊家之要。眞德秀此處所謂之「四者」，即指格物致知、誠意正心、修身與齊家四者。

〔註76〕參見羅光，《中國哲學思想史・宋代篇》（臺北：臺灣學生書局，1985年11月再版），下冊，第十章，頁923～938。

〔註77〕《大學衍義補》成於明萬曆三十三年，丘濬費十年時間始成此書。全書共一百二十卷，分爲十二總目，一百一十九子目。十二總目爲：正朝廷、正百官、固邦本、制國用、明禮樂、秩祭祀、崇教化、備規制、慎刑案、嚴武備、馭夷狄及成功化。該書搜羅甚廣，尤於明代建國以來之各方面問題多所涉及，故李焯然謂其乃「一部治國的百科全書」，見氏著〈論儒家的經世之學〉，頁21。

足以成其用之大。而體之爲體，亦有所不全矣。然用之所以爲大者，
非合眾小，又豈能以成之哉。是知大也者，小之積也。……竊仿眞
氏所衍之義，而於齊家之一，又補以治國平天下之要也。(《大學衍
義補》，卷首，「大學衍義補序」)

丘濬認爲大學之教當一貫而行，未可分裂或缺一，因此，修身、齊家之完成，
並不能代表國家天下自會平治；而欲達國治、天下平，則須自實際政治問題
入手，觀該書所廣收之古今制度變革與時政得失，即知丘濬落實儒家經世思
想於實際政治問題之用意。宋儒程頤嘗言：

治身齊家以至平天下者，治之道也。建立治綱，分正百職，順天時
以制事，至於創制立度，盡天下之事者，治之法也。聖人治天下之
道，唯此二端而已。(《近思錄》，卷八)

道乃道理，原則；法即方法、制度，聖人致治原即道、法相合而未嘗相離。
長久以來，儒家學者多談治道而少言治法，如此則不免於儒者心靈上產生困
境。〔註78〕丘濬之《大學衍義補》乃以《大學》之治道結合治法，期由對歷
代典章制度之探討中，尋得一套治法以體現《大學》所揭示之治道。至此，
經世思想可謂展露新面貌，且亦出現發展之新契機，然因明中葉以後，思想
界全爲王陽明心性之學所籠罩，丘濬以個人力量實無法與巨大之歷史潮流相
抗衡，故經世思想之發展乃再受阻而沈隱不彰。

四、第四階段——自晚明至滿清中葉

儒學發展至明中葉，爲矯程朱後學蹈常襲故，務爲支離學問之弊，乃有
陳白沙、王陽明之心學提出，而取代以往程朱學派之獨佔局面，居晚明學術
之主導地位。則王陽明良知學說之提出，對宋明理學之革新與提昇，實有不
可抹煞之貢獻。然而，時至晚明，王學末流日趨空虛，甚者流爲狂禪，造成
學者束書不觀，游談無根，既無擔當天下之心，又無栖皇爲世之心之嚴重流

〔註78〕李焯然認爲儒者所遭逢之困境，乃爲：「如何使修身與治人建立相應的關係，
使道德與政治不會發生疏離的現象？另一方面，治道不變，但治法則需因時而
異，本來是良法，行之既久，亦會產生流弊，不得其治法，治道當然亦無法實
現。以往儒家在政教崩離之際，多以爲是不得其道而行，殊不知許多時候問題
在法，法需因時以制宜，王安石變法便是希望對出現了毛病的治法作出調整。」
同前註。類似之觀點亦可見於林聰舜，〈傳統儒者經世思想的困境——從明清
之際的顧、黃、王等人談起〉一文，及陳弱水〈「內聖外王」觀念的原始糾結
與儒家政治思想的根本疑難〉，《史學評論》1981年第3期，頁79～116。

弊；加以其時帝王昏庸，朋黨傾軋，宦官專橫，政治黑暗，社會動盪不安，邊患日益嚴重；有識之士，深感於此，本諸儒者固有之憂患意識，沈潛已久之經世精神乃再次湧現，逐期以經世之學對抗當時之空疏學風，〔註79〕從而突破晚明時代國家所面臨之困境。綜觀晚明學者之論經世，主要乃強調實踐與通變，此可謂承明中葉丘濬體用兼具，道法相合之觀點而來，是以注重實學、關心政治逐為晚明經世思潮之特色。〔註80〕

晚明儒者中，大抵以東林士人最富理想與救世精神。代表人物為顧憲成與高攀龍。顧憲成嘗言：

> 官輦轂，念頭不在君父上；官封疆，念頭不在百姓上；至於水間林下，三三兩兩，相與講求性命，切磨德義，念頭不在世道上，即有他美，君子不齒也。（《明儒學案》，卷五八，〈東林學案〉，一，〈端文顧涇陽先生憲成〉）

則百姓、世道方為其致意之所在，苟非如此即不齒、不為。故其又言：「士之號為有志者，未有不汲汲於救世者也。」〔註81〕慨然以救世為志。高攀龍亦言：

〔註79〕此於晚明學者之言論中可獲證明。如：焦竑嘗言：「余惟學者患不能讀書，能讀書矣，乃疲精力於雕蟲篆刻之間。而所當留意者，或束閣而不觀，亦不善讀書之過矣。夫學不知經世，非學也；經世而不知考古以合變，非經世也。」又言：「先儒言才學便有著力處，既學便有得力處，不是說了便休。如學書者必執筆臨池伸紙行墨，然後為學書。學匠者必擇斧運斤，中鉤應繩，然後為學匠。如何學道只是口說，口說不濟事，要須實踐。」二則俱見氏著《澹園集》（《叢書集成續編》本，臺北：新文豐出版公司，1989年），卷十四，卷四十七。又如：陳第亦有言：「夫就業在心，所以就業在事。……今儒者之言曰：就業，心體也，學者保此心體而已，事為之末，不足致意。是岐內外而為二，判心事而為兩，故往往驚於虛名，而無當於實用，豈聖人之學乎？」見氏著《書札燼存》（明刊本），〈又答郭道〉。則注重實學，企求用世乃晚明經世思想之重心。值得一提，晚明張居正亦嘗如王安石般變法，以實踐其經世之志，然以其所提之行政改革措施，如：增強軍備、整頓吏治，清丈土地、改革賦稅等，或因施行時人事不臧，或以措施本身過於保守且有弊病；加之張居正剛愎行事之作風與其死後政治鬥爭之愈趨劇烈，遂令張居正之變法終不免步上失敗一途。部分論點參見黃仁宇，《萬曆十五年》（臺北：食貨出版社，1986年4月三版），頁82～115，有關張居正之介紹與評述，以及石錦，〈略論明代中晚期經世思想的特質〉，《中國歷史學會史學集刊》1972年第4期，頁208～210。

〔註80〕見李焯然，〈論儒家的經世之學〉，頁22。

〔註81〕見顧憲成，《涇皋藏稿》（《景印文淵閣四庫全書》本，臺北：臺灣商務印書館，1983～1986年），卷八。

居廟堂之上則憂其民，處江湖之遠則憂其君，此士大夫實念也。居
廟堂之上，無事不為吾君，處江湖之遠，隨事必為吾民，此士大夫
實事也。實念實事，在天地間，洞三光散萬物而常存。其不然者，
以百年易盡之身，而役役於過眼即無之事，其亦大愚也哉？（《高子
遺書》，卷八，〈答朱平涵書〉）

是知以君民為念，以君民為事乃東林士人之存心，而學術與世道結合即其經世
宗旨，故其經世思想主要乃以儒家積極參政之觀念為基礎，而以振衰起弊，拯
救生民為己任，以期對當時腐敗之官僚體制有所整頓。〔註82〕由是東林士人雖
講學於東林書院，仍關心國事；而其議論朝政，裁量人物，目的即在由講學以
正世道人心，以復清明政治。然則，由孔孟所確立儒者「論學講道」，議評時政
之經世風格，至此，可謂獲得極度發揮。承先之餘，東林士人於經世思想亦有
所開發，其中，以肯定「法治」之必要，而提出「國是」與「國法」之觀念〔註
83〕為最具代表性。東林士人之重視「國是」與「國法」，目的即為約束君權之
濫用。此乃儒家經世傳統之一大突破，即於外在消極之士人議政外，更採以內
在積極之確立法制，期能解決歷來儒者經世所必面臨之經世思想（即「道」）與
現實政治（即「勢」）兩相衡突之困境。〔註84〕經世思想之發展，至此非但再度
彰顯，甚且已另闢新徑，唯待後人充實之以開創經世思想之新風貌。

〔註82〕 參見王家儉，〈晚明的實學思潮〉，《漢學研究》1989 年第 7 卷第 2 期，頁 282
～283。
〔註83〕 高攀龍曾言：「為政者拔賢才，除民賊，約中人，天下惟中人為多，約之于
法，皆不失為賢者。太守約州縣者也，司道約府州縣者也，撫按無所不約，
約之使人人守法，如農之有畔焉而無越思，則天下治矣。」見氏著《高子遺
書》（《景印文淵閣四庫全書》本，臺北：臺灣商務印書館，1983～1986 年），
卷七，〈申嚴憲約責成州縣疏〉可見其乃肯定法治之必要。又東林士人中，
論「國是」最深入之繆昌期嘗明言：「欲定國是，當先守祖宗之法，據法則
人無巧言，無巧言所以定國是也。由此言之，是者，天下之所共，體國法者，
人主之所獨；人主不操其所獨而示天下以輕，則人主過。」見氏著《從野堂
存稿》（《四部分類叢書集成三編》本，臺北：藝文印書館，1971 年），卷二，
〈公論國之元氣〉雖則國法仍為君主所獨操，然君主亦不能超出法之限度
外，是知其乃欲以「國是」、「國法」以約束君權之過度膨脹或濫用。有關東
林士人「國是」、「國法」觀念之詳細論述，可參見林麗月，〈明末東林派的
幾個政治觀念〉，《國立臺灣師範大學歷史學報》1983 年第 11 期，頁 32～35。
〔註84〕 對於中國知識份子於「道」、「勢」間之處境與相應關係，余英時嘗於〈道統
與政統之間〉及〈中國知識份子的古代傳統〉二文中詳加論述。此二文俱收
於氏著《史學與傳統》（臺北：時報文化事業公司，1988 年 6 月初版）。

　　由於經世思想之抬頭，遂造成晚明經世文獻大量湧現，且以儒者、士大夫爲編纂對象之特殊現象，察經世文獻之編纂目的乃在提高儒者、士大夫之經世意識，作爲解決時政問題之借鑑。代表作品爲陳子龍等人所編之《皇明經世文編》。〔註85〕

　　至明末清初之際，儒者身經家國天下亡於異族之巨變，憂患意識由之深化，加以晚明經世學風之流行；儒者欲戮力挽回國家與政治之頹勢，非但直接獻身於反清復明之行動中，更繼晚明儒者而起，大力倡言經世致用之學，〔註86〕此時主要代表人物爲：黃宗羲、顧炎武、王夫之、顏元等。明末清初之經世思想，即在此深刻反省明亡於清之因與宋明理學之弊中，同時寄望對未來之政治、學術提供新方法與新方向之情況下發展，因此，展現較以往更具批判性、廣闊性、開發性之面目。顧炎武嘗言：

> 凡今之所以爲學者，爲利而已，科舉是也。其進此於，而爲文辭著書一切可傳之事者，爲名而已，有明三百年之文人是也。君子之爲學也，非利己而已也，有明道淑人之心，有撥亂反正之事，知天下之勢之何以流極而至於此，則思起而有以救之。(《顧亭林詩文集》，〈與潘次耕札〉)

則「明學術，正人心，撥亂世以興太平之事」，〔註87〕即爲明末清初儒者之經世目的。由於明亡於清，非如一般之改朝換代或「亡國」，而是以夷變夏，是民族歷史文化之斷絕，是「亡天下」，〔註88〕明末清初儒者有感於此，憂患愈

〔註85〕　有關晚明經世文獻湧現之時代意義與編纂之動機，李焯然與王家儉均有評述，可參見，李焯然之論點，見氏著〈倫儒家的經世之學〉，頁22～23；王家儉之見解，見氏著〈晚明的實學思想〉，頁289～291。

〔註86〕　日人山井湧嘗將明末清初之經世致用之學，依實質內容之不同，區分爲三大類。其言：「第一類是，不同於明學而把重點放在實踐的一派（今稱『實踐派』）；第二類是，把天文曆算、農業水利、或兵學武器及其他就某種意義說來是技術性的一面置於重點的一派（今稱『技術派』）；第三類是，把重點放在經學史學上面的一派（今稱『經學史學派』）。」並分別加以介紹、評論。見氏著〈明末清初的經世致用之學〉，盧瑞容翻譯，《史學評論》1986年第12期，頁146～147，152。案：以其所論頗有見地，特錄於此，以茲參考。

〔註87〕　見顧炎武，《日知錄》（臺北：臺灣商務印書館，1965年臺一版），〈先生初刻日知錄自序〉。

〔註88〕　顧炎武有言：「有亡國，有亡天下。亡國與亡天下奚辨？曰：『易姓改號，謂之亡國；仁義充塞，而至於率獸食人，人將相食，謂之亡天下。』……是故知保天下，然後知保其國：保其國者，其君其臣，肉食者謀之，保天下者，匹夫之賤，與有責焉耳矣。」同前註，卷十三，〈正始〉條。則至顧炎武已將

深而批判愈強。如黃宗羲逕言「為天下之大害者，君而已矣。」〔註89〕則其於傳統君主專制制度之不滿可謂深切著明。而顧炎武清談禍國之論點，〔註90〕更可謂強烈批判晚明心學之流弊。他如王夫之、顏元、唐甄、亦皆對晚明心學與君主專制制度提出不同程度之批判。然則，明末清初經世思想之批判性，實較晚明東林學派更為直接而深刻。推究其因，主要乃民族意識之覺醒與高漲。經孔、孟確立之經世思想，至此，乃強烈凸顯以存續傳統文化為宗旨之民族大義之色彩。而此實於孔、孟經世觀念中可見端倪。〔註91〕

批判性之外，廣闊性亦為明末清初經世思想之一大特色。林保淳即言：

> 明末清初的學者，對「異端」的態度，較之前此的理學家，無疑有更寬廣的胸襟，雖然他們大抵一仍舊貫，堅守儒家壁壘，不肯承認佛老，諸子之學自應有其獨立的地位與價值，卻已不再一味地加以排斥了，即使仍本著「尊儒」的立場加以攻擊，也多出之於理性的分析與批判，與宋明理學家有時流於謾罵、詆毀，是大異其趣的。（〈明末清初經世文論研究〉，第二章，第三節）

至於個中原因，林保淳認為一則以「重器」觀念衍生出視諸子之學亦「可以佐聖學」之態度，一則以佛老之學，早已深入人心，不容漠視。〔註92〕明末清初儒者既欲建設一理想社會國家，則必重視事功，從而即自然對個人開創

國與天下區分，此所反映之意義，正如包遵信所言，乃「對傳統文化可能毀滅的擔憂」。見包遵信，〈晚霞與曙光——論明清之際的社會思潮〉，《批判與啟蒙》（臺北：聯經出版事業公司，1989年8月初版），頁185。

〔註89〕見黃宗羲，〈原君〉，《明夷待訪錄》，收錄於《黃宗羲全集》（臺北：里仁書局，1987年4月），第一冊。

〔註90〕見顧炎武，《日知錄》，卷七，〈夫子之言性與天道〉條。

〔註91〕孔、孟均未明言民族大義之重要性。但由於《論語》，《孟子》二書中，仍可窺見孔孟二人對存續傳統文化之態度與看法。《論語》，〈憲問篇〉載有一段孔子評管仲之言：「管仲相桓公，霸諸侯，一匡天下，民到于今受其賜！微管仲，吾其被髮左衽矣！豈若匹夫匹婦之為諒也，自經於溝瀆而莫之知也。」管仲之得孔子讚許，乃因其佐桓公尊王攘夷，而正天下。則孔子可謂乃就傳統文化之是否存續以評價管仲，且認為存續傳統文化當重於守諒，而《孟子》，〈滕文公篇〉載楚儒陳良之徒陳相盡改所學而從學於許行，孟子謂：「吾聞用夏變夷者，未聞變於夷者也。……吾聞出於幽谷，遷于喬木者；未聞下喬木而入於幽谷者。」並謂：「今也南蠻鴃舌之人，非先王之道。」則孟子頗有自存續傳統文化著眼立論之跡象。綜合上述，可知孔、孟雖未明言，然推其本意，二人對傳統文化之存續問題，當頗重視。

〔註92〕見林保淳，《明末清初經世文論研究》，頁95～96。

事功所應具備之能力產生自覺要求，舉凡有關時局、變數之撥亂反正之學問，如史學、經學、子學、兵學、邊地形勢之學等，皆致力學習。則明末清初經世思想所展示之學術風貌，乃承晚明實學風潮，而較之更具廣闊性。

明末清初經世思想之開發性，主要乃指對前人思想或觀點之進一步闡述與發揮。其中最重要者，即對孔、孟經世風格中，「崇仰古風」與「特重史書」之開發。事實上，前此之南宋永康、永嘉學派與晚明東林學派，均嘗對此二者予以開發；唯至明末清初，以其踵前人之跡，復以學者所面臨變局之特殊與個人學養之不同，而有後出轉精之成績。如崇仰古風，至晚明東林學派已有明確主張提出，冀復三代古風，至明末清初儒者，非但亟稱三代聖王之行仁政，更於政經各方面制度提出具體理論，以為恢復三代王道之治之實踐準則，然其絕非食古不化，而是因時制宜，寓創新於復古中。至於孔、孟特重史書之經世風格，於永康、永嘉及東林學派中已見蓬勃發展，且有經史並重以經世之趨勢；至明末清初諸儒；非但延續前人之尊經重史，更明言「學必原本於經術，而後不為蹈虛；必證明於史籍，而後足以應務」，〔註93〕史學至此乃大為興盛。則以經學、史學經世，實為明末清初經世思想之特色，同時，亦為孔、孟特重史書之經世風格之極度發揚。

至雍正、乾隆、嘉慶時期，經世思想一反明末清初之昂揚、激越、而為沈潛、淡化，繼之而起者乃以考證訓詁、音韻、文字為主之乾嘉考據學，究其因，仍可由二方面檢視，一為外在時代背景，另一為內在思想理路。就外在時代背景言，清廷為鞏固政權，乃採高壓政策箝制思想與文化，並大興文字獄，以鎮壓有反清復明之民族意識之儒者士人；加之，其時國家社會大抵平穩，未有時代變局產生，遂令明末清初甚為活躍之史學經世思想至此受阻，而儒者士人乃只得將畢生精力置於不觸政綱之純學術——考據訓詁——一途，不再暢言經世思想。就內在思想理路論，明末清初經世思想之特色固為「通經、史以致用」，然而，遠在漢代，即有「通經致用」之提出。唯漢儒之本業在治經，其言「通經致用」，乃為說明治經之意義，故所重在「經」；換言之，乃以「通經」為目的，而以「致用」為效果。至若明末清初諸儒之宗旨在治平，其言六經，乃為求治平之道而達大用，故所重在「用」，因「用」而言經；換言之，乃以「致用」為目的，而視「通經」為基礎條件。則明末

〔註93〕見全祖望，《鮚埼亭集》（臺北：華世出版社，1977年初版），外編，卷十六，〈甬上證人書院記〉，此語乃出自黃宗羲。

清初諸儒之所言實頗異於漢儒之所言，即形成由經世學風演爲考證學風之一
重要關鍵。而學風演變之另一重要關鍵，則爲「通經」何以轉爲「考古」。此
乃因中國經籍本身存有種種問題，如僞書、雜說、散佚等情況，不勝枚舉，
是以若果欲「通經」，則必先致力於辨眞僞、考時代、明古史及古語等考訂工
作，方能得經書原意。〔註94〕故誠如勞思光所言：

> 由「致用」而「通經」，由「通經」而「考古」；再進至建立客觀標
> 準，以訓釋古籍，此即由清初學風至乾嘉學風之演變過程。而當客
> 觀訓詁標準建立時，乾嘉學風即正式形成矣。（《中國哲學史》，第三
> 卷下，第八章）

以此外在、內在二因素之交互作用，經世思想遂轉向考證典籍發展。然而，
明末清初之經世思想並未因此而消失，唯沈隱於乾嘉史學中。

由於考據學盛行，史家多數埋首校勘古籍，糾謬史事，此與明末清初史
學經世之風相距甚遠。然而觀乾嘉史家著述中所反映經世致用之治史思想，
即知乾嘉史家仍頗以經世致用爲其治學宗旨。〔註95〕大抵乾嘉時期之史學經
世思想雖沈隱不彰，然由史學綻放異彩，超越前代之發展中，〔註96〕仍可見
史學經世之色彩。至浙東史學代表人物全祖望、章學誠，及自成一格之趙翼，
史學經世之思想方再顯現。其中章學誠更明言「史學經世」，以矯當時不切近
人事，脫離現實之考據學風。章學誠言：

> 史學所以經世，固非空言著述也。且如六經同出於孔子，先儒以爲
> 其功莫大於《春秋》，正以切合當時人事耳。後之言著述者，舍今而

〔註94〕有關內在思想理路部份之探討，主要參考勞思光，《中國哲學史》（臺北：三
民書局，1981 年 2 月增訂），第三卷下，第八章，頁 802～811。

〔註95〕參見暴鴻昌，〈清代史學經世致用思潮的演變〉，《中國社會科學院研究生院學
報》1991 年第 1 期，頁 34～35。案：暴鴻昌並引有錢大昕及崔述之言，藉以
說明二人或主張學者亦應留心經濟，通曉時務，並贊同史學具資治世事之作
用；或反對與世道無關且繁瑣之考據學；從而證明乾嘉時之史家亦頗具經世
思想。

〔註96〕杜維運嘗言：「中國之史學，亦至乾嘉而驟放新異彩。乾嘉時代之史學，卓然
超越於前代者有三。一曰徵實之精神，二曰科學之研究方法，三曰理論體系
之精密完成。此三者不惟開中國史學之新風氣，亦與西洋近代之新史學，遙
遙相合。」見氏著《清乾嘉時代之史學與史家》（臺北：臺灣學生書局，1989
年 4 月初版），第一章，頁 2。則乾嘉史學之發展方向與特色由此可見。關於
清乾嘉時代史學之發展概況與各史家間異同或傳承處，可參見前引杜維運所
著之書及《清代史學與史家》（臺北：東大圖書公司，1984 年 8 月初版）。

求古，舍人事而言性天，則吾不得而知之矣。學者不知斯義，不足
言史學也。(《文史通義》，內篇二，〈浙東學術〉)

然而，於「爲學問而學問」之乾嘉學風下，〔註97〕經世思想大體仍舊呈沈隱
不顯，沈潛待發之態勢發展。

五、第五階段——自晚清至現代

晚清以降，中國進入前所未有之大變局。當此之時，內憂外患交逼、社
會危機與民族危機日益加劇，儒者士人於此時代衝擊下，憂患意識愈加深化，
乃不滿專事訓詁考證而不問國事之考據學，而亟思救國濟世之道。經世思想
由是再度彰顯，爲因應此大變局，而展現出大異於前之面貌。

道光、咸豐年間，由於滿清政治日趨敗壞、封建社會之弊病日漸暴露，
加以英國以鴉片戰爭一役打開中國門戶，西方帝國主義勢力進駐中國，儒者
士人有感於此，乃倡經世致用之學，代表人物有龔自珍與魏源。龔、魏二人
之學均以公羊春秋爲本，是以其經世之學，乃頗有公羊學精神，唯因龔自珍
早卒，未嘗目睹鴉片戰爭失敗，故其經世致用之學乃專就傳統政治、社會弊
害之改革言。至於魏源，則因其嘗親身經歷鴉片戰爭與太平天國運動等事件，
故其識見更深刻而有所突破。鴉片一戰令魏源認清西方之科學技術實較中國
進步，乃首度提出「師夷之長技以制夷」〔註98〕之主張。此誠突破前此之經
世思想而富新意。雖然，龔、魏二人之經世思想仍有其歷史之侷限性。〔註99〕
但不容否認，「他們代表的『經世致用』精神及呼籲改革，要求人們睜眼看現
實，放眼看世界的思想主張，是有開風氣的歷史意義。」〔註100〕則經世思想
至此乃處一正朝向更廣闊、深刻發展之歷史轉化關頭。

〔註97〕見梁啓超，《清代學術概論》(臺北：臺灣中華書局，1985 年 11 月臺十版)，
　　　　十三，頁 34～36。梁啓超乃以此言說明乾嘉學風之特色。
〔註98〕見魏源，《海國圖志》(臺北：成文出版社，1967 年)，〈海國圖志序〉。案：魏
　　　　源此項主張，簡言之，乃學習西方製造戰艦、火器與養兵練兵之法等「長技」，
　　　　以「盡得西洋之長技爲中國之長技」，從而達致「制夷」之目的。此所謂「制
　　　　夷」即成功抵抗西方之侵略。
〔註99〕此所謂歷史之侷限性，主要乃指龔、魏二人或因個人才智、經歷；或因時代、
　　　　環境，於其思想中產生無形限制，而致無法踰越一定之範圍與尺度。詳論參
　　　　見王聿均，〈清代中葉士大夫之憂患意識〉，《中央研究院近代史研究所集刊》
　　　　1982 年第 11 期，頁 6～8，以及吳光，《儒家哲學片論》，頁 134～136。
〔註100〕見同前註中吳光之文，頁 134。

　　至同治、光緒初年，由於西方帝國主義勢力與其學術文化對中國傳統社會結構、制度、學術文化之強烈衝擊，已造成中國社會與文化之巨大危機；加以中國之儒者士人因遭逢西學衝擊，乃亟思藉吸收西方新知、新學以補傳統儒學之不足，進而解救社會文化之危機；經世思想至此乃進入一新階段發展。此時之儒者士人多講「洋務」，〔註 101〕唯其態度乃以傳統儒學為立身處世之基本原則，而以興辦「洋務」為富國強兵之手段。換言之，此時之儒者士人，一方面本諸儒家之經世精神，主張以傳統儒學為救國濟世之體；另方面則主張師法西方、引進西學，以為救國濟世之用。此即當時「中體西用」〔註 102〕之主張，亦即當時經世思想之主要內容。則經世思想之廣闊性，已由明末清初之猶以中學為主，擴展至此時之兼收西學，唯因此時之經世思想仍著意於具體事功之建立，即外王部分，而未能於抽象思想，即內聖部分，加以充實、更新，故雖推動「洋務」，仍未達致救國濟世之目的。光緒中期以降，儒者士人如康有為、譚嗣同等，既檢視前此承儒家經世精神之「中體西用」主張，又欲為救國濟世目標尋一出路，及嘗試對孔、孟內聖外王之仁學與西方之哲學、自然科學混合解釋；並倡戊戌變法，冀以實際行動達成經世目的。雖然清末之變法終究失敗，〔註 103〕而孔、孟儒學之混同西方學術，亦頗多矛盾與牽強附會之處，然而其所展現積極、開闊之經世風格卻更鮮明、深刻。

〔註 101〕吳章銓嘗釋此詞，謂：「『洋務』一詞，範圍廣大，又因時間不同，重心也有轉移。大體說來，洋務的內容可分為三方面，即外交、西式軍事設備與商務。這三點，都是晚清西力入侵後新興的大政，而為中國傳統政務中所沒有的項目。」見〈洋務運動中的商務思想──以李鴻章為中心的探討〉，此文收錄於張灝等著，周陽山、楊肅獻編，《近代中國思想人物論──晚清思想》（臺北：時報文化事業公司，1980 年 6 月初版），頁 289。

〔註 102〕對於「中體西用」一詞，吳光嘗引述專家考證以說明，大抵此一主張初見於馮桂芬之文，其後，鄭觀應、沈壽康均嘗提及或明確指出此主張，唯至張之洞乃於其《勸學篇》中，對此主張作具體闡發，故一般認為「中體西用」口號乃張之洞首倡。參見吳光，《儒家哲學片論》，頁 161，以及徐復觀，《中國人性論史·先秦篇》，頁 21。

〔註 103〕關於清末，戊戌變法之失敗，主要原因乃在，反對勢力過大，加以掌政者囿於權利衝突、種族偏見與私人恩怨所致。當然，倡言變法者，不能自民族文化更深一層次體認中西文化間差異，從而提出更適切方法以進行改革，亦是原因之一。然整體而論，反對勢力過大仍是最重要因素。參見呂實強，〈儒家傳統與維新〉；薩孟武，〈戊戌變法以前的洋務運動及反對的言論〉；陳鐓，〈戊戌政變時反變法人物之政治思想〉。此三文俱收於張灝等著，《近代中國思想人物論──晚清思想》一書。

　　由於晚清洋務運動及戊戌變法之失敗，中國之儒者士人漸次體認西方之富強，非僅因武器新式、科技發達，更因其有講民主自由之社會制度、與自然、人文科學理論之指引、配合，方能達致。然則欲救國濟世、求中國富強，自須全面學西方，由是形成極盛一時之西學救國思潮。此思潮至五四新文化運動時期之全盤西化，可謂達到高峰，經世思想至此乃發展爲對整個中國傳統文化進行反省、檢討。傳統文化應否存續之命題，嘗凸顯於明末清初諸儒經世思想之富民族意識色彩中；唯明末清初諸儒，乃採存續傳統文化之態度，而至五四時之知識份子則抱更新文化之立場。雖然，經世之精神與儒者匡時濟世之懷抱則未嘗改變。

　　時至現代，而有「新儒家」產生。所謂「新儒家」，即「由一批站在傳統文化本位主義立場上而又具有現代經世意識的知識分子所建立的、力圖通過吸納、融會西方文明而豐富發展儒家的道德人文主義學說，以抗拒全盤性反傳統主義思潮，並尋求中國現代化的理想道路的學術思想流派。」〔註104〕然則經世思想中傳統文化色彩由是乃再現。蔡仁厚曾說明當代儒家之精神方向有三，即：道統之光大──重開生命之學問、政統之繼續──完成民主建國、學統之開出──轉出知識之學。〔註105〕並謂：

> 第一點是民族文化之統的延續與光大，這是引發文化創造力的源頭活水，必須使它永遠充沛而暢通。第二第三兩點，則是繼晚明三大儒而推進一步，以期徹底開出外王事功。(〈新儒家的精神方向〉，《新儒家的精神方向》)

則儒家經世思想之發展至此乃進入另一新階段。

　　此外，值得一提的是明中葉以後，重視經世文獻之風氣漸起，至晚清，此風氣猶有過之，前後共編有經世文獻十多種；〔註106〕無論就質或就量而言，

〔註104〕見吳光，《儒家哲學片論》，頁 146。案：吳光此處所謂「道德人文主義」之基本涵義，乃儒家「內聖外王」之道，「修己治人之學」之精神要義。見頁146～147。

〔註105〕此三點原爲牟宗三用以明確指出儒家第 3 期「文化使命」之所在，蔡仁厚乃針對此三點作簡要說明。參見蔡仁厚，〈新儒家的精神方向〉，《新儒家的精神方向》(臺北：臺灣學生書局，1982 年 3 月初版)，頁 19～29。

〔註106〕見李焯然，《論儒家的經世之學》，頁 23～24。此外，有關晚清人士所編經世文獻之體裁、特色與對經世一詞之界定，可參見劉廣京、周啓榮，〈皇朝經世文編關於「經世之學」的理論〉，《中央研究院近代史研究所集刊》1986 年第15 期，頁 33～99，與王爾敏，〈經世思想之義界問題〉，以及張灝，〈宋明以

均有超越明人之成績表現。

　　綜上所述，是知經世思想之發展容或顯隱層出，然終未嘗斷絕，其間固以南宋初葉、明末清初與晚清以來之經世思想最具特色，然若就影響經世思想之發展方向論，則當推明末清初之經世思想地位最重要，蓋因「從外在的政、經、社會環境之劇烈變化而言，明末清初正標識著一個『大亂反治』的前兆，此不待言；而就內在思想的變化而論，一方面，宋明理學已有『質的變化』，明顯地成為理學和考據學的『過渡期』；一方面，西方傳教士輸入了近代科技，對此後三百年的學術，也是個嶄新的起點。」〔註107〕故明末清初之經世思想誠居總結傳統與啟發近代之關鍵地位，而其中最具代表性人物則為黃宗羲。

來儒家經世思想試釋〉。
〔註107〕此乃林保淳之意見。見氏著《明末清初經世文論研究》，第二章之註8，頁69。

第三章 黃宗羲承心學而轉經世思想之 歷程

　　明末清初經世思想之居關鍵性地位，主要乃有賴於明清之際諸儒對經世思想之發揚與創新，其中，最具代表性意義之人物當推黃宗羲。黃宗羲非僅有專著體現其經世思想，如《明夷待訪錄》即是；更因其乃由從學於陽明學嫡派之劉宗周而轉為經世思想家，其學既終結前一時代之學術思想，又於無意間促進另一時代學術思想之興起。故就經世思想發展論，黃宗羲之經世思想實深具意義且地位特殊。本章即專就梨洲師承心學而轉為經世思想之過程，採溯源方法進行探究，以期明瞭梨洲經世思想之源起，從而顯示其思想所具之時代意義。

第一節　學術系統之傳承

　　關於梨洲學術系統之淵源，可由二段重要文字中理解；其一乃梨洲自述之言，其二則為全祖望評梨洲之言。梨洲嘗自述其學統，曰：

> 余攝齊蕺山，漳浦兩夫子之堂。兩夫子之學，莫不原本考亭，追溯濂溪、二程，以達於孔、孟；而一時門徒，未見有董常、黃榦之儔者，何其寥寥者歟？黃子於蕺山門為晚出，獨能疏通其微言，證明其大義，推流溯源，以合於先聖不傳之旨，然後蕺山之學，如日中天。至其包舉藝文，淵綜律歷，百家稗乘之言，靡不究心，擬之開物成務，又何不謀而有合也。（《南雷文定》，後集，卷四，〈陳令升先生傳〉）

梨洲之學既本諸蕺山（案：即劉宗周）、漳浦（案：即黃道周），而二子之學，近紹濂溪、二程，遠宗孔、孟；梨洲既出自蕺山門下，非但發明其師大義，亦合於孔、孟宗旨，則梨洲之學自不甚異於蕺山。至於全祖望所評梨洲之學，謂：

> 公以濂洛之統，綜會諸家，橫渠之禮教、康節之數學、東萊之文獻、艮齋、止齋之經制、水心之文章，莫不旁推交通，連珠合璧，自來儒林所未有也。（《鮚埼亭集》，卷十一，〈梨洲先生神道碑文〉）

可見梨洲雖受業於蕺山，然其學並未侷限一門一派，而為綜會諸家以成。故本節乃自二方面論述梨洲之學，以見其學之傳。

一、近承王陽明、劉宗周之學

觀梨洲一生，影響其思想最大者，即其師——劉宗周。梨洲非僅信服蕺山之學問，亦嚮往蕺山之人格。大抵梨洲一生以發揚師說為志。如其作《明儒學案》即以蕺山思想為綱領；而且明示真能傳蕺山思想者，唯己一人，〔註1〕更見其自任闡揚蕺山學之深重。〔註2〕梨洲嘗述蕺山思想宗旨，言：

〔註1〕梨洲於康熙三十二年，嘗作〈明儒學案序〉，序中有言：「義幼遭家難，先師蕺山先生視義如子，扶危定傾，日聞緒言，小子矍矍，夢奠之後，始從遺書得其宗旨。而同門之友多歸忠節。歲己酉，毘陵鄆仲昇來越，著《劉子節要》。仲昇，先師之高第弟子也。書成，義送之江干，仲昇執手丁寧曰：『今日知先師之學者，惟言與子兩人，議論不容不歸一，惟於先師言意所在，宜稍為通融。』義曰：『先師所以異於諸儒者，正在於意，寧可不為發明！』仲昇欲義敘其節要，義終不敢。是則仲昇於殊途百慮之學，尚有成局之未化也。」則梨洲自許其為蕺山學之真正傳人，於此昭然可見。案：梨洲撰作《明儒學案》之序，先後共有二次，此處所引乃其第一之所作之序文，或名〈明儒學案原序〉。至於其最後定稿之序文，則為其第二次所作，今二序俱見於黃宗羲《明儒學案》中。

〔註2〕此由二事可得證明。一為梨洲之著《孟子師說》；一為梨洲之撰《明儒學案》。梨洲於《孟子師說》，〈題辭〉，中言：「先師子劉子於《大學》有《統義》，於《中庸》有《慎獨義》，於《論語》有《學案》，皆其微言所寄，獨《孟子》無成書。義讀《劉子遺書》，潛心有年，麤識先師宗旨所在，竊取其意，因成《孟子師說》七卷，以補所未備，或不能無所出入，以俟知先生之學者糾其謬云。」梨洲之著《孟子師說》乃為補其師學說之未備，足見其發揚師說之用心。而於〈明儒學案原序〉，中，梨洲謂：「義為《明儒學案》，上下諸先生，深淺各得，醇疵互見，要皆功力所至，竭其心之萬殊者，而後成家，未嘗以懵懂精神冒人糟粕。於是為之分源別派，使其宗旨歷然，由是而之焉，固聖人之耳目也。間有發明，一本之先師，非敢有所增損其間。」既本其師說，未敢有所增損，則其於蕺山思想之發明與精神之發揚，可謂不遺餘力。

先生宗旨爲愼獨。始從主敬入門，中年專用愼獨工夫。愼則敬、敬
則誠。晚年愈精微、愈平實、本體只是些子、工夫只是些子。仍不
分此爲本體，彼爲工夫；亦并無這些子可指，合於無聲無臭之本然。
從嚴毅清苦之中，發爲光風霽月，消息動靜，步步實歷而見。故發
先儒之所未發者，其大端有四：一曰靜存之外無動察。……一曰意
爲心之所存，非所發。……一曰已發未發，以表裡對待言，不以前
後際言。……一曰太極爲萬物之總名。（《子劉子行狀》，卷下）

對於蕺山之學，梨洲此言頗有次第，首敘工夫論，次言本體論，再次則就性情、
中和等觀念論說，最後乃述宇宙論。〔註3〕所謂「靜存之外無動察」，此與蕺山
「愼獨」之義直接相關，〔註4〕主要乃強調於意念行爲出現前之「靜存」工夫。
蕺山認爲唯「靜存」工夫，方爲根本工夫，亦唯做好「靜存」工夫，方能發而
皆中節。〔註5〕由是，蕺山乃謂：「省察即是存養中最得力處。」〔註6〕遂納「省
察」於「存養」中，而於「靜存」之外，別無所謂「動察」，即動後之「省察」
工夫。因此，「愼獨」乃專屬於「靜存」，而爲「靜存」，工夫之結穴處。〔註7〕
至於「意爲心之所存，非所發」之說，蕺山之意乃在嚴分意、念。其以意爲心
所存，而好善惡惡；以念爲心之所發，而有善有惡。故其主張「工夫結在主意
中，方爲眞工夫。如離卻意根一步，亦更無格致可言」，〔註8〕而專於意上下工
夫，遂以念之興起爲病，是以當「主靜」以「化念還心」。〔註9〕至此，蕺山乃

〔註3〕　此觀點主要乃參酌綜合勞思光與劉述先之見解而成。詳細內容參見勞思光，
　　　　《中國哲學史》，第三卷下，第六章，頁567，及劉述先，《黃宗羲心學的定位》
　　　　（臺北：允晨文化實業公司，1986年10月初版），第一章，頁11。
〔註4〕　參見勞思光，《中國哲學史》，第三卷下，第六章，頁567。
〔註5〕　參見林聰舜，〈劉蕺山與黃梨洲——從「理學殿軍」到「經世思想家」〉，頁
　　　　181～182。本文收錄於《晚明思潮與社會變動》（臺北：弘化文化事業公司，
　　　　1987年12月初版），頁177～219。案：對於「靜存」工夫，蕺山有段文字頗
　　　　能言明個中義涵，其言：「如樹木有根，方有枝葉，栽培灌漑，只在根上用。
　　　　枝葉上，如何著得一毫？靜存不得力，讓喜讓怒時便會走作，此時如何用工
　　　　夫？苟能一如其未發之體而發，此時一毫私意著不得，無工夫可用。若走作
　　　　後便覺得，便與他痛改，此時喜怒已過了仍是靜存工夫也。」可見蕺山對「靜
　　　　存」工夫之重視。
〔註6〕　見黃宗羲，《子劉子行狀》，卷下。此著作收錄於《黃宗羲全集》，第一冊中。
〔註7〕　參見林聰舜，〈劉蕺山與黃梨州——從「理學殿車」到「經世思想家」〉，頁
　　　　183。
〔註8〕　見黃宗羲，《子劉子行狀》，卷下。
〔註9〕　蕺山曰：「心、意、知、物是一路。不知此外，何以又容一念字？今心爲念，

將王陽明「致良知」教中,「良知」所具之好善惡惡能力與作為價值根源之意義,盡歸於「意」,亦即將「良知」之顯教歸於「意根最微」之密教;〔註10〕而藉超越層之「意根」,持守價值本體之奧祕性,令人戒懼慎獨,知所警惕。〔註 11〕由是,蕺山乃有「已發未發,以表裡對待言,不以前後際言」之主張。此主要乃於論說中和、性情等觀念中,進一步開出「以心著性」之思想架構,以確立心、性之關係乃已發與未發,亦即表裡對待之關係;從而以性體之超越融攝心體之主觀活動,予心體以客觀之貞定,而最終仍為心性是一。如此,方不致造成情肆虛蕩之弊,而蕺山慎獨學說之精義亦由此顯現。〔註12〕至於所謂「太極為萬物之總名」,此乃蕺山接受周濂溪〈太極圖說〉中,「無極而太極」、「太極本無極」之說,而以天為萬物之總名,道為萬器之總名,性為萬形之總名;並

蓋心,餘氣也。餘氣也者,動氣也,動而遠乎天,故念起念滅,為厥心病,還為意病,為知病,為物病。故念有善惡而物即與之為善惡,物本無善惡也;念有昏明而知即與之為昏明,知本無昏明也;念有真妄而意即與之為真妄,意本無真妄也;念有起滅而心即與之為起滅,心本無起滅也。故聖人化念還心,要於主靜。」見黃宗羲,《子劉子學言》,卷二。此著作收錄於《黃宗羲全集》,第一冊。由此可見,蕺山嚴分意、念之態度。

〔註10〕參見牟宗三,《從陸象山到劉蕺山》(臺北:臺灣學生書局,1979 年 8 月初版),第六章,第一節,頁 454。
〔註11〕見林聰舜,〈劉蕺山與黃梨州——從「理學殿車」到「經世思想家」〉,頁 184。
〔註12〕此部分之論述,主要乃參考融合勞思光、牟宗三與林聰舜之觀點。簡言之,蕺山既以念為所化之對象,則念即代表某種反面意義之活動。又念之不同於意,乃在念有起滅;而人之情緒活動,亦有起滅,本此,蕺山乃藉「四德」與「七情」之不同,闡明「喜怒哀樂」諸「情」,乃獨體所本有,專指仁、義、禮、智四德,屬未發之超經驗義;至若「笑啼詈罵」諸「情」,即所謂之七情,屬已發之經驗義。唯四德原為「性」而非「情」,至蕺山將「喜怒哀樂」與「七情」分開,則其遂將「性」與「情」俱收入於心或主體之內在能力中,而有合性情之說。性、情既合觀,則中、和亦遂合言,此乃因中、和即由性之未發、已發言。而性情既已入於心之內在能力中,則性體若離開心體即無以體驗、體現而得體證,若不得體證即不能彰著,可見心與性之關係乃一形著關係。由是,乃開出「以心著性」之思想架構,而歸顯於密。循此「以心著性」,非僅可救王學之弊,最後亦仍為心性是一。故蕺山云:「大學言心到極至處,便是盡性之功,故其要歸慎獨;中庸言性到極至處,只是盡心之功,故其要亦歸之慎獨。獨,一也,形而上者謂之性,形而下者謂之心。」又云:「獨是虛位,從性體看來,則曰:『莫見莫顯,是思慮未起,鬼神莫知時也。』從心體看來,則曰:『十目十手,思慮既起,吾心獨知時也。』然性體即在心體中看出。」然則,蕺山慎獨之學之精義即在此。詳論參見勞思光之書,《中國哲學史》,頁 597〜602;牟宗三之書,《從陸象山到劉蕺山》,頁 452〜458;林聰舜之文,同前註,頁 185〜186。

以心爲人心之本心，以義理之性即氣質之性。〔註13〕本此遂演爲蕺山理氣一元之宇宙論。然則自工夫論至宇宙論，蕺山思想之大要，可謂依序具現於梨洲所揭示之四端中，而梨洲能以四端點出蕺山學說之大要，亦可見其乃深得蕺山學說之精義。

綜觀蕺山之學，乃乘王學流弊而起，蕺山嘗言：

> 今天下爭言良知矣。及其弊也，猖狂者參之以情識，而一是皆良；超潔者蕩之以玄虛，而夷良於賊。（《劉子全書》，卷六，〈證學雜解〉，解二五）

蕺山雖非出於王學門下，然基本上其對王陽明仍甚尊敬。〔註14〕唯以陽明後學專講「良知」，或參以情識、或蕩以玄虛，全然不重踐履、工夫；蕺山遂繼承並修正陽明之「致良知」義，而轉爲其愼獨、誠意之說，期能藉以救王學末流之弊。故舉凡前述蕺山思想中之以「存養」攝「省察」、嚴分意、念、「以心著性」等，皆有對陽明學補偏救弊之用心。〔註15〕由是，蕺山思想乃呈現

〔註13〕 見黃宗羲，《子劉子行狀》，卷下。原文爲：「……於是縱言之，道、理皆從形、氣而立，離形無所謂道，離氣無所理。天者萬物之總名，非與物爲君也；道者萬器之總名，非與器爲體也；性者萬形之總名，非與形爲偶也。知此，則道心即人心之本心，義理之性，即氣質之性。」

〔註14〕 蕺山嘗評王陽明：曰「先生教人，吃緊在去人欲而存天理，進之以知行合一之說，其要歸於致良知，雖累千百言，不出此三言爲轉註，凡以使學者截去之繞，尋向上去而已，世未有善教如先生者也。是請教法。而先生之言良知也，近本之孔孟之說，遠溯之精一之傳，蓋自程、朱一線中絕，而後補救弊，契聖歸宗，未有若先生之深切著明者也。是謂宗旨。」是知蕺山並未背棄陽明，其愼獨之學乃針對陽明後學流弊以補救之。故梨洲乃於《子劉子行狀》，卷下言：「先生以謂新建之流弊，亦新建之擇焉而不精，語焉而不詳有以啓之也。其駁天泉證道記曰：……其駁良知說曰：蓋先生于新建之學凡三變：始而疑，中而信，終而辨難不遺餘力，而新建之旨復顯。」可見蕺山所辨難之陽明學，乃「天泉證道記」與「致良知」等不精、不詳處，而非全盤否定陽明學；甚且由於蕺山之辨難而致王學復顯。則蕺山之尊敬陽明、繼承陽明，實非妄言。案：前所引蕺山評陽明之言，見《劉子全書及遺編》（京都：中文出版社，1981年），〈陽明傳信錄〉，小引。另見錄於黃宗羲，《明儒學案》，卷十，〈姚江學案〉，中。

〔註15〕 大體而言，蕺山對於陽明，主要乃先懷疑陽明四句教：「無善無惡是心之體，有善有惡是意之動，知善知惡是良知，爲善去惡是格物」其中之「無善無惡是心之體」一語，繼而懷疑四句教中「有善有惡是意之動」一語，至其六十六歲作「良知說」時，更整個懷疑四句教之內涵，並連陽明之「良知」教亦頗多質疑與批評。然而，此並不代表蕺山全盤否定陽明學，相反，蕺山由愼獨說所建立其心性學之系統架構，頗多與陽明學相似處，可見蕺山於陽明之良知說，亦

極端內斂之傾向，而將理學家講內聖之心性工夫收束更緊，終將理學家之內聖之學與成德之教發揮至極致。〔註16〕

此外，於蕺山心性工夫中，已透露出其意識到當重視客觀世界問題之訊息。此於王學中實屬特別，蕺山重視客觀世界之傾向，大抵見於其重形器、重氣質、重聞見之知之言論中。亦即，多見於前述其思想中之宇宙論中。如論理氣時，蕺山嘗言：「盈天地間一氣也，氣即理也。」〔註17〕又云：「有是氣方有是理，無是氣則理於何麗？」〔註18〕而於與此相關之道器問題，曰：「盈天地間凡道理皆從形器而生，絕不是理生氣。」〔註19〕並謂：「有氣斯有數，有數斯有象，有象斯有名，有名斯有物，有物斯有性，有性斯有道。故道其後起也，而求道者輒求之未始有氣之先，以為道生氣，則道亦何物也，而能遂生氣乎？」〔註20〕又云：「畢竟器在斯道在，離器而道不可見。」〔註21〕凡此，均有以氣或器為宇宙論之第一序觀念，而表現出重氣、重器，亦即重客觀世界之傾向。再如蕺山之分辨德性之知與聞見之知，言：「文成云：『聞見非知，良知為知；踐履非行，致良知為行。』……然須知良知之知，正是不廢聞見；致良知之行，正是不廢踐履。」〔註22〕又曰：「世謂聞見之知，與德性之知有二。予謂聰明睿知，非恃乎睿知之體，不能不竅于聰明，而聞見啟焉。性亦聞見也，效性而動者學也。今必以聞見為外，而欲墮體黜聰，以求睿知，并其睿知而槁矣，是墮性于空，而禪學之談柄也。」〔註23〕又云：「蓋良知與聞見之知，總是一知，良知何嘗離得聞見？聞見何嘗遺得心靈？……

明瞭，甚且欣賞，故其乃能闡發陽明學，而令陽明學復顯。雖然，蕺山畢竟無法同情良知教於流行後所致良知之墮於虛玄狂蕩，乃因良知之工夫與教法終是偏於發用處著眼；亦即，蕺山對良知之同意與否，關鍵不在理論，而在工夫之方向上。故其藉由講工夫之《大學》以建立誠意說，從而矯正王學之流弊。詳論參見林聰舜之文，〈劉蕺山與黃梨洲——從「理學殿軍」到「經世思想家」〉，頁179～186；及古清美，〈劉蕺山對陽明致良知說之繼承與發展〉，《明代理學論文集》（臺北：大安出版社，1990年5月一版），頁230～248。

〔註16〕見同前註中林聰舜之文，頁179。
〔註17〕見黃宗義，《子劉子學言》，卷二。
〔註18〕同前註。
〔註19〕見劉宗周，〈答劉乾所〉，《劉子全書及遺篇》，卷十九。
〔註20〕見黃宗義，《子劉子學言》，卷二。
〔註21〕同前註。
〔註22〕見劉宗周，〈大學古義約義〉，《劉子全書及遺篇》，卷三十八。
〔註23〕見黃宗義，〈蕺山學案〉，〈論語學案〉，《明儒學案》，卷六十二。

視聞見支離之病，何啻霄壤！」〔註24〕則蕺山之意當爲重視聞見之知，重視
客觀知識，而非視爲支離。再如蕺山論人性時，謂：「氣質之性即義理之性，
義理之性即天命之性，善則俱善。」〔註25〕又言：「須知性只是氣質之性，而
義理者氣質之本然，乃所以爲性也。性只是人心，而道者人之所當然，乃所
以爲心也。人心道心，只是一心，氣質義理，只是一性。」〔註26〕故又云：「盈
天地間止有氣質之性，而義理之性即在其中。」〔註27〕並謂：「道心者，心之
所以爲心也。非以人欲爲人心，天理爲道心也。」〔註28〕又言：「天理人欲同
行而異情，故即欲可以還理。」〔註29〕可見蕺山已有提高氣質之性與人欲地
位之觀念，而不再截然二分爲義理之性與氣質之性，此多少反映出蕺山對富
含血肉之現實生命所表現之人生活動，已較前儒更能抱持肯定態度以面對。〔註
30〕綜上可知，客觀世界之問題確實已爲蕺山所注意。此或與其所處時代有關，
面對國家日漸衰敗，外族侵略日迫，又豈能無視於客觀世界之問題？唯蕺山
正視客觀世界問題之解決之道，仍於內心世界中尋找，換言之，其仍欲藉徹
底之內聖工夫以解決問題。〔註31〕故其思想中稍稍萌芽之重視客觀世界，才
一出現即爲其心性思想所包圍、淹沒，終未能得順遂發展。雖然，蕺山重視
客觀世界之傾向，畢竟仍於其弟子黃宗羲身上獲得充分發展。

　　梨洲師承蕺山，而蕺山學又繼承王陽明致良知教而加以修正，故梨洲之
學術系統，明言直承蕺山，而實可推溯至陽明。對於蕺山慎獨之學，梨洲可
謂深得個中眞味。儘管梨洲最後整個思想傾向大異於蕺山，然於心學方面，
梨洲仍深受蕺山影響，甚且頗似繼承、發揚蕺山學自居。梨洲之承蕺山學，
主要乃本其所舉蕺山思想之四謬爲原則，故於「意」說之發揮與「理氣」論
之闡揚用力最多。對於蕺山之「意」說，梨洲可謂全然信服，嘗於《明儒學
案》、〈序〉中明謂蕺山之「意」，正爲蕺山異於諸儒之處，故不可不加以發明。

〔註24〕同前註，〈語錄〉。

〔註25〕同前註，〈來學問答〉。

〔註26〕同前註，〈說〉。

〔註27〕見黃宗羲，《子劉子學言》，卷二。

〔註28〕見黃宗羲，〈來學問答〉，《明儒學案》，卷六十二。

〔註29〕見黃宗羲，《子劉子學言》，卷一。

〔註30〕有關此部分探討蕺山心性思想中，重視客觀世界之傾向，主要乃參考引述林
　　　　聰舜之觀點，見氏著〈劉蕺山與黃梨洲——從「理學殿軍」到「經世思想家」〉，
　　　　頁189～191。

〔註31〕同前註，頁191～194。

　　同門陳乾初嘗疑《大學》一書之眞僞，並以專講「誠意」，且置「正心」於「誠意」之後爲誤。〔註32〕蕺山子劉汋（案：字繩伯）即辨之曰：

　　大略聖賢言心有二端，《語》、《孟》之言心也，合意知物而言者也。合意知物而言者，故不言誠意，而誠意在其中；如求放心，必有所以求之之道，操則存，其求之之道也，非即誠意之慎獨乎？心之所之謂之志，非心即志也，所之者意也。由志學而後能從心，非即意誠而後心正乎？大學之言心也，分意知物而言者也。分意知物而言者，非外心以言意，即心而指其最初之幾曰意；蓋必言意而心始有主宰，言誠而正始有實功也。（《南雷文案》，卷二，〈劉繩伯先生墓誌銘〉）

以爲「心」與「意知物」有合言、分言二者，大抵《論語》、《孟子》乃合言之，故聖人雖不言「意」、而「心之所之」或「所以求之」之主宰皆指「意」。若《大學》則分言之，所謂由「誠意」入「正心」，正可見「意」乃「心」之「最初幾」，殆無可疑。對於劉汋此論，梨洲深表贊同，並以爲劉繩伯有摧陷廓清之功。〔註33〕又如梨洲弟子董吳仲作〈劉子質疑〉一文，申明陽明「無善無惡心之體，有善有惡意之動，知善知惡是良知，爲善去惡是格物」四句教，〔註34〕並從而質疑蕺山「意爲心之所存」之觀點。梨洲見之，乃回書曰：

　　陽明曰：「良知是未發之中。」則已明言意是未發，第習熟于意者心之所發之舊話，未曾道破耳。不然，意既動，而有善有惡已發者也，則知亦是已發，如之何知獨未發？此一時也，意則已發，知則未發，無乃錯雜，將安所施功乎？……然則先師意爲心之所存，與陽明良

〔註32〕陳乾初之主要論點爲：「以大學有古本、有改本、有石經，言人人殊，因言大學非聖經也。自來學問由正以入誠，未有由誠以入正者。孟子言求放心，夫子言志學從心；其主敬功夫，從心始不從意始。」見黃宗羲，〈劉繩伯先生墓誌銘〉，《南雷文案》，收錄於《梨洲遺著彙刊（上）、（下）》（臺北：隆言出版社，1969 年 10 月臺初版），卷二。

〔註33〕參見林聰舜，《明清之際儒家思想的變遷與發展》（臺北：臺灣學生書局，1990年 10 月初版），第二章，頁 31。案：梨洲嘗讚劉汋曰：「當是時，問學者雲擁其門，雖所得各有深淺，而山陰慎獨宗旨，暴白於天下，不爲越中之舊說所亂者，先生有摧陷廓清之功焉。」同註 32。梨洲此言，乃因蕺山諸弟子進受其教而有未達者，即退而私於繩伯，遂得冰釋，蕺山之學由是而明。

〔註34〕見黃宗羲，〈答董吳仲論學書〉，《南雷文案》，卷二，所引陽明四句教之說法。另見王陽明《傳習錄》，收錄於《王陽明全集》（臺北：古新書局，1978 年），下。

　　知是未發之中，其宗旨正相印合也……故欲全陽明宗旨，非先師之
　　言意不可，如以陽明之四句，定陽明之宗旨，則反失之矣。(《南雷
　　文定》，卷二，〈答董吳仲論學書〉)

梨洲既以「意是未發」爲陽明「良知」之眞義，則陽明之四句教，遂爲體現
陽明「良知」精義之障蔽。故梨洲乃以爲蕺山之「意」說，實爲陽明宗旨之
最佳註解。而由其對「良知乃未發」之堅持，認爲若就「知善知惡」處言「良
知」，「良知」已落於善念、惡念發動之後，而所謂「爲善去惡」亦將無所依
憑而行。更可見其持守師說，發明師說之用意。梨洲云：

　　余謂先師之意，即陽明之良知；先師之誠意，即陽明之致良知。(《南
　　雷文案》，三集，卷二，〈董吳仲墓誌銘〉)

以蕺山之「意」等同於陽明之「良知」，以蕺山之「誠意」等同於陽明之「致
良知」。梨洲以蕺山之「意」說取代陽明之「良知」教之意圖甚爲明顯。雖
然於此過程中，梨洲頗有誤解陽明之處，如謂四句教法乃「以知覺爲良知」；
〔註35〕又如對陽明以「意」爲「心之所發」之觀點頗感不妥等；〔註36〕但由

─────────────

〔註35〕見同前註中黃宗羲之文。原文云：「陽明提致良知爲宗，一洗俗學之弊，可謂
　　　不遺餘力矣。若必守此四句爲教法，則是以知覺爲良知，推行爲致知；從其
　　　心之所發，驗其孰爲善孰爲惡？而後善者從而達之，惡者從而塞之，則方寸
　　　之間，已不勝其憧憧之往來矣。」案：梨洲有言：「既云至善是心之本體，又
　　　云知是心之本體。蓋知只是知善知惡，知善知惡正是心之至善處。既謂之良
　　　知，決然私意障礙不得，常人與聖人同。」則梨洲乃以「知善知惡」之知爲
　　　純粹知覺或認知。然此與陽明之本意不合。勞思光嘗引陽明四句教中「知善
　　　知惡是良知，爲善去惡是格物」，以及〈大學問〉中「良知者，孟子所謂是
　　　非之心，人皆有之者也」二段話，說明陽明所言良知之義。勞思光云：「此是
　　　以『是非之心』說『良知』，特重『良知』能判意念之善惡一點。合而言之，
　　　意念行爲之『善惡』，呈現於此心之『良知』能力而成立；正如紅白之色呈現
　　　於視覺能力而成立。如此，則所謂『良知』，只對『善惡』一對價値意義之屬
　　　性發用，而與通常認知事物之經驗屬性或規律之能力全不相同。」又言：「而
　　　陽明用『知』字，又常爲『良知』之簡稱或縮寫，故每每一說『知』，即指『知
　　　善知惡』講──或就價値意識講：說『良知』之外別無知，亦並非持『經驗
　　　知識皆內在於一心』之斷定。」見氏著《中國哲學史》，第三卷上，頁 416～
　　　417。則陽明之良知或知洵非指事物之認知可明。
〔註36〕陽明對「意」之定義，可見於《傳習錄》中，云：「身之主宰便是心，心之所
　　　發便是意，意之本體便是知，意之所在便是物。」見《傳習錄》，上。如此立
　　　說實乃信服「意爲心之所存」之梨洲所無法認同。此可見於梨洲以中和說評
　　　諸家弊病之言中，曰：「中庸言致中和，考亭以存養爲致中，省察爲致和；雖
　　　中和兼致，而未免分動靜爲兩截，至工夫有二用。其後王龍溪從日用倫物之
　　　感應，以致其明察；歐陽南野以感應變化爲良知，則是致和而不致中；聶雙

此亦可證明其確乃承襲蕺山之觀點以認識陽明學說；加以，其僅取陽明「良知是未發之中」一義，以強化蕺山「意」說之內涵，更可見其爲闡揚師說而必須檢討、評論陽明四句教。〔註37〕諸如此上述，均爲梨洲繼承蕺山「意」說且加以申明、發揚之明證。

　　除於「意」說之發揮外，梨洲於蕺山學之理、氣問題，亦頗加闡揚。如前文所述，蕺山之論理、氣，乃視理、氣一元而不分，且以氣涵括理，如云：

　　理即是氣之理，斷然不在氣先，不在氣外。知此，則知道心即人心之本，義理之性即氣質之性，千古支離之說，可以盡掃。（《子劉子學言》，卷二）

梨洲承師說，亦主張「理爲氣之理」，〔註38〕並視理、氣非二物，而爲一物之兩名。曰：

　　抑知理氣之名，由人而造，自其浮沈升降者而言，則謂之氣，自其浮

江、羅念庵之歸寂守靜，則是致中而不致和。諸儒之言，無不曰前後內外，渾然一體，然或攝感以歸寂，或緣寂以起感，終是有所偏倚。則以意者心之所發一言爲崇，然中者以意爲不足憑，而越過乎意，致和者以動爲意之本然，而逐乎意中和兼致者，有前乎意之工夫，有後乎意之工夫，而意攔截其間；使早知意爲心之所存，則操功只有一意，破除攔截，方可言前後內外渾然一體也。」同註34。梨洲雖未明言「未發」乃「意」之原義，且猶期望以「意」攝「存」與「發」，以靜存攝動察，從而持守其即體即用之一體觀；但其強調「未發」之傾向殆無可疑。參見林聰舜之文，〈劉蕺山與黃梨洲──從「理學殿軍」到「經世思想家」〉，頁217，註64。

〔註37〕事實上，梨洲非僅檢討、評論陽明四句教，更逕謂：「天泉之言，未必出自陽明也。」見黃宗羲，〈粵閩王門學案〉、〈行人薛中離先生侃〉，此二文俱見於《明儒學案》，卷三十。梨洲此說實可視爲蕺山觀點之流亞，因蕺山嘗疑四句教爲陽明未定之教，如云：「《錄》（案：即《傳習錄》）中言『天理』二字，不一而足，有時說『無善無惡者理之靜』，亦未嘗逕說『無善無惡是心體』，若心體果是無善無惡，則有善有惡之意又從何處來？知善知惡之知又從何處來？爲善去惡之功又從何處起？無乃語語斷流絕港乎！快哉，四無之論！先生（案：即王陽明）當於何處作答？……先生解《大學》，于『意』字原看不清楚，所以于四條目處未免架屋疊床至此。及門之士一再摹之，益失本色矣。先生他日有言曰：『心意知物只是一事。』此是定論。既是一事，決不是一事皆無。……」見黃宗羲，〈姚江學案〉，《明儒學案》，卷十，所引蕺山《陽明傳信錄》中之《傳習錄》部分，有關四句教之評論。然而，無論蕺山或梨洲之說，於理均顯薄弱，因就王陽明之《傳習錄》及《年譜》（收錄於《王陽明全集》）中，皆明載有四句教，故二人之論說，甚難成立。然本此卻可見蕺山、梨洲二人之學術傳承與立場。

〔註38〕同前註，〈河東學案〉，上，〈文清薛敬軒先生瑄〉，卷七。

沈升降不失其則者而言，則謂之理。蓋一物而兩名，非兩物而一體也。

　　（《明儒學案》，卷四四，〈諸儒學案〉，上二，〈學正曹月川先生端〉）

故梨洲反對理、氣二分而「以理馭氣」，謂：「氣必待馭於理，則氣爲死物。」；〔註39〕亦反對理、氣、心三分；〔註40〕亦反對理先於氣，因容易「墮佛氏障中」。〔註41〕是以諸儒中，梨洲最欣賞羅欽順之理氣論，云：

　　蓋先生之論理氣最爲精確，謂通天地，亙古今，無非一氣而已。氣
　　本一也，而一動一靜，一往一來，一闔一闢，一升一降，循環無已。
　　積微而著，由著復微，爲四時之溫涼寒暑，爲萬物之生長收藏，爲
　　斯民之日用彝倫，爲人事之成敗得失，千條萬緒，粉紜膠轕，而卒
　　不克亂，莫知其所以然而然，是即所謂理也。初非別有一物，依于
　　氣而立，附于氣以行也。（《明儒學案》，卷四七，〈諸儒學案〉，中一，
　　〈文莊羅整菴先生欽順〉）

梨洲以「精確」二字評論羅欽順之理氣論，實因羅欽順對理、氣之看法頗與梨洲相符。而梨洲本諸「理爲氣之理」之宗旨，乃進而主張天地間僅一氣，氣之自爲主宰名曰理。曰：

　　不知天地間祇有一氣，其升降往來即理也。人得之以爲心，亦氣也。
　　氣若不能自主宰，何以春而必夏、必秋、必冬哉！草木之榮枯，寒
　　暑之運行，地理之剛柔，象緯之順逆，人物之生化，夫孰使之哉？
　　皆氣之自爲主宰也。以其能主宰，故名之曰理。（《明儒學案》，卷三，
　　〈崇仁學案〉，三，〈恭簡魏莊渠先生校〉）

則梨洲之所謂理，不具主宰性，亦無理論上之存在實義，乃僅爲於時序運行與萬物生存之萬殊過程中終不致亂，而見之於氣者；以其乃人們所觀察之不

〔註39〕　同前註，〈諸儒學案〉，上二，〈學正曹月川先生端〉，卷四十四。案：曹端嘗辨
　　　　　太極，謂朱子之理乘氣說，「猶人之乘馬，馬之一出一入，而人亦與之一出一
　　　　　入」。果眞如此，「則人爲死人，而不足以爲萬物之靈，理爲死理，而不足以爲
　　　　　萬物之原」。故曹端以爲「今使活人騎馬，則其出入行止疾徐，亦由乎人馭之
　　　　　如何耳，活理亦然」。但對曹端此說，梨洲言：「先生之辨，雖爲明晰，然詳以
　　　　　理馭氣，仍爲二之。氣必待馭於理，則氣爲死物。」其不滿之意，躍然紙上。

〔註40〕　同前註，〈崇仁學案〉，三，〈恭簡魏莊渠先生校〉，卷三。魏校言：「理自然無
　　　　　爲，豈有靈也？氣形而下，莫能自主宰，心則虛靈而能主宰」乃能將理、氣、
　　　　　心三分。梨洲既主理氣一元，自不能認同此說，故云：「理也、氣也、心也，
　　　　　岐而爲三，不知天地間祇有一氣，其升降往來即理也。人得之以爲心，亦氣
　　　　　也。」並以四時運行、萬物生化說明氣之能自爲主宰，而非心。

〔註41〕　同前註，〈江右王門學案〉，五，〈太常王塘南先生時槐〉，卷二十。

失其則之氣化現象，故名之曰理。〔註 42〕唯理、氣乃就宇宙萬物全體言，若下貫於人，則爲性、心。梨洲嘗云：

> 夫在天爲氣者，在人爲心，在天爲理者，在人爲性。理氣如是，則心性亦如是，決無異也。（《明儒學案》，卷四七，〈諸儒學案〉，中一，〈文莊羅整菴先生欽順〉）

梨洲之意，乃以心氣爲一，性理爲一；而理現諸氣，則性遂著於心。〔註 43〕如此立說，實乃秉承蕺山理氣一元、心性是一之觀點。由是，梨洲乃推導出心、性、情爲一，而主張氣質之性與義理之性亦爲一。曰：

> 「性情」二字，分析不得，此理氣合一之說也。體則情性皆體，用則情性皆用，以至動靜已未發皆然。（《孟子師說》，卷六，〈公都子問性章〉）

性、情既不分，心、性又是一，心、性、情乃爲一。又由其盛稱蕺山之觀點，亦可見梨洲思想之歸趨。云：

> 孟子之惻隱羞惡辭讓是非，因所發之情，而見所存之性；因所情之善，而見所性之善。師以爲指情言性，非因情見性也；即心言性，非離心言善也。形而止者謂之道，形而下者謂之器；器在斯道在，離器而道不可見。必若求之惻隱羞惡辭讓是非之前，幾何而不心行路絕，言語道斷。……夫盈天地間，上有氣質之性，更無義理之性，謂有義理之性不落於氣質者，蕺三耳之說也。師於千古不決之疑，一旦拈出，使人冰融霧釋，而彌近理而大亂眞者，亦既如粉墨之不可掩矣。（《南雷文約》，卷四，〈先師蕺山先生文集序〉）

是知梨洲之反對性二分說，〔註44〕原乃承自蕺山「氣質之性即義理之性」、「性

〔註42〕梨洲云：「天地間只有一氣充周，生人生物。人稟是氣以生，心即氣之靈處，所謂知氣在上也。心體流行，其流行而有條理者，即性也。猶四時之氣，和則爲春，和盛而溫則爲夏，溫衰而涼則爲秋，涼盛而寒則爲冬，寒衰則復爲春。萬古如是，若有界限於間，流行而不失其序，是即理也。」見黃宗羲，《孟子師說》（收錄於《黃宗羲全集》，第一冊），卷二，〈浩然章〉。是知梨洲之所謂理，即「流行而不失其序」者。

〔註43〕梨洲嘗言：「理不可見，見之於氣；性不可見，見之於心；心即氣也。……離氣以求心性，吾不知所明者何心，所見者何性也。」同前註，此說實與蕺山「心性是一」、「以心著性」之論點相符。

〔註44〕梨洲嘗論曰：「耳目口鼻，是氣之流行者。離氣無所爲理，故曰性也。然即謂是性，則理氣渾矣，乃就氣中指出其主宰之命，這方是性。故於耳目口鼻之流行者，不竟謂之爲性也。綱常倫物之則，世人以此爲天地萬物公共之理，

只有氣質之性」之觀點，而加以明確化。

　　綜觀梨洲於蕺山「意」說之發揮與理氣論之闡揚，梨洲之心性思想實承蕺山心學所發展而出。

　　梨洲心學固直承於蕺山，然以蕺山頗推崇陽明，故於陽明學亦有所取。〔註45〕又因梨洲大抵乃經由蕺山而認識陽明學，是以梨洲之有取於陽明學者，大致亦以蕺山對陽明學之體認為主。如對王學地位之肯定與推崇。云：

> 有明學術，白沙開其端，至姚江而始大明；蓋從前習熟先儒之成說，
> 未嘗反身理會，推見至隱，……自姚江指點出「良知人人現在，一
> 反觀而自得」，便人人有個作聖之路。故無姚江，則古來之學脈絕矣。
> （《明儒學案》，卷十，〈姚江學案〉）〔註46〕

又謂：

> 作聖之功，至先生（案：指陳獻章）而始明，至文成而始大。向使
> 先生與文成不作，則濂、洛之精蘊，同之者固推見其至隱，異之者
> 亦疏通其流別，未能如今日也。（《明儒學案》，卷五，〈白沙學案〉，
> 上，〈文恭陳白沙先生獻章〉）

梨洲時代，王學末流之弊泛濫於天下，然其仍極力讚揚陽明作聖之功，此一方面代表其承續師說之立場，另方面亦顯露梨洲不以偏概全，而能就學術精蘊是否延續、彰顯以立論之學術態度。〔註47〕梨洲之認取陽明思想，主要仍

用之範圍世教，故曰命也。所以後之儒者窮理之學，必從公共處窮之。而吾
之所有者唯知覺耳，孟子言此理是人所固有，指出性真，不向天地萬物上求，
故不謂之命也。顧以上段是氣質之性，下段是義理之性，性有二乎？」同前
註，卷七，〈口之於味章〉。梨洲反對性二分之立場由是可知。

〔註45〕章學誠即曰：「……有黃梨洲氏出於浙東，雖與顧氏（案：指顧炎武）並峙，
而上宗王、劉、下開二萬，較之顧氏，源遠而流長矣。」見章學誠，〈浙東學
術〉，《文史通義》（臺北：華世出版社，1980年9月初版），內篇二。是知梨
洲亦宗陽明。如此，於陽明學自有所取。

〔註46〕此處引用河洛出版之《明儒學案》，因華世出版者，無「白沙…蓋」二句話。

〔註47〕梨洲於〈餘姚縣重修儒學記〉，中言：「元末明初，經生學人，習熟先儒之成
說，不異童子之述朱，書家之臨帖，天下汩沒於支離章句之中。……學脈幾
乎絕矣。……於是陽明先生者出，以心學教天下，示之作聖之路，馬醫夏畦，
皆可反身認取，步趨唯諾，無非太和真覺。聖人去人不遠，孟子曰：『人皆可
以為堯舜。』後之儒者，唯其難視聖人，或求之靜坐澄心、或求之格物窮理、
或求之人生以上、或求之察見端倪，遂使千年之遠，億兆人之眾，聖人絕響，
一二崛起之士，又私為不傳之秘。至謂千五百年之間，天地亦是架漏過時，
人心亦是牽補度日，是人皆不可為堯舜矣！非陽明亦孰雪此冤哉？」見《南

在「理」。謂：

> 深於疑陽明者，以爲理在天地萬物，吾亦萬物中之一物，不得私理
> 爲己有。陽明以理在乎心，是遺棄天地萬物，與釋氏識心無寸土之
> 言相似。不知陽明之理在乎心者，以天地萬物理具於一心，循此一
> 心，即是循乎天地萬物，若以理在天地萬物而循之，是道能弘人，
> 非人能弘道也。釋氏之所謂心，以無心爲心，天地萬物之變化，皆
> 吾心之變化也。譬之於水，釋氏爲橫流之水，吾儒爲原泉混混不舍
> 晝夜之水也。（《明儒學案》，卷三十，〈粵閩王門學案〉，〈行人薛中
> 離先生侃〉）

梨洲此言可謂深得陽明思想之眞諦。觀梨洲「心即理」之論點，〔註48〕謂「道心即人心之本心」，〔註49〕而反對道心、人心二分，其吸收陽明思想而加以發揮之學術傳承，殆無可疑。由是，陽明致知格物之訓，亦爲梨洲所認取。陽明之所謂格物，乃「致吾心良知之天理於事事物物，則事事物物皆得其理。以聖人教人只是一個行，如博學、審問、愼思、明辨皆是行也。篤行之者，行此數者不已是也」。〔註50〕梨洲承此觀點，遂進而釋曰：

> 先生致之於事物，致字即是行字，以救空空窮理。只在知上討個分
> 曉之非，乃後之學者測度想像。（《明儒學案》，卷十，〈姚江學案〉）

大抵若以知識爲知，而儘於知上討分曉，易致輕浮而不實，故梨洲認爲「必以力行爲工夫」，〔註51〕並謂：

> 夫求識本體，即是工夫，無工夫而言本體，只是想像卜度而已，非
> 眞本體也。（《明儒學案》，卷六十，〈東林學案〉，三，〈太常史玉池
> 先生孟麟〉）

> 雷文約》（收錄於《梨洲遺著彙刊（上）、（下）》），卷四。可見梨洲之肯定陽
> 明學地位與價值，乃著眼於陽明發明直貫道德本體與行爲合一而維聖學於不
> 墜，並挽救其時天下人陷溺於支離章句中，耗竭心力、生命而未能理會聖人
> 言論眞義之流弊上。

〔註48〕梨洲《孟子師說》，卷六，〈仁人心也章〉，曰：「蓋人之爲人，除惻隱、羞惡、
　　　辭讓、是非之外，更無別心；其憧憧往來，起滅萬變者，皆因外物而有，於
　　　心無與也。故言「求放心」，不必言「求理義之心」；言「失其本心」，不必言
　　　「失其理義之心」，則以心即理也。孟子之言，明白如此，奈何後之儒者，誤
　　　解人心、道心，歧而二之？」是知梨洲亦主張「心即理」說。
〔註49〕同前註。
〔註50〕見黃宗羲，〈姚江學案〉，《明儒學案》，卷十。
〔註51〕同前註，〈文成王陽明先生守仁〉。

則梨洲乃體現本體於工夫中；配合其「盈天地皆心」〔註52〕之觀念，遂發展為「心無本體，工夫所至，即其本體」〔註53〕之新命題。事實上，本體與工夫之合一，蕺山早已肯定，〔註54〕唯至梨洲乃更強調工夫；而梨洲之工夫，雖仍涵有向內之「靜存」、「慎獨」成份，但已較蕺山更注重對外之「力行」、「篤行」。則蕺山重視客觀世界問題之傾向至梨洲乃得充分發揮，換言之，蕺山自內心世界以內聖工夫尋求解決客觀世界問題之方法，至梨洲已加重「力行」工夫，亦即自外在世界之外王工夫尋求解決之道。故沈善洪與錢明認為：

> 在黃宗羲看來，本體並非超越于工夫之上的絕對的道德理念，而是在「吾人應物處事」、「竭其心之萬殊」的過程中，逐漸培養和豐厚起來的「吾心之物」。這種「萬殊」形態的「吾心之物」，儘管仍拖著一條先驗之心的尾巴，但與心卻並沒有內外、先後、主宰與被主宰之別。因此，與「吾心之物」相應的工夫，亦應以「篤行」為主，而「不得專以經義為主」，更不能「以空疏應世」。(《黃宗羲論》,〈陽明學的演變與黃宗羲思想的來源〉)

由是，梨洲非謹強調本體當自工夫中體現，同時亦賦予工夫以實在之內容，從而奠定其經世致用思想之哲學基礎。

　　綜上所述，陽明、蕺山之心學，對梨洲學術思想之形成與發展，實甚具影響力；而梨洲紹承心學卻不「恣言心性，墮入禪門」，〔註55〕反轉化開發經世之學之學術發展，亦由此取得證明。

〔註52〕見黃宗羲,〈黃梨洲先生原序〉,《明儒學案》。

〔註53〕同前註。

〔註54〕蕺山嘗言：「本體只是些子，工夫只要些子。仍不分此為本體，彼為工夫。」又云：「工夫愈精密，則本體愈昭熒。今謂既識後，遂一無事事，可以縱橫自如，六通無礙，勢必至為無忌憚之歸而已。」俱見於黃宗羲,《子劉子行狀》,卷下。而蕺山之肯定本體與工夫，實乃承自王陽明「致良知」之工夫論。大抵陽明講學有二法：一為悟本體即工夫；一為由工夫以悟本體。前者乃對應「以物為體」及「現成良知」；後者則對應「心外無物」與「本體良知」。蕺山即承由工夫以悟本體以立說。關於陽明工夫論之本質與傳衍，可參見沈善洪、錢明,〈陽明學的演變與黃宗羲思想的來源〉一文，收錄於吳光主編《黃宗羲論——國際黃宗羲學術討論會論文集》(杭州：浙江古籍出版社,1987年2月一版,頁46～73)。

〔註55〕江藩,《漢學師承記》(臺北：臺灣商務印書館,1970年臺一版),卷八,即謂梨洲之學「出於蕺山，雖姚江之派，然以慎獨為宗，實踐為主，不恣言心性，墮入禪門，乃姚江之諍子也」。

二、遠紹孔、孟、濂洛諸家之統

梨洲之學雖承王、劉二人，但規模卻不僅限於此範圍。全祖望深體梨洲學問之廣博，學承之悠遠，乃謂其「以濂洛之統，綜會緒家」，舉凡邵雍、張載、呂祖謙、薛季宣、陳傅良、葉適、朱熹等人之學，梨洲均擷擇繼承。梨洲以一心學傳人而能下開另一截然不同之經世學風，實與其開放之學術態度及豐厚之學識基礎甚有關連。梨洲嘗自謂：「自濂洛至今日，儒者百十家，余與澤望，皆能知其宗旨離合是非之故。」〔註56〕唯其如此，梨洲之擷擇、會通諸家學說，方能諦當，而上承孔、孟，下開新局。以下即就梨洲擷擇、會通各家學說處論述，以見其學術系統傳承之梗概。

審諸蕺山之誠意、慎獨說，所取資於周濂溪者可謂最多；非僅承濂溪誠通誠復思想以言獨體，更將濂溪所言動靜之理與主靜立極思想相融貫，從而成其以靜存涵動察之慎獨工夫之骨幹。〔註57〕梨洲深明蕺山慎獨學說之精義，故於濂溪之學亦本蕺山觀點以體認。嘗述濂溪學，曰：

> 周子之學，以誠為本。從寂然不動處握誠之本，故曰主靜立極。本立而道生，千變萬化皆從此出。化吉凶悔吝之途而反覆其不善之動，是主靜真得力處。靜妙于動，動即是靜。無動無靜，神也，一之至也，天之道也。千載不傳之秘，固在是矣。（《宋元學案》，卷十二，

〔註56〕見黃宗羲，〈前鄉進士澤望黃君壙誌〉，《南雷文定》（收錄於《梨洲遺著彙刊（上）、（下）》），前集，卷八。

〔註57〕濂溪誠通誠復之思想，可見於《周子通書》（《四部備要》本，上海：中華書局，1936年），〈誠〉，上，第一，曰：「誠者，聖人之本。大哉乾元，萬物資始，誠之源也。乾道變化，各正性命，誠斯立焉。純粹至善者也。故曰：『一陰一陽之謂道，繼之者善也，成之者性也。』元亨，誠之通；利貞，誠之復。大哉《易》也，性命之源乎！」蕺山本此，而謂：「在天為元亨利貞，在人為喜怒哀樂，其為一通一復同也。」見黃宗羲，《子劉子學言》，卷一。並言：「自喜怒哀樂之存諸中謂之中，不必其未發之前，別有氣象也。即天道之元亨利貞，運於於穆者是也。自喜怒哀樂之發於外言謂之和，不必其已發之時，又有氣象也，即天道之元亨利貞，呈於化育者是也。蓋以表裡言，不以前後際言也，惟存發總是一機，故中和渾是一性。……推之一動一靜、一語一默者，莫不皆然，此獨體之妙，所以即隱即見、即微即顯，而慎獨之學，即中和、即位育，此千聖學脈也。」則知蕺山乃承濂溪之誠復誠通以言獨體。而蕺山復取濂溪「動而無動，靜而無靜」之動靜之理，與主靜以立人極之說加以融貫，遂成其涵動察於靜存中之慎獨之學。案：前引濂溪主靜之理之言與主靜以立人極之觀念，分別見於《通書》，〈動靜〉，第十六及《太極圖說》中。又：有關詳論，可參見古清美，〈劉蕺山的誠體思想與其實踐工夫〉，《明代理學論文集》，頁251～297。

〈濂溪學案〉，下，〈附錄〉）

揭舉誠以爲乃周學之本，並以主靜立極爲握誠之工夫，梨洲固知蕺山學之出自濂溪學；而末二句之推崇語，益見梨洲奉守師說之立場。〔註58〕觀梨洲之論理、氣，曰：

> 通天地，互古今，無非一氣而已，氣本一也，而有往來、闔闢、升降之殊，則分之爲動靜。有動靜，則不得不分之爲陰陽。然此陰陽之動靜也，千條萬緒，紛紜膠輵，而卒不克亂，萬古此寒暑也，萬古此生長收藏也，莫知其所以然而然，是即所謂理也，所謂太極也。以其不紊而言，則謂之理；以其極至而言，則謂之太極。識得此理，則知「一陰一陽」即是「爲物不貳」也。其曰無極者，初非別有一物依于氣而立，附于氣而行。（《宋元學案》，卷十二，〈濂溪學案〉，下，〈附梨洲太極圖講義〉）

梨洲本蕺山說法，〔註59〕而循濂溪《太極圖說》中「無極而太極。太極動而生陽，動極而靜；靜而生陰，靜極復動。一動一靜，互爲其根；分陰分陽，兩儀立焉」〔註60〕之理路以立論，由是乃發展其理氣一元觀。則梨洲之學承實可上推至濂溪。又梨洲謂：

> 《太極圖說》曰：「立靜立人極。」此之靜，與動靜之靜判然不同，故自註云：「無欲故靜。」本是趙岐《論語》「仁者靜」之註，移之

〔註58〕蕺山嘗言：「動中有靜，靜中有動者，天理之所以妙合而無間也。靜以宰動，動復歸靜者，人心之所以有主而常一也。故天理無動靜，而人心惟以靜爲主，則時靜而靜，時動而動，即動即靜，無靜無動，君子盡性至命之極則也。」見前註中黃宗羲之文，卷一。蕺山既謂「人心以靜爲主」，並視爲「君子盡性至命之極則」；又於其慎獨之學中講「靜存」，可見蕺山主張主靜說之態度；梨洲受業於蕺山，故亦推崇之。

〔註59〕蕺山對濂溪《太極圖說》中「無極而太極」一言之闡述，可見於一段文字。曰「一陰一陽之謂道，即太極也。天地之間，一氣而已，非有理而後有氣，乃氣立而理因之寓也。就形下之中而指其形而上者，不得不推高一層以立至尊之位，故謂之太極；而實無太極之可言，所謂『無極而太極』也。使實有是太極之理爲此氣從出之母，則立一物而已，又何以生生不息，妙萬物而無窮乎？今曰理本無形，故謂之無極，無乃轉落註腳。太極之妙，生生不息而已矣。生陽生陰，而生水火木金土，而生萬物，皆一氣自然之變化，而合之只是一箇生意，此造化之蘊也。」是知蕺山乃以理氣一元之觀點體會濂溪之「無極而太極」。

〔註60〕見黃宗羲原著、全祖望補修，〈濂溪學案〉，下，〈太極圖說〉，《宋元學案》（臺北：華世出版社，1987年9月臺一版），卷十二。

於此。然濂溪言無欲，而孟子言寡欲者；周子先天之學，動而有不動者存，著不得一欲字；孟子養心，是學者工夫，離不得欲字。心之所向謂之欲，如欲正、欲忘、欲助長，皆是多欲；但以誠敬存之，便是寡欲。蓋誠敬亦是欲也，在學者善觀之而已。(《孟子師說》，卷七，〈養心莫善於寡欲章〉)

由濂溪之主靜而言無欲，至孟子之養心而言寡欲，足見梨洲會通學術之心意，則其學統之傳承又可遠溯至孟子，而孟子又承孔學而來，是知其學乃可上達孔、孟。唯一無欲，一寡欲，何能會通？蓋因濂溪之言無欲，乃以一般嗜欲爲欲；孟子之言寡欲，乃以心之所向爲欲，故梨洲言「誠敬亦是欲也」。而梨洲之言誠敬乃本諸蕺山，蕺山又承自二程。以蕺山慎獨之學，「始從主敬入門，中年專用慎獨工夫，慎則敬，敬則誠」；則蕺山之主敬仍著眼於誠體之顯現。〔註61〕梨洲本諸蕺山觀點以檢視二程之學，對二程學說有深一層體會，云：

明道、伊川大旨雖同，而其所以接人，伊川已大變其說。……是自周元公主靜、立人極開宗；明道以靜字稍偏，不若專主于敬，然亦唯死以把持爲敬，有傷于靜，故時時提起，伊川則以敬字未盡，益之以窮理之說，而曰：『涵養須用敬，進學在致知。』又曰：『只守

〔註61〕蕺山嘗釋敬，曰：「主敬二字，古人大有分曉，正無所以雜之漏之之謂耳。原來不是另有一事，則敬之至也；敬則無往不敬……始於一念一事，推而達之天下國家，洋洋優優，都是此道理充塞宇宙；故曰：『反身而誠，樂莫大焉。』是故主敬所以存誠也。……以是知主敬之功，頗無許多名目；才有許多名目，若曰如何而容止、如何而人倫、如何而日用，便開夾雜之門。立誠之說只在自身立命：才向身外尋求，姑曰如何而坐立寢臥、如何而妻子僮僕，……總成實漏之因，則亦不可不辨之早也。」見氏著〈復沈石臣〉，二，《劉子全書及遺編》，卷十九。蕺山乃以敬非向外尋求，而在自身立命，故敬遂爲與誠相應、相對而設，唯反身而誠，方是眞敬。至於主敬之工夫，固然周備無失，但若只究細節，一味向外尋求，終致瑣碎支離。又謂：「伊、洛拈出敬字，本《中庸》『戒慎恐懼』來。然敬字只是死工夫，不若《中庸》說得有著落，以『戒慎』屬『不睹』，以『恐懼』屬『不聞』，總只爲這些子討消息，胸中實無箇敬字也。故主靜立極之說，最爲無弊。」見黃宗羲，〈蕺山學案〉，〈語錄〉，《明儒學案》，卷六十二，亦見於〈丙子獨證篇〉，《劉子全書及遺編》，卷一。蕺山甚不滿只敬不誠之工夫，而謂之「死工夫」。是知蕺山之言敬亦本諸誠體，非是即非眞敬。故蕺山雖謂：「惟有一敬爲操存之法，隨處流行。隨處靜定，無有動靜顯微前後巨細之歧，是千聖相傳心法。」見黃宗羲，《子劉子學言》，然終以靜存爲其工夫之所在。而此遂亦形成蕺山雖已意識客觀世界之重要，卻仍自內心世界尋求解決外在問題之內斂傾向。

一箇敬字，不知集義，卻是都無事也。』然隨曰：『敬以直內，義以
方外，合內外之道。』蓋恐學者作兩項工夫用也。舍敬無以為義，
義是敬之著，敬是義之體，實非有二，自此旨一立，至朱子又加詳
焉。于是窮理、主敬，若水火相濟，非是則隻輪孤翼，有一偏之義
矣。後之學者不得其要，從事于零星補湊，而支離之患生。故使明
道而在，必不為此言也。(《宋元學案》，卷十六，〈伊川學案〉，下，
〈附錄〉宗羲案)

言下之意，梨洲似仍較欣賞明道主敬而不離棄靜之學術宗旨，此誠為其學統
傳承之反映。然而，梨洲並未因此而盡棄伊川之學，相反，其於伊川之學，
亦頗有吸收、融會，大抵伊川所揭櫫之「涵養須用敬，進學在致知」，後為程
朱一派學說之綱領，主張居敬窮理，並倡讀書。朱熹言：

學固不在乎讀書，然不讀書則義理無由明。要之，無事不要理會，
無書不要讀。(《宋元學案》，卷四八，〈晦翁學案〉，上，〈語要〉)

朱熹之強調讀書，乃欲藉致知格物窮理而求放心、明天理。而梨洲因目睹其
時王學末流之頹風，影響甚鉅，乃抨擊王學後學之束書空談，亟思補救之道，
故亦主張讀書。嘗曰：

余嘗謂孔子嘆顏回好學，今也則亡。其學不僅指讀書而言，然讀書
亦學中之一事，今之天下千百輩中，求一讀書之人，而不可得。(《南
雷文定》，前集，卷八，〈前鄉進士澤望黃君壙誌〉)

唯梨洲深明專講讀書窮理，而不言集義守敬，必致支離之弊，故云：

讀書不多，無以證斯理之變化；多而不求於心，則為俗學。(《鮚埼
亭集》，卷十一，〈梨洲先生神道碑文〉)

所謂「求於心」，乃因「天下之理，皆非心外之物」，〔註62〕而「窮理者盡其
心也」，〔註63〕故必不可離心而言讀書，否則即為俗學。梨洲之講讀書，乃其
重工夫之表現，而由其主張讀書當「以六經為根柢」，又「兼令讀史」，〔註64〕
足見其工夫乃用於經史之學之學問思辨上。而經史之學又與人倫日用、應事
接物有關，亦即與外在現實世界相繫聯，則梨洲之重視外在客觀環境之傾向，
由此顯現；而已與蕺山之雖注意外在客觀世界，卻仍求工夫於內在心性中不

〔註62〕見黃宗羲，《孟子師說》，卷七，〈盡其心者章〉。
〔註63〕同前註。
〔註64〕見全祖望，〈梨洲先生神道碑文〉，《鮚埼亭集》，卷十一。

同。則梨洲對伊川，朱熹之學誠有所取。梨洲嘗言：

> 涵養須用敬，進學在致知」，此伊川正鵠也。考亭守而勿失，其議論
> 雖多，要不出此二言，大較明道之言，故欲揚之，恐人滯；考亭之
> 言，故欲抑之，恐人蕩。其用心則一也。然考序之悟，畢竟在晚年。……
> 一輩學人，胸無黑白，不能貫通朱子之意，但驚怖其河漢，執朱子
> 未定之論，不敢信孔、孟，並不敢信朱氏，是豈朱子之所欲哉！（《宋
> 元學案》，卷四八，〈晦翁學案〉，上，〈語要〉後宗羲案）

梨洲可謂深明朱子學。觀梨洲對理學史上有名之朱、陸之爭所持態度，即明
其「宗陸而不悖於朱」之學術立場。〔註65〕梨洲嘗慨歎朱、陸兩家後學之相
互詆毀，曰：

> 嗟乎！聖道之難明，濂洛之後，正賴兩先生繼起，共扶持其廢墮，
> 胡乃自相齟齬，以致蔓延今日，猶然借此辨同辨異以爲口實，寧非
> 吾道之不幸哉！雖然，二先生之不苟同，正將以求夫至當之歸，以
> 明其道于天下後世，非有嫌隙于其閒也。……豈若後世口耳之學，
> 不復求之心得，而苟焉以自欺，泛然以應人者乎！況考二先生之生
> 平自治，先生之尊德性，何嘗不加功于學古篤行；紫陽之道問學，
> 何嘗不致力于反身修德，特以示學者之入門各有先後，曰：「此其所
> 以異耳。」然至晚年，二先生亦俱自悔其偏重。（《宋元學案》，卷五
> 八，〈象山學案〉，〈文安陸象山先生九淵〉後宗羲案）

梨洲以道之是否彰明爲論學之著眼點，故對囿於門戶之見而相互攻擊之論辯
甚感不滿，遂欲調和朱、陸二家之學。謂：

> 二先生同植綱常，同扶名教，同宗孔、孟。即使意見終于不合，亦
> 不過仁者見仁，知者見知，所謂「學焉而得其性之所近」。原無有背
> 于聖人，矧夫晚年又志同道合乎！（《宋元學案》，卷五八，〈象山學
> 案〉，〈文安陸象山先生九淵〉後宗羲案）

唯於朱、陸二學中，梨洲仍言「諸儒大成，厥惟考亭」，〔註66〕並謂朱子能發
明聖道，爲己所弗及；〔註67〕以梨洲承蕺山、紹陽明、宗象山之學術立場，

〔註65〕 「宗陸而不悖於朱」乃章學誠用以解釋黃宗羲之學術立場，見氏著〈浙東學
術〉，《文史通義》，內篇二。

〔註66〕 見黃宗羲，〈國勳倪君墓誌銘〉，《南雷文案》，四集，卷三。

〔註67〕 見黃宗羲，〈庚戌集自序〉，《南雷文定》，卷一。梨洲云：「……聊取平日之文
自娛，因爲選定。……今余編次於庚戌，遂題曰庚戌集。……吾聞先聖以庚

而出此論，實因梨洲欲挽救王學流弊以彰顯聖道，則梨洲學術之有所取於朱子，殆無可疑。

梨洲本濂、洛之統，對程門別派之永嘉諸儒，如薛季宣、陳傅良、葉水心等人之學，與門戶雖略殊於伊洛，然大本則一之張載之學，均頗加擇取以相會通；此外，對別為一家之邵雍與呂祖謙之學，亦加以吸收、融貫。大抵梨洲有取薛季宣、陳傅良者在經制，嘗云：

> 永嘉之學，教人就事上理會，步步著實，言之必使可行，足以開物成務。（《宋元學案》，卷五二，〈艮齋學案〉，〈文憲薛艮齋先生季宣〉後宗義案）

而於葉適，則取其有關國計民生之經濟文章，試以葉適之文與梨洲之文相較，頗多類似，故全祖望乃謂梨洲之文章本諸葉適。至於張載之學，全祖望謂梨洲取其禮教主張，又於《宋元學案》，〈橫渠學案序錄〉中，曰：「其言天人之故，間有未當者，梨洲稍疏證焉，亦橫渠之忠臣哉！」〔註68〕是知梨洲取資於張載學說者，當不在少數，而以禮教為大要。至若邵雍，與周、張、二程四子並時而生，又皆知交相好，然獨邵雍以《圖》、《書》、象數之學顯於世，〔註69〕嘗著《皇極經世》欲以明經世之道。明道謂其學乃「內聖外王之道」。〔註70〕梨洲亦以《皇極經世》一書，「包羅甚富，百家之學無不可資以為用，而其要領在推數之無窮」。〔註71〕故梨洲於邵雍之學，乃擇其數學之論，以「理其頭緒，抉其根柢」。〔註72〕對於呂祖謙之學，以其兼取朱、陸二學之長，「復以中原文獻之統潤色之」，〔註73〕是梨洲有取其文獻之學而予以融通。

綜上所述，梨洲學統傳承之梗概乃明。觀梨洲本濂、洛之統以綜會諸家學說時，多著意於現實事務上；且能以較開闊而不囿於門戶之見之學術態度

戌生，其後朱子亦以庚戌生。論者因謂朱子發明先聖之道，似非偶然，余獨何人？以此名集，所以誌吾愧也。」是知梨洲乃以朱子能發明先聖之道；而其之自愧，益見其頗以發明聖道自期。

〔註68〕見黃宗羲原著、全祖望補修，〈橫渠學案〉，上，《宋元學案》，卷十七。
〔註69〕同前註，〈百源學案〉，上，〈康節邵堯夫先生雍〉，卷九。
〔註70〕明道此言見錄於〈百源學案〉，中，同前註。
〔註71〕此言見於黃宗羲，〈皇極經世論〉中，此文亦見錄於〈百源學案〉，下，同前註，卷十。
〔註72〕同前註，〈附錄〉。
〔註73〕同前註，〈東萊學案〉，〈成公呂東萊先生祖謙〉，卷五十一，所引全祖望，〈同谷三先生書院記〉。又：另見於全祖望，《鮚埼亭集》，外編，卷十六。

立論。實已透露其承心學而轉經世思想之訊息，從而爲其經世思想之發展奠下穩固基礎。

第二節　學術思想之轉變

由前一節就梨洲之學統傳承所做弘觀溯源過程中，當可發現，其學術思想之悠遠、廣闊，根本因素乃在其論學之態度，亦即對學術之看法上，嘗言：

> 儒者之學，經緯天地，而後世乃以語錄爲究竟，僅附答問一、二條於伊、洛門下，便廁儒者之列，假其名以欺世。治財賦者，則目爲聚斂；開閫扞邊者，則目爲麤材；讀書作文者，則目爲玩物喪志；留心政事者，則目爲俗吏。徒以生民立極，天地立心，萬世開太平之闊論，鈐束天下，一旦有大夫之憂，當報國之日，則蒙然張口，如坐雲霧，世道以是潦倒泥腐，遂使尚論者，以爲立功建業，別是法門，而非儒者之所與也。（《南雷文定》，後集，卷三，〈贈編修弁玉吳君墓誌銘〉）

梨洲誠以經緯天地爲儒學之理想與目標，而於空論心性，不與世事，當國家憂患，卻蒙然張口，如坐雲霧者，深表不滿。然而，梨洲亦不贊同讀書不求之於心，曰：

> 世道交喪，聖王不作，天下之人，兆民之衆，要不能空然無所挾以行世，則遂以舉世之習尚，成爲學術。但論其可以通行，不必原其心術。……以是詩文有詩文之鄉愿，漢筆唐詩，襲其膚廓；讀書有讀書之鄉愿，成敗是非，講貫紀聞，皆有成就；道學有道學之鄉愿，所讀者止於《四書》、《通書》、《太極圖說》、《近思錄》、《東西銘》、《語類》，建立書院，刊註《四書》，衍輯語錄，天崩地坼，無落吾事。……（《孟子師說》，〈孔子在陳章〉）

學問若僅襲粗遺精、爛熟口角，而未原其心術，皆屬鄉愿，亦即梨洲之所謂俗學。既爲俗學，又豈能達致經緯天地之目標，而眞能爲生民立極、天地立心、萬世開太平？然則，梨洲之所謂學問，當爲讀書而求諸心，內聖外王並重。換言之，乃注重統整，而反對析裂。故云：

> 嘗謂學問之事，析之者愈精、而逃之者愈巧。三代以上，祇有儒之名而已。……夫一儒也，裂而爲文苑、爲儒林、爲理學、爲心學，豈非

析之欲其極精乎？（《南雷文定》，前集，卷一，〈留別海昌同學序〉）

學問之分門別科，原為從學者方便入手，固亦無可厚非；然若廁於其一，囿於一偏，未見全貌，反毀所不見，如當時講心學者不讀書，講理學者讀書無關宏旨，而相詆毀，則流弊大矣。故梨洲論學之特重統合而反對析裂，實有其時代意義。觀梨洲學統之悠遠、廣闊，其承心學而復返儒學統合文章、經術、理學、心學一途之企圖甚明，而其傳綜儒學諸內容以反求於心，切近於用之經世目的亦顯。

由是，本節乃就梨洲學術思想之轉變做微觀檢視，以直接切入影響其思想轉變之幾個關鍵命題，進行探究，進而掌握其思想轉變之軌跡。

一、對朱熹及其後學之批評

朱、陸二學本有相異處，梨洲承陽明、蕺山之學而宗陸，於朱學自亦有所批評；唯梨洲終因繼蕺山而篤信陽明之《朱子晚年定論》，故著《宋元學案》時，力求客觀以超脫門戶之見，雖未盡如所願，[註74] 然畢竟肯定朱子發明聖道之功。大抵梨洲之論朱學，專就理學史上備受爭議之觀點立說，而於部分理學觀點亦頗見釐清與發明；茲就其中與此處所欲探討之主題相切合之二命題：理一分殊、王霸之辨，檢視梨洲之所論，以見其學術思想轉變之跡。

（一）理一分殊之論

「理一分殊」首見於程頤之評張載《西銘》一文，而以《西銘》乃闡明「理一而分殊」之理。[註75] 此後，「理一分殊」遂為程、朱學派討論之重點。

[註74] 劉述先認為梨洲《宋元學案》之作，終未脫門戶之爭，參見氏著《黃宗羲心學的定位》，第三章，頁 61～62。另外，可參見由侯外廬、邱漢生、張豈之主編之《宋明理學史》（北京：人民出版社，1987 年 6 月一版），下，第二十七章，第四節，頁 758～774。文中舉出宋、元時期理學史上幾個重大爭論問題進行綜述，以具體反映黃宗羲對此時期學術問題之處理態度。所列問題如下：第一、朱、陸關於《太極圖說》的論辯；第二、性論之辯；第三、理一分殊辯；第四、朱熹、陳亮關於義利、王霸之辨；第五、朱陸異同辯。大抵梨洲乃持折衷諸說，和會學術異同之態度論述，唯仍未盡脫陸、王學說影響，故於辨析時，頗有偏傾陸、王之說。

[註75] 對於張載〈西銘〉，伊川弟子楊時疑其近於墨氏之兼愛，與伊川書信往返辯論。伊川嘗覆函曰：「《西銘》明理一而分殊，墨氏則二本而無分。」見《伊川先生文集》（收錄於《二程全書》，上海：中華書局，1966 年），第五，〈伊川答楊時問西銘書〉。此事另見載於〈龜山學案〉，〈文清楊龜山先生時〉，《宋元學案》，卷二十五。

關於「理一分殊」之意義，程、朱學派之觀點並無二致，均以理爲世界之本源及萬物得以產生與存在之根據，而世界萬物則爲理之體現。換言之，天地間僅此一理，此理至高無上，衍生一切，且下貫至萬物，遂令萬物亦各有理，然此衆多之物之理，又必匯歸於至高無上之理。然而對於「理一分殊」之認知次序問題，即二者孰難、孰易或孰先、孰後，程、朱學派卻有不同意見，大抵程派學者認爲「理不患其不一，所難者分殊耳」，〔註76〕而朱熹初時「務爲儱侗宏闊之言，好同而惡異，喜大而恥于小」，故其對於不患理之不一，而以分殊爲難之觀點，頗不贊同，嘗謂：「余心疑而不服，以爲天下之理，一而已，何爲多事若是！」〔註77〕則朱子原是重理一而輕分殊，唯其後朱子終能領會個中意義，信服程派說法。

對於「理一分殊」之認知次序問題，梨洲嘗加以辨析，曰：

> 「理一分殊，理不患其不一，所難者分殊耳」，此李延平（案：即李侗）之謂朱子也。是時朱子好爲儱侗之言，故延平因病發藥耳。當仁山（案：即金履祥）、白雲（案：即許謙）之時，浙、河皆慈湖一派，求爲本體，便爲究竟，更不理會事物，不知本體未嘗離物以爲本體也，故仁山重舉斯言以救時弊……後之學者，昧卻本體，而求之一事一物間，零星補湊，是謂無本之學，因藥生病，又未嘗不在斯言也。（《宋元學案》，卷八二，〈北山四先生學案〉，〈文懿許白雲先生謙〉）

梨洲認爲李侗之言，乃「因病發藥」，意在糾正朱熹重理一而輕分殊之偏。即如其後金履祥、許謙之重申李侗言論，致辨於分殊，亦見「因病發藥」之意；爲挽救其時盛行浙、河之慈湖一派，以求本體爲究竟而無與事物之流弊，後人不明前人倡導李侗之說之眞諦，而專求於事物之間，實爲「無本之學」，則梨洲非僅反對慈湖之學，亦不贊同「無本之學」；換言之，梨洲既反對但求理一而不論分殊者，亦否定但求分殊而不明理一者。觀梨洲「本體未嘗離物以爲本體」之言，可知其所主張乃理一與分殊當相系聯以認知，未可偏傾一面，唯於認知過程中，二者仍有先後之分，故梨洲云：

> 窮理者，窮此一也。所謂萬殊者，直達之而已矣。若不見理一，則

〔註76〕見黃宗羲原著，全祖望補修，〈豫章學案〉，〈文清李延平先生侗〉，〈延平答問〉，《宋元學案》，卷三十九，梨洲之案言中所引。

〔註77〕俱見於同前註。

茫然不知何者爲殊，殊亦殊箇甚麼，爲學次第，鮮有不紊亂者。(《宋元學案》，卷三九，〈豫章學案〉，〈文靖李延平先生伺〉，〈延平答問〉梨洲案語)

自朱子肯定「理不患其不一；所難者分殊耳」之言，後學者乃多自萬殊上理會，並託言爲窮理，支離之病遂生。〔註78〕梨洲明此，乃揭示先明理一後論分殊之爲學次第；蓋因明理一爲論分殊之關鍵，而分殊之論，目的仍在直達理一。若李侗之「默坐澄心」，即自理一入手，〔註79〕故梨洲呼籲學者「切莫將朱子之言錯會」！〔註80〕

檢視梨洲所論「理一分殊」之認知次序，其立基點爲「本體未嘗離物以爲本體」，則梨洲乃就本體與工夫間之關係以立論。梨洲嘗言：

盈天地皆心也，人與天地萬物爲一體，故窮天地萬物之理，即在吾心之中。後之學者，錯會前賢之意，以爲此理懸空於天地萬物之間；吾從而窮之，不幾於義外乎？此處一差，則萬殊不能歸一。夫苟工夫著到，不離此心，則萬殊總爲一致。學術之不同，正以見道體之無盡也。(《明儒學案》，〈序〉)

梨洲以天地萬物之理存在吾心之中，並非無視於人世外物，而空言心性；蓋因若以理外於心，則窮理遂爲「窮萬物之萬殊」，〔註81〕工夫雖至，然本體已失，「萬殊不能歸一」，終陷溺於支離中，故梨洲謂「工夫所至，即其本體」。〔註82〕唯工夫所至，亦須即事應物，否則亦終無由達致理一、求識本體。此即所謂「上達即在下學」〔註83〕中，梨洲誠反對「離卻人倫日用，求之人生以上」〔註84〕之爲學態度，而視此乃「離規矩以求巧也」。〔註85〕梨洲既以本體須與物合言，未可相離，足見其對外在客觀事物，非僅有所注意，且頗爲重視，又以其深明天地萬物變化莫測而萬殊，故學術亦自有殊，不盡相同，然若「必欲出於一途，勦其成說，以衡量古今，稍有異同，即詆之爲離經畔

〔註78〕同前註。
〔註79〕同前註。梨洲言：「亦思延平默坐澄心，其起心皆從理一。」則梨洲仍以理一爲先。
〔註80〕同前註。
〔註81〕見黃宗羲，〈黃梨洲先生原序〉，《明儒學案》。
〔註82〕同前註。
〔註83〕同前註，見黃宗羲，《孟子師說》，卷七，〈道則高矣章〉。
〔註84〕同前註，卷七，〈梓匠輪輿章〉。
〔註85〕同前註。

道，時風眾勢，不免爲黃芽白葦之歸耳！」〔註86〕是知「學術之不同，正以見道體之無盡」；所謂道體，即天理。由是，梨洲乃主張多讀書以證斯理之變化，觀梨洲之批評朱學，未嘗視格物、致知以窮理爲誤，但就其後學者不求之於心、背離本體之俗學流弊立論。則梨洲之認同讀書窮理以明心體，誠無庸置疑。

綜上可知，「理一分殊」此一理學命題，程、朱二學派頗有爭論，至梨洲以本體、工夫論進行辨析，雖仍強調自分殊中見理一，理一若不見，分殊亦無從得知；但由梨洲「本體未嘗離物以爲本體」之言與其「工夫著到，不離此心，則萬殊總爲一致」之觀念，兩相配合中，仍可發現，梨洲重視外在客觀事物，其強調讀書窮理之傾向，由是，復結合其論儒者之學須經緯天地之觀點，遂得以發展其經世致用之思想。

（二）義利、王霸之辯

義利、王霸之辯乃宋代理學界一重要命題。此論辯肇因於朱熹之反對陳亮「義利雙行，王霸並用」〔註87〕之說。大體而言，宋儒多治義理之學。所謂義理之學，即成德成聖之學，亦即只重道德意義之善惡是非，不重事實意義之得失成敗；換言之，此乃抱持只求自己合理或得正，不計客觀上是否成功之態度，以面對人生所有問題之學。〔註88〕勞思光嘗析論曰：

> 宋儒一方面接受「正其誼不謀其利，明其道不計其功」二語，認爲儒者只應關心是非問題；但另一方面又有樂觀信念，認爲從求義理下手，亦可以解決成敗問題。故在用力處說，仍只講義理問題；但預認其用力之效果仍可通往成敗問題。於是，儒者在此種觀念下，或認爲事功本不必談，或認爲事功可直接由道德人格生出；總之，是不正視事功問題本身。若以哲學詞語說之，則即是：只注重道德心之醒覺，而不注重其客觀化之規律也。（《中國哲學史》，第三卷上，〈第四章〉）

〔註86〕見黃宗羲，〈明儒學案序〉，《明儒學案》。
〔註87〕見黃宗羲原著，全祖望補修，〈龍川學案〉，〈文毅陳龍川先生亮〉，〈陳同甫集〉，《宋元學案》，卷五十六。案：關於朱熹、陳亮義利、王霸之辯之前因後果與論辯之大致內容，可參見勞思光，《中國哲學史》第三卷上，第四章，頁335～346，與張君勱，《新儒家思想史》（臺北：弘文館出版社，1986年2月初版），第十四章，頁251～267。
〔註88〕見同前註中勞思光之書，頁337。

如此學術，原亦有其價值。〔註89〕唯於解決歷史難題之要求上，則頗感不足。此乃因存在現實世界中之制度興革與人類苦難得以解除等難題，於歷史演進之每一不同階段中，均以大同小異或截然不同之面貌呈現，故解決之道必賴「因勢以實現理」之原則進行，未可自內在覺悟求得出路。〔註90〕本此檢視義理之學，實顯露其無能有所作為之缺陷。陳亮時代，時局正亂，目睹歷史難題之未得解決，陳亮乃不滿宋儒之義理之學，而偶言事功，嘗致書朱熹，討論義利、王霸之問題，朱熹覆函，非僅意見與陳亮相左，更勸陳亮當「絀去義利雙行，王霸並用之說，而從事于懲忿窒欲，遷善改過之事」，〔註91〕義利、王霸之辯由是而起。

觀朱、陳二人之論辯內容，主要集中於如何評價三代與漢、唐之世之問題上，然其本質則為義利、王霸之爭辯。大抵陳亮不贊同理學家所謂「三代專以天理行，漢、唐專以人欲行」〔註92〕之觀點，而主張「功到成處便是有德，事到濟處便是有理」；〔註93〕則漢、唐之君既能治國安民，令「其國與天地並立，而人物賴以生息」，〔註94〕即是有德、有理。陳亮嘗分別三代與漢、唐，認為「本領閎闊，工夫至到，便做得三代；有本領、無工夫、只做得漢、唐」。〔註95〕故云：

> 某大概以為三代做得盡者也，漢、唐做不到盡者也。……惟其做得盡，故當其盛時，三光全而寒暑平，無一物之不得其生，無一人之不遂其性，惟其做不到盡，故雖其盛時，三光明矣而不保其常全，

〔註89〕勞思光認為：「儒者此種人生態度，原亦有理論上之一致性；且在影響一方面看，亦能突顯人在文化世界中之地位；故本身之價值無可否認。」同前註，頁338。

〔註90〕同前註。

〔註91〕見朱熹，〈答陳同甫〉，《朱子文集》(臺北：藝文印書館，1969年)，卷三十六，。案：文中朱熹並期望陳亮做個「醇儒」，「則豈獨免於人道之禍，而其所以培壅本根，澄源正本，為異時發揮事業之地者，益光大而高明矣。」

〔註92〕見黃宗羲原著，全祖望補修，〈龍川學案〉，《宋元學案》，卷五十六。案：其時宋儒一般之看法為「三代以道治天下，漢、唐以智力把持天下。」至陳亮時，乃有「三代專以天理行，漢、唐專以人欲行，其閒有與天理暗合者，是以亦能久長」對此說法，陳亮甚不表贊同。

〔註93〕此二語乃陳傅良答陳亮書時，用以描述陳亮觀點之言。見《止齋先生文集》(臺北：臺灣商務印書館，1979年臺一版)，卷三十六，另見同前註，黃宗羲所加案語中引文。

〔註94〕見同前註中黃宗羲之書，〈龍川學案〉。

〔註95〕同前註。

寒暑運矣而不保其常平，物得其生而亦有時而夭閼者，人遂其性而
亦有時而乖戾者。本末感應，只是一理。(《宋元學案》，卷五六，〈龍
川學案〉，〈文毅陳龍川先生亮〉，〈陳同甫集〉)

陳亮視漢、唐之世非「專以人欲行」，而以為「有分毫天理行乎其間」〔註96〕
就重視利，講霸道之立場立論。朱熹則以為，成敗與是非原為二事，成功者
未必盡合天理，而合天理者未必盡能成功；蓋因邪惡勢力亦可達致成功。漢、
唐以下，以政治後未得天理之正，故三代之道未能常存，其論漢、唐曰：

若以其能建立國家，傳世久遠，便謂其得天理之正；此正是以成敗
論是非。但取其獲禽之多，而不羞其詭遇之不出於正也。千五百年
之間，正坐如此，所以只是架漏牽補，過了時日。其間雖或不無小
康，而堯舜三王周公孔子所傳之道，未嘗一日得行於天地之間也。
(《朱熹文集》，卷三六，〈答陳同甫〉)

朱熹乃就道統之盛衰與否以論歷史，是以「一定之政治理想是否實現，與實
際上何種政治權力成功，自是兩事」。〔註97〕則朱熹乃持重視義、講王道之立
場，對陳亮進行反駁。然於此論辯中，二人終究未能達成共識。

對於朱、陳義利、王霸之爭辯，梨洲之態度，可見於其《宋元學案》中，
對朱、陳二人書信論辯所加之案語。云：

止齋謂「功到成處，便是有德；事到濟處，便是有理」，此同甫之說
也，如此則三代聖賢，枉作工夫。「功有適成，何必有德；事有偶濟，
何必有理」，此晦庵之說也。如此則漢祖，唐宗賢于僕區不遠。蓋謂
二家之說，皆未得當。然止齋之意，畢竟主張龍川一邊過多。夫朱
子以事功卑龍川，龍川正不諱言事功，所以終不能服龍川之心。不
知三代以上之事功，與漢、唐之事功迥乎不同。當漢、唐極盛之時，
海內兵刑之氣，必不能免。即免兵刑，而禮樂之風不能渾同。勝殘
去殺，三代之事功也，漢唐而有此乎？其所謂「功有適成、事有偶
濟」者，亦只漢祖、唐宗一身一家之事功耳。統天下而言之，固未

〔註96〕同前註。陳亮曰：「故亮以為漢、唐之君本領非不洪大開廓，故能以其國與天
地並立，而人物賴以生息。惟其時有轉移，故其間不無滲漏。曹孟德本領一
有蹺欹，便把天地不定，成敗相尋，更無著手處。此卻是專以人欲行，而其
間或能有成者，有分毫天理行乎其間也。」足見其乃以凡能成功即必有「分
毫天理」。

〔註97〕見勞思光，《中國哲學史》，第三卷下。

> 見其成且濟也。以是而論，則言漢祖、唐宗不遠于僕區，亦朱始不
> 可。(《宋元學案》，卷五六，〈龍川學案〉，〈文毅陳龍川先生亮〉，〈陳
> 同甫集〉後宗羲案)

梨洲於此處提出一重要觀點，即三代與漢、唐均有事功，唯時代不同，事功
亦不同。三代事功乃「勝殘去殺」，漢、唐事功則爲「兵刑」所致，二者誠不
相同。因此，事功之是非、優劣，其判定標準當因應時代不同而異。換言之，
即「不能離開具體的歷史條件去論事功的是非、優劣」。〔註98〕本此而論，朱
熹所堅持以三代是非爲評判漢、唐是非之標準，與由此標準所判得漢、唐不
如三代之結論，實爲梨洲所不贊同。然若自天下之有成、有濟觀點言，梨洲
又以朱熹「漢祖、唐宗不遠于僕區」說爲「未始不可」。則梨洲於朱、陳二人
之論點，均各有批評處，亦各有取擇處。唯詳審梨洲之論述，其取擇朱熹、
批評陳亮，不僅未嘗質疑或否定事功之價值與意義，甚至立基於肯定事功之
前提下立論。嘗謂「功利」〔註99〕取向之永嘉之學乃「言之必使可行，足以
開物成務」，〔註100〕並予以肯定，曰：

> 蓋亦鑒一種閉眉合眼，矇瞳精神，自附道學者，于古今事物之變，
> 不知爲何等也。(《宋元學案》，卷五二，〈艮齋學案〉，〈文憲薛艮齋
> 先生季宣〉，〈艮齋浪語集〉後宗羲案)

永嘉之學之特色乃主經制、講事功，梨洲既對此學抱持肯定態度，則其對事
功講求之贊同，自無須贅言，然則，梨洲之論朱、陳二人義利、王霸之辯，
頗有調和朱、陳二說之跡，而此誠與其本身對此命題之認知有關，云：

> 自仁義興事功分途，於是言仁義者，陸沈泥腐，天下無可通之志；
> 矜事功者，縱橫捭闔，齘舌忠孝之言，兩者交譏，豈知古今無無事
> 功之仁義，亦無不本仁義之事功(《南雷文定》，四集，卷三，〈國勳
> 倪君墓誌銘〉)

又謂：

〔註98〕見侯外盧、邱漢生、張豈之主編之《宋明理學史》，下，第二七章，頁769。
〔註99〕見〈艮齋學案〉，〈文憲薛艮齋先生季宣〉，黃百家之案語：「汝陰袁道潔溉問
　　　　學于二程，又傳《易》于薛翁。已侍薛于宣，器之，遂以其學授焉。季宣既
　　　　得道潔之傳，加以考訂千載，凡夫禮樂兵農莫不該通委曲，眞可施之實用。
　　　　又得陳傅良繼之，其徒益盛。此亦一時燦然學問之區也，然爲考亭之徒所不
　　　　喜，目之爲功利之學。」案：後人之謂永嘉學術爲「功利之學」，即本此而言。
　　　　見黃宗羲原著，全祖望補修，〈艮齋學案〉，《宋元學案》，卷五十二。
〔註100〕同前註，〈艮齋浪語集〉梨洲所加案語。

夫事功必本於道德，節義必原於性命。離事功以言道德，考亭終無
以折永康之論；賤守節而言中庸，孟堅究不能逃蔚宗之譏。(《南雷
文約》，卷四，〈明名臣言行錄序〉)

梨洲既視仁義，事功當合一而未可相離，否則即無以成其仁義與事功。是知
其和會朱、陳二說，亦屬自然，唯參以其心學學統。梨洲之重視事功，非僅
代表其對外在客觀事物之注重，更顯現其學術思想由心學轉向經世之軌跡。

二、對王學及其末流之反省

　　梨洲目睹王學末流弊害之橫肆天下，乃繼蕺山反省王學之路線，亦對王
學進行反省，而於此反省過程中，乃見其學術思想之轉變。梨洲嘗評明末學
風，曰：

奈何今之言心學者，則無事乎讀書窮理。言理學者，其所讀之書，
不過經生之章句；其所窮之理，不過字義之從違。(《南雷文定》，前
集，卷一，〈留別海昌同學序〉)

對於明末言心學與理學者，梨洲不滿之情，可謂溢於言表。梨洲之反對言理
學者，乃因所讀書窮理之對象與範圍甚為狹隘，遂陷人於章句、字義之間，
而無視於世事；然梨洲終未反對讀書窮理。事實上，梨洲之講讀書窮理，原
即本諸其對言心學者之流弊之不滿，換言之，梨洲之反省王學及其末流，重
點即在王學末流與狂禪結合，而生虛寂、狂蕩之風，非僅遭逢時變無能解決，
世道更因之潦倒泥腐。以此，梨洲乃就陽明學中二個命題進行反省。

（一）致良知

　　王陽明晚年提出之「致良知」，乃其自身歷經百死千生所得。然此原為
矯正朱學逐外、支離之弊而提出之學，終因後學者對心體之發用、內省工夫
之重視與良知本身靈明之提示與強調；隨個人境遇不同、資稟有別，而領受
互異，致生流弊。如此結果，實非陽明當初所能逆料，故梨洲乃云：「先生
之言曰：『良知即是獨知時。』本非玄妙，後人強作玄妙觀，故近禪，殊非
先生本旨。」〔註101〕大抵陽明之所謂「良知」，乃「天理之昭明靈覺處，故

〔註101〕見黃宗羲，〈師說〉，〈王陽明守仁〉，《明儒學案》，黃宗羲在〈姚江學案〉，中
　　　　亦有類似說法，其文：「然『致良知』一語，發自晚年，未及與學者深究其旨，
　　　　後來門下各以意見攪和，說玄說妙，幾同射覆，非復立言之本意。」見《明
　　　　儒學案》，卷十。

良知即是天理」。〔註 102〕而所謂「致良知」，即「致吾心良知之天理於事事物物」，曰：

> 若鄙人所謂致知格物者，致吾心之良知於事物物也。吾心之良知，即所謂天理也。致吾心良知之天理於事事物物，則事事物物皆得其理矣。致吾心之良知者，致知也。事事物物皆得其理者，格物也。（《傳習錄》，中，〈答顧東橋書〉）

此乃陽明就《大學》之致知格物以言「致良知」，〔註 103〕本此可知，陽明之所謂「致」，即「向前推致」，亦即孟子所謂「擴充」之義。〔註 104〕牟宗三嘗釋析道：

> 是則所謂「致知」者是對於「吾心之良知」不讓其爲私欲所間隔而把它推致擴充到事事物物上。而所謂把良知推致擴充到事事物物上，並不是把良知之認知活動推致到事事物物上而認知事事物物之理，乃是把「良知之天理」（良知自身即天理）推致擴充到事事物物上而使之「得其理」，「得其理」是得其合於「良知天理」之理。（《從陸象山到劉蕺山》，第三章，第一節）

簡言之，「『致良知』是把良知之天理或良知所覺之是非善惡不讓它爲私欲所間隔而充分地把它呈現出來以使之見於行事，即成道德行爲」。〔註 105〕由是，則個人之全體生命遂盡爲良知天理之流行，而個人生命體現之圓滿境界亦由此達致。

　　觀陽明之「致良知」說，有一緊要處，乃其一生功力，心血之結集而關乎陽明學日後之發展。此緊要處即在「致」之工夫上，陽明曰：

> 聖賢論學，無不可用之功，只是致良知三字，尤簡易明白，有實下手處，更無走失。近時同志亦已無不知有致良知之說，然能於此實

〔註 102〕見王陽明，〈答歐陽崇一〉，《傳習錄》，中。

〔註 103〕此看法參見牟宗三之言，見氏著《從陸象山到劉蕺山》，第三章，第一節，頁231。案：牟宗三論王陽明「致良知」義甚爲深刻而中肯，有言：「自朱子後，《大學》成了討論底中心，故陽明之致良知亦套在《大學》裡說，以扭轉朱子之本末顛倒。《大學》中有正心、誠意、致知、格物。故言良知亦須在心意知物之整套關聯中而言之。即使不落在《大學》上說，而從「致良知」本身之分析，亦定須分析出心、意、知、物等概念。」見氏著同書，頁231。以故，此處乃就陽明「致良知」教之套於《大學》中以論述，從而見其矯朱學之觀點。

〔註 104〕同前註，第三章，第一節，頁229。

〔註 105〕同前註。

用功者絕少，皆緣見得良知未眞，又將致字看得太易了，是以多未
有得力處。（《王陽明全集》，卷五，文錄三，〈與陳惟濬書〉）

所謂「見得良知未眞」與「又將致字看得太易」，二者實相關連，蓋因良知天
理之得以全然體現與流行於個人生命中，即有賴於「致」之工夫，故陽明不
欲人將「致」字看得太易。陽明弟子陳九川即嘗問所言「致知」，當「如何致」？
陽明答道：

爾那一點良知，是爾自家底準則。爾意念著處，他是便知是，非便
知非，更瞞他一些不得。爾只不要欺他，實實落落依著他做去，善
便存，惡便去，他這裡何等穩當快樂。此便是「格物」的眞訣，「致
知」的實功。（《傳習錄》，下）

則「只不要欺他，實實落落依著他做去，善便存，惡便去」，即爲「致」之工
夫之所在，而陽明之去惡存善，即「勝私復理」，〔註106〕亦即「去人欲，存天
理」。〔註107〕是知陽明之言「致」，乃於去人欲，存天理上下手而達推致、擴
充之功。其言雖甚簡易，然個中誠有其自身以往百死千難之歷練，與千千萬
萬之修養工夫，作爲堅實之內在與背景。唯其弟子因無此經歷，遂不能深體
陽明本意，故於受良知教時，僅能憑空描述，讚歎妙明，而空洞之流弊乃生。
是以蕺山乃謂：

今之賊道者，非不知之患，而不致之患；不失之情識，則失之玄虛。

（《明儒學案》，卷六二，〈蕺山學案〉，〈證學雜解〉）

然則王學末流之弊端產生，實與後學者對「致」之工夫體會不夠有關；〔註108〕

〔註106〕見王陽明，《傳習錄》，上，陽明曰：「知是心之本體，心自然會知。見父自然
知孝，見兄自然知弟，見孺子入井自然知惻隱；此便是『良知』，不假外求。
若『良知』之發，更無私意障礙，即所謂充其惻隱之心，而仁不可勝用矣。
然在常人，不能無私意障礙，所以須用『致知』『格物』之功。勝私復理，即
心之『良知』更無障礙，得以充塞流行，便是致其知。」案：「良知」之不明、
不發，即在私意障礙，是以唯賴「勝私復理」之功，「良知」方明而能推擴至
事事物物上。

〔註107〕同前註，上。陽明云：「只要去人欲、存天理，方是功夫。」案：所謂「去人
欲、存天理」，其義與「勝私復理」同，皆指盡去私意障礙之工夫。

〔註108〕古清美嘗就陽明弟子王龍溪、聶雙江與羅念菴，因對陽明「致」之工夫體會
不同，而生歧義解釋，加以論述，並歸結云：「龍溪言『致』無工夫，念菴講
『致』爲遏止知覺發用而偏重內返求證虛寂之體。雙江、念菴能實做工夫，
故在當時甚爲人所敬，自不致成過，而龍溪徒成講論，再往下口耳相傳，則
流弊自然在所不免了。當時念菴所責於龍溪的即是工夫不密。」見氏著，〈王

而王學之步向分化發展，亦可於此覓得解答。〔註 109〕

　　對於陽明之「致良知」，梨洲之反省，頗著重於「致」字上，並進而以「行」釋「致」，而非僅依陽明「推致」、「擴充」之義言「致」。梨洲此論，主要係針對陽明後學者所造成的情識、玄虛之弊而發。如其言陽明之「致」字，乃爲「救空空窮理」即是。梨洲深覺本體須與工夫合一，否則本體只是想像卜度，毫無意義可言。故其明謂「求識本體，即是工夫」。又言：

> 蓋仁義是虛，事親從兄是實，仁義不可見，事親從兄始可見。孟子
> 言此，則仁義始有著落，不角於恍惚想像耳，正恐求仁義者，無從
> 下手，驗之當下即是，未有明切於此者也。(《孟子師説》，卷四，〈仁
> 之實章〉)

梨洲認爲赤子之心即天理源頭，以其不可見，故須見於「事親從兄」中，待一下手，即見本體。如此，方不使「致」之工夫落空，或無著手處；亦將天理及事理之義收容納於性體中，而不致有任憑知覺作用以爲主宰之情識流弊，與遺落儒家道德本體之性善、天理、天命之玄虛流弊。〔註 110〕觀梨洲之論陽明學大旨，即可明其用心，曰：

> 先生憫宋儒之後學者，以知識爲知，謂「人心之所有者不過明覺，
> 而理爲天地萬物之所公共，故必窮盡天地萬物之理，然後吾心之明
> 覺與之渾合而無間」。說是無内外，其實全靠外來聞見以塡補其靈明
> 者也。先生以聖人之學，心學也。心即理也，故於致知格物之訓，
> 不得不言「致吾心良知之天理於事事物物，則事事物物皆得其理」。
> 夫以知識爲知，則輕浮而不實，故必以力行爲功夫。良知感應神速，
> 無有等待，本心之明即知，不欺本心之明即行也，不得不言「知行
> 合一」。(《明儒學案》，卷十，〈姚江學案〉，〈文成王陽明先生守仁〉)

是知梨洲乃自「『實踐』應該是王學的生命」〔註 111〕此角度以體會王學。〔註 112〕

　　　　陽明致良知說的詮釋〉，《明代理學論文集》，頁 116～121。

〔註 109〕關於王學之分化與發展，可參見牟宗三，《從陸象山到劉蕺山》，第三章，牟
　　　　宗三之詳細論述。

〔註 110〕見古清美，〈王陽明致良知說的詮釋〉，頁 120～121。

〔註 111〕見古清美，《黃梨洲之生平及其學術思想》(臺北：臺灣大學中國文學研究所
　　　　碩士論文，1975 年)，第三章，第一節，頁 90。

〔註 112〕梨洲所採之觀點，實未與陽明本意背離。陽明有言：「夫問、思、辨、行皆所
　　　　以爲學，未有學而不行者也。……蓋學之不能以無疑，則有問，問即學也，
　　　　即行也；又不能無疑，則有思，思即學也，即行也；又不能無疑，則有辨，

然則，梨洲之所謂「行」，乃在「學問思辨」，並以此爲陽明學中「致」之指歸，
嘗論述王道之疑陽明學，從而揭示「致」之指歸。云：

> 先生初學於陽明，陽明以心學語之，故先生從事心體，遠有端緒。
> 其後因眾說之淆亂，遂疑而不信。所疑者大端有二，謂致知之說，
> 局於方寸；學問思辨之功，一切棄卻。夫陽明之所以致知者，由學
> 問思辨以致之，其萬死一問思辨也。（《明儒學案》，卷四二，〈甘泉
> 學案〉，六，〈文定王順渠先生道〉）

「學問思辨」誠非「行」之內容，而僅爲「行」之指歸，亦即指示「行」之
路徑；若「行」之內容，則無窮盡。陽明嘗謂：「盡天下之學，無有不行而可
以言學者；則學之始固已即是行矣。」〔註113〕梨洲既明「理一分殊」之旨，
遂講博學；既言博學，則「行」之內容，自當無窮。然而，所謂之「學問思
辨」，於宋儒乃窮之於支離經義、章句中，終爲無本之學；而於王學末流，或
偏重於本體證悟，束書不觀，遂日趨狹隘，乃致廢棄實事實行；或縱任情識
以爲良知，蹈行於禮教之外以爲實行，而放肆之弊遂盛。〔註114〕梨洲於反省
陽明「致良知」教過程中，明白陽明本意，又目睹王學末流之弊病產生，遂
以爲「天地萬物之理，即在吾心之中」，未嘗離心以言理；同時，又再三強調
須作「學問思辨」之實功，而以「上達即在下學」中，未可空求人生以上。
由是主張「學問思辨」當用於經、史之學上，且須「證斯理之變化」，如此，
方不爲「迂儒之學」與「俗學」，而能通達以經世致用。〔註115〕換言之，梨洲
之反對王學末流之空疏，非僅指心學者之束書不觀；若其人果能深入經史，
然卻僅將所學用於講論，未能切實用世以利天下國家政事之施行，則亦爲空
疏之學。是知梨洲之逕以「行」釋「致」，實有補偏救弊之用意，而其經世思

辨即學也，即行也；辨既明矣，思既慎矣，問既審矣，學既能矣，又從而不
息其功焉，斯之謂篤行。非謂學問思辨之後，而始措之於行也。……蓋析其
功而言則有五，合其事而言則一而已。……天下豈有不行而學者？豈有不行
而遂可謂之窮理者邪？……夫學、問、思、辨、篤行之功，雖其困勉至於人
一己百，而擴充之極，至於盡性、知天，亦不過致吾心之良知而已；良知之
外，豈復有加於毫末乎？」見王陽明，〈答顧東橋書〉，《傳習錄》，中。觀此，
則梨洲之以「行」釋「致」，亦可謂掌握陽明思想之中心主旨。

〔註113〕同前註。
〔註114〕見古清美，《黃梨洲之生平及其學術思想》，頁91。
〔註115〕見黃宗羲，《孟子師說》，卷七，〈盡其心者章〉。案：所謂「迂儒之學」，即只
　　　　知學習經術，卻不懂加以運用而達經世目的。

想之形成，亦於此可見端倪。

（二）無善無惡說

「無善無惡」出自陽明之四句教：「無善無惡是心之體，有善有惡是意之動，知善知惡是良知，爲善去惡是格物」。〔註116〕陽明之弟子錢德洪、王汝中嘗就此四句教是否爲陽明之究竟語而意見相左，乃就教於陽明。〔註117〕陽明之解釋，主要乃自「接人」之角度切入。曰：

> 二君之見，正好相資爲用，不可各執一邊。我這裡接人，原有此二種。利根之人，直從本原上悟入，人心本體原是明瑩無滯的，原是箇未發之中；利根之人一悟本體即是功夫，人已內外一齊俱透了。其次不免有習心在，本體受蔽，故且教在意念上實落爲善、去惡，功夫熟後，渣滓去得盡時，本體亦明盡了。汝中之見，是我這裡利根人的；德洪之見，是我這裡爲其次立法的。二君相取爲用，則中人上下皆可引入於道；若各執一邊，眼前便有失人，便於道體各有未盡。（《傳習錄》，下）

又謂：

> 只依我這話頭隨人指點，自沒病痛，此原是徹上徹下功夫。利根之人，世亦難遇；本體功夫一悟盡透，此顏子、明道所不敢承當，豈可輕易望人。人有習心，不教他在良知上實用爲善、去惡功夫，只去懸空想箇本體，一切事爲俱不著實，不過養成一箇虛寂；此箇病痛不是小小，不可不早說破。（《傳習錄》，下）

觀陽明之說，有二點值得注意，其一、此四句教並非依先後次序而立，僅爲闡明四個論點；〔註118〕且目的乃在引人入道，以盡道體。其二，陽明實已逆料此說將有之「病痛」不小，乃及早說破，欲人避開。然以後學者終未能深體其意，「病痛」乃起，且益形擴大。大抵四句教中，尤以首句「無善無惡是

〔註116〕見王陽明，《傳習錄》，下。
〔註117〕同前註。對四句教義，王汝中曰：「此恐未是究竟話頭：若說心體是無善、無惡，意亦是無善、無惡的意，知亦是無善、無惡的知，物是無善、無惡的物矣。若說意有善、惡，畢竟心體還有善、惡在。」而德洪之看法，則爲：「心體是『天命之性』，原是無善、無惡的；但人有習心，意念上見有善惡在，格、致、誠、正、修，此正是復那性體功夫，若原無善惡，功夫亦不消說矣。」二人觀點不同，乃向陽明請教以指正。
〔註118〕見勞思光，《中國哲學史》，第三卷上，第五章，頁408。

心之體」爭議最多。而爭議之焦點即在後學者對陽明此說之領會、詮釋與發揮，是否切合陽明本意，〔註119〕及後學者講論此說所引起之「病痛」。東林學派顧憲成即嘗批評云：

> 所謂無善無惡，離有而無邪？即有而無邪？離有而無，于善且薄之而不屑矣，何等超卓！即有而無，于惡且任之而不礙矣，何等灑脱！是故一則可以抬高地步，爲談玄說妙者樹標榜，一則可以放鬆地步，爲恣情肆欲者決隄防。宜乎君子、小人咸樂其便，而相與靡然趨之也。（《小心齋劄記》，卷四）

顧憲成乃就「無善無惡」說之流弊予以批評。而此批判之言，實可謂爲當時持批判角度者之典型論點。梨洲身處明末，對於當時是非顚倒、道德淪喪、學術敗壞之社會風氣，自不能無所感受；唯以其承蕺山、宗陽明之學術立場，面對論者將流弊之害歸罪於陽明，亦不能坐視不理。故乃反省陽明之「無善無惡」說，冀將開脫陽明「以學術殺天下萬世」〔註120〕之罪名。

梨洲之反省陽明「無善無惡」說，主要乃自兩方面入手，一就文獻論；一就理而言。所謂就文獻論，即以陽明是否曾言及四句教爲討論重點。梨洲曰：

> 考之《傳習錄》，因先生（案：指薛侃）去花間草，陽明言：「無善無惡者理之靜，有善有惡者氣之動。」蓋言靜爲無善無惡，不言理爲無善無惡，理即是善也。……獨〈天泉證道記〉有「無善無惡者心之體，有善有惡者意之動」之語。夫心之體即理也，心體無間於動靜，若心體無善無惡，則理是無善無惡，陽明不當但指其靜時言之矣，釋氏言無善無惡，正言無理也。善惡之名，從理而立耳，即已有理，惡得言無善無惡乎？就先生去草之言證之，則知天泉之言，未必出自陽明也。（《明儒學案》，卷三十，〈粵閩王門學案〉，〈行人薛中離先生侃〉）

梨洲於此乃抱持懷疑態度，以爲四句教「未必出自陽明」，然今審諸陽明之《傳習錄》與《年譜》，均有四句教之記載，故梨洲之懷疑，實難成立。推究梨洲之有此懷疑，乃因其懷疑四句教義理之不諦當。大抵其時學者之解四句教法，多就「心體無善無惡是性，由是而發之爲有善有惡之意，由是而有分別其善惡之

〔註119〕關於此部分之詳論，可參見牟宗三之論述，見氏著《從陸象山到劉蕺山》，第三章，第二節；勞思光之論說，同前註，第五章，頁445～488；及古清美之觀點，見氏著〈王陽明致良知說的詮釋〉，頁121～132。

〔註120〕見顧憲成，《小心齋劄記》（臺北：廣文書局，1975年），卷十八。

知，由是而有爲善之惡之格物」〔註121〕而言，對此說法，梨洲甚感不妥，謂：

> 陽明言「無善無惡心之體」，原與性無善無不善之意不同。性以理言，理無不善，安得云無善？心以氣言，氣之動有善有不善，而當其藏體於寂之時，獨知湛然而已，亦安得謂之有善有惡乎？（《明儒學案》，卷三六，〈泰州學案〉，五，〈尚寶周海門先生汝登〉）

因不滿王學後學者之釋四句教義，梨洲乃就理而將「無善無惡是心之體」與「無善無惡者理之靜」二語並列以論，曰：

> 其實無善無惡者，無善念惡念耳，非謂性無善無惡也。下句意之有善有惡，亦是有善念有惡念耳，兩句只完得動靜二字。他日語薛侃曰：「無善無惡者理之靜，有善有惡者氣之動。」即此兩句也。所謂知善知惡者，非意動於善惡，從而分別之爲知，知亦只是誠意中之好惡，好必於善，惡必於惡，孰是孰非而不容已者，虛靈不昧之性體也。爲善去惡，只是率性而行，自然無善惡之夾雜。先生所謂「致吾心之良知於事事物物也」四句，本是無病，學者錯會文致。彼以無善無惡言性者，謂無善無惡斯爲至善。善一也，而有有善之善，有無善之善，無乃斷滅性種乎？……得義說而存之，而後知先生之無弊也。（《明儒學案》，卷十，〈姚江學案〉）

梨洲藉疏通「無善無惡是心之體」與「無善無惡者理之靜」之義，以辨明陽明「無善無惡」說之無病。若流弊之產生，則爲後學者「錯會陽明之立論」〔註122〕所致，而與陽明無關。梨洲云：

> 陽明每言：「至善是心之本體。」又曰：「至善只是盡乎天理之極，而無一毫人欲之私。」又曰：「良知即天理。」其言天理二字，不一而足，乃復以性無善無不善，自墮其說乎？且既以無善無惡爲性體，則知善知惡之知，流爲粗幾，陽明何以又言良知是未發之中乎？是故心無善念、無惡念，而不昧善惡之知，未嘗不在此至善也。……當時之議陽明者，以此爲大節目，豈知與陽明絕無干涉。嗚呼！〈天泉證道〉，龍谿之累陽明多矣。（《明儒學案》，卷五八，〈東林學案〉，

〔註121〕見黃宗羲，〈姚江學案〉，《明儒學案》，卷十。梨洲謂如此之解說，乃「層層自內而之外，一切皆是粗幾，則良知已落後著，非不慮之本然。」故易致流弊。

〔註122〕見黃宗羲，〈東林學案〉，一，〈端文顧涇陽先生憲成〉，《明儒學案》，卷五十八。

一，〈端文顧涇陽先生憲成〉)

梨洲一面藉由自己之詮釋，以證明陽明「無善無惡」說之無弊；一面又將流弊之害歸罪於龍溪，所謂「龍谿之累陽明多矣」，正是此意。則梨洲迴護陽明，極力為陽明脫罪之立場乃明，即如其懷疑四句教之出自陽明，亦為謹守此立場之表現，換言之，梨洲本其師承，於反省陽明學之過程中，認為陽明學若依龍溪，心齋（案：泰州學派之王艮）之說繼續發展下去，將葬送王學以道德之真正實踐之生命。〔註123〕蓋因泰州學派固本陽明重「行」之意，而特重實事實行，但其人以「良知天性，人人具足，人倫日用之間舉而措之耳」，〔註124〕並謂「穿衣吃飯，即是人倫物理；除卻穿衣吃飯無倫物矣。……學者只宜於倫物上識真空，不當於倫物上辨倫物」，〔註125〕則其行乃行於破壞是非惡善之道德藩籬，遂令王學變質，而有「失其傳」〔註126〕之危機。故梨洲認為以門弟子失加諸陽明，「不受也」，〔註127〕而視「學陽明者，與議陽明者，均失陽明立言之旨」。〔註128〕

綜觀梨洲對「無善無惡」說所做之論釋與辨明，頗有誤解陽明或不諦當之處。〔註129〕然就其所論針對王學末流之弊害而發，且議論之關鍵落於工夫

〔註123〕見古清美，《黃梨洲之生平及其學術思想》，頁98。

〔註124〕見王艮，〈答朱思齋明府〉，《心齋遺集》（收錄於《王心齋全集》，臺北：廣文書局，1987年），卷二。

〔註125〕見李卓吾，〈答鄧石陽〉，《焚書》（臺北：河洛圖書出版社，1974年），卷一。案：李卓吾乃心齋之三傳弟子。

〔註126〕見黃宗羲，〈泰州學案〉，一，《明儒學案》，卷三十二。梨洲言：「陽明先生之學，有泰州、龍溪而風行天下，亦因泰州、龍溪而漸失其傳。泰州、龍溪時時不滿其師說，益啟瞿曇之秘而歸之師，蓋躋陽明而為禪矣。」是知梨洲以陽明學之入禪，乃因泰州、龍溪所致，故謂陽明學至「泰州、龍溪而漸失其傳」。

〔註127〕同前書，〈甘泉學案〉，六，〈文定王順渠先生道〉，卷四十二。

〔註128〕同前書，〈泰州學案〉，五，〈尚寶周海門先生汝登〉，卷三十六。

〔註129〕關於此問題，主要在於梨洲未能深明陽明「無善無惡是心之體」與「無善無惡者理之靜」，乃相應而無衝突。換言之，梨洲未明陽明既以「心之體」為「無善無惡」，又謂其乃「至善」（案：此語乃與「無善無惡者理之靜」並言，而俱見於《傳習錄》，上）之真正涵意，故別用「誠意慎獨」之教，以疏通二者，雖其論說頗可成立，然於陽明「無善無惡」說終究有誤解處。至若就文獻上之懷疑，以與事實不合，誠未諦當。因此乃理學史上頗重要之命題，故論述之文頗多。此部分主要乃參考勞思光之論，見氏著《中國哲學史》，第五章，頁441～447；劉述先之說，見氏著《黃宗羲心學的定位》，第二章；古清美之言，見氏著《黃梨洲之生平及其學術思想》，第三章，第一節；林聰舜之論，見氏著《明清之際儒家思想的變遷與發展》，第二章，第二節，頁12～17。

及境界問題上，〔註130〕可見梨洲重視王學道德實踐之生命，而不尚空談，此亦甚合陽明「知行合一」主旨；唯實踐固須落實於客觀事物上，但卻未可不辨工夫著手處，否則，非僅成德之學無著落，亦將為害天下萬世，是知梨洲之反省陽明學，於澄清王學之使命外，更有補偏救弊之時代意義，而經世思想乃於其間顯露。

三、對劉宗周思想之轉化

梨洲對於蕺山思想可謂全然接收與繼承，而其尊崇師說之立場亦始終未變。此可見於其著《明儒學案》，首敘〈師說〉，〔註131〕且以陽明與蕺山之學貫串整部《學案》，以評述諸家思想；又於探討許多關鍵問題時，時顯以蕺山之說為依歸，並予以發揚。然而，梨洲之學術規模卻未侷限於蕺山思想之範圍內，於承續之中，更有轉化，而為其經世傾向之標幟。〔註132〕唯梨洲之轉化蕺山思想並非出於自覺，乃隨其學術思想之發展而逐漸顯現。關於梨洲之轉化蕺山思想，最具代表性者，當屬梨洲之與同門學侶陳乾初〔註133〕論「性善」與「天理人欲」。以下即就此二命題進行論述，以見梨洲於轉化蕺山思想之過程中，所呈露之經世傾向。

（一）性善之論

乾初嘗著〈性解〉諸篇，梨洲讀罷，乃作〈與陳乾初論學書〉，文中以同門之誼直言自己讀後，於「其心之所不安者，亦不敢苟為附和也」。〔註134〕是知梨洲初時頗不滿乾初之觀點。乾初曰：

> 人性無不善，于擴充盡才後見之，如五穀之性，不藝植，不耘耔，
> 何以知其種之美？惻隱之心，仁之端也。雖然，未可以為善也；從

〔註130〕同勞思光，《中國哲學史》，第三卷上，頁408。
〔註131〕此篇乃取材於蕺山之〈皇明道統錄〉，梨洲加以增補後，命名為〈師說〉，意即業師之言。梨洲將此篇冠於《明儒學案》，卷首，旨在表明自己編纂此部書誠有所師承。
〔註132〕見林聰舜，〈劉蕺山與黃梨洲——從「理學殿軍」到「經世思想家」〉，頁177～178。
〔註133〕陳乾初，名確。早年不喜理學家言，而以孝友文學有名。年四十，始受業於蕺山，因對理學有獨特見解，故落落寡合，不為同輩所喜。嘗著〈大學辨〉、〈禪障〉、〈性解〉、〈學譜〉等文，參見錢穆，《中國近三百年學術史》（臺北：臺灣商務印書館，1990年10月臺十版），上冊，第二章，頁36～37。
〔註134〕見黃宗羲，〈與陳乾初論學書〉，《南雷文案》，卷二。

而繼之。有惻隱，隨有羞惡、有辭讓、有是非之心焉。且無念非惻
隱、無念非羞惡。辭讓、是非、而時出靡窮焉，斯善矣。(《南雷文
案》，卷二，〈與陳乾初論學書〉中所引載乾初之言)

乾初以爲人性之善，須於「擴充盡才」乃得見，亦唯於此講論方有意義；一
如種子，必經灌溉栽培而成就爲一圓滿果實方具意義，否則，僅論種子所具
備果實之潛能；實不具任何意義，由是，惻隱之心固爲仁之端，然若未得擴
充涵養至仁義禮智諸德之充塞於心，仍未足以言「性善」。對此，梨洲頗不贊
同，云：

夫性之爲善，合下如是，到底如是，擴充盡才而非有所增也，即不
加擴充盡才而非有所減也；不爲堯存，不爲桀亡，到得牿亡之後，
石火電光，未嘗不露，纔見其善，確不可移，故孟子以孺子入井，
呼爾蹴爾明之，正爲是也。若必擴充盡才始見善，其不擴充盡才未
可爲善，焉知不是荀子之性惡，全憑矯揉之力，而後至于善乎？老
兄雖言：「惟其爲善而無不能，此以知其性之無不善也。」然亦可曰：
「惟其爲不善而無不能，此以知其性之有不善也。」是老兄之言性
善，反得半而失半矣。(《南雷文案》，卷二，〈與陳乾初論學書〉)

是梨洲認爲無論是否「擴充盡才」，均不增損其爲「性善」之圓滿性。換言之，
梨洲之言「性善」，一如孟之言「性善」，非就德性之圓滿與否言，亦非就實
然之表現言，而是就德性之根源、本質，亦即就本體言。故梨洲視乾初必待
「擴充盡才」而後可言「性善」之說，爲懷疑「性善」本體之不圓滿、有所
欠缺，是以必待於外。而此實非立於就本體論「性善」之心學立場之梨洲所
能接受，遂必加以反駁。〔註135〕若乾初則就德性之實然體現論「性善」，即其
將焦點置於「性善」未可僅於本體上論，至於本體之是否圓滿，乾初並未申
言，是知二人立論之基點原不相同。初時梨洲因不明瞭二人立場之不同，故
無法充分體會乾初立論之旨。至乾初卒後，梨洲「詳視遺稿，方識指歸，有
負良友多矣。因理其緒言，以識前過」，〔註136〕並謂乾初「未嘗背師門之旨」，

〔註135〕梨洲承學於蕺山，而蕺山乃就本體論性，其云：「獨，一也，形而上者謂之性，
　　　　形而下者謂之心。」又謂：「性體即在心體中看出。」二說見於黃宗羲《子劉
　　　　子學言》，卷一，大抵梨洲乃注重心性本體之涵養，故視就現象上論「性善」，
　　　　易致猖狂作風；而蕺山學原爲補偏救弊而起，故致力涵養於善、惡念未發之先，
　　　　以使人心能純然至善，梨洲既承蕺山此收斂心性觀，自不能同意乾初之言。
〔註136〕見黃宗羲，〈陳乾初先生墓誌銘〉，《南雷文定》，後集，卷三。

〔註137〕而於墓誌銘中大要引述乾初性善之論。云：

其言性曰：「性善之說，本於孔子，得孟子而益明，孔、孟之心，迨諸儒而轉晦，盡其心者知其性也之一言，是孟子道性善本旨。蓋人性無不善，於擴充盡才後見之也。如五穀之性，不藝植、不耘耔，何以知其種之美耶？故諄諄教人存心，求放心，充無欲害人之心，無穿窬之心，有所不忍達之於其所忍，所不為達之於其所為，不一言而足。學者果若此其盡心，則性善復何疑哉！《易》繼善成性，皆體道之全功，……故曰：『一陰一陽之謂道。』繼之即須臾不離戒懼慎獨之事，成之即中和位育之能；在孟子則居仁由義，有事勿忘者，繼之之功；反身而成，萬物咸備者，成之之候。繼之者，繼此一陰一陽之道，則剛柔不偏而粹然至善矣；成之者，成此繼之之功。向非成之，則無以見天付之全，而所性或幾乎滅矣。故曰：『成之謂性。』從來解者昧此，至所謂斷善成性，則幾求之父母未生之前，幾何不胥天下而禪乎？故性一也。孟子實言之，而諸家皆虛言之。言其實則本天而責人，言其虛則離人而尊天，不惟誣人，并誣天矣。蓋非人而天亦無由見也。……又曰：『資始流行，天之生物也；各正性命，天之成物也。物成然後性正，人成然後性全。物之成以氣，人之成以學。』……是故資始流行之時，性非不具也。而必於各正保合，見生物之性之全。孩提少長之時，性非不良也；而必於仁至義盡見生人之性之全。……。」（《南雷文定》，後集，卷三，〈陳乾初先生墓誌銘〉）

依梨洲所述，乾初乃以孟子「盡其心者知其性」一言為道性善本旨。本此，遂主張須待盡其心，性善乃見，亦即性善須於「擴充盡才後見之」。為申明此論，乾初引證《易經》中「繼善成性」與「資始流行」、「各正性命」之言，以說明性原應經「繼之立功」、「乾道變化」，〔註138〕方致「成之之候」而成就性命之全。然亦非原來無性，而是「必於仁至義盡」，方見人性之全。是

〔註137〕此可謂為梨洲對乾初論學觀點之定論。黃宗羲言：「乾初論學，雖不合於諸儒，顧未嘗背師門之旨，先師亦謂之疑團而已。」見氏著〈陳乾初先生墓誌銘〉，《南雷文約》，卷二。

〔註138〕同前註，陳乾初引證〈大象〉以說明。曰：「〈大象〉何不言萬物資始，各正性命；而必係之乾道變化之下。又何不曰元亨者，性情也；而必係之利貞之下乎？非元始時無性，而收藏時方有性也。謂性至是始足耳。」

以乾初乃對諸儒失卻孔、孟原意，一入手即就已發、未發，先天、太極上論性善，從而上溯至形而上之本體，或「求之父母未生之前」之態度，甚不以為然，而謂其「幾何不胥天下而禪乎」？〔註139〕梨洲對於乾初此論，雖以為「於先師之學，十得之二、三，恨交臂而失之也」，〔註140〕然終未完全認同，故言：

> 乾初之言，……其於聖學已見頭腦，故深中諸儒之病者有之，或主張太過，不善會諸儒之意者亦有之。夫性之善在孩提少長之時，已自彌綸天地，不待後來，後來之仁至義盡，亦只還得孩提少長分量。故後來之盡不盡，在人不在性也，乾初必欲以擴充到底言性善，此如言黃鐘者，或言三寸九分，或言八十一分，夫三寸九分非少，八十一分非多，原始要終，互見相宣，皆黃鐘之本色也。(《南雷文定》，卷三，〈陳乾初先生墓誌銘〉)

至此，梨洲固能體會乾初之言亦為「性善」本色。然其真正明瞭乾初思想並予以肯定，則須至其撰〈陳乾初墓誌銘〉第三稿時。〔註141〕於此稿中，除盡棄前稿微辭外，並另增文字以說明乾初之旨，曰：

> 乾初深痛〈樂記〉人生而靜以上不容說，才說性便已不是性之語。謂「從懸空卜度，至於心行路絕，便是禪門種草。宋人指〈商書〉維皇降衷、〈中庸〉天命之性為本體，同一窠臼。必欲求此本體於父母未生之前，而過此以往，即屬氣質，則工夫俱無著落，當知學者時時存養此心，即時時本體用事，不須別求也。」(《南雷文約》，卷二，〈陳乾初先生墓誌銘〉)

觀「時時存養此心，即時時本體用事，不須別求」之語，頗與梨洲〈明儒學

〔註139〕見古清美，《黃梨洲之生平及其學術思想》，第三章，第二節，頁120～123。案：古清美以為乾初之就現象上論「性善」，而不就本體上論，乃因其以為欲矯行為放肆之風，須自行為上入手，至多上溯至心，而言「盡心知性」，即如此，亦須具體對人所本有之四端之心進行擴充、存養之工夫。若必追溯至更深細問題，以致於本體上空論，非僅陷人於玄虛，亦忽略當下實踐之重要性。故乾初乃以聖學工夫僅為實地、具體之道德實踐。

〔註140〕見黃宗羲，〈陳乾初先生墓誌銘〉。

〔註141〕梨洲共為乾初撰三次墓誌銘，首次僅依乾初子所作事實，稍節成文，但述乾初生平，未論其學術。至第二次撰稿，則因詳讀乾初遺稿，頗識指歸，已較能體會乾初之說，然仍未完全認同。直至第三次撰稿，乃明謂乾初「未嘗背師門之旨」。由此，亦可見梨洲學術思想之轉變。見錢穆，《中國近三百年學術史》，上冊，頁38～51。

案原序〉「心無本體，工夫所至，即其本體」之言相近。又由梨洲謂乾初「未嘗背師門之旨」，則梨洲對乾初之獨特見解，終能包容，並認同。而梨洲承蕺山就本體論性善之觀點，與闡揚「意」說，著重心性收斂之工夫論主張，由是乃漸轉化，而有重德性踐履之實然表現之傾向，本此發展，梨洲之步向對客觀現實難題之重視與尋求解決之道之路徑，亦屬自然。

（二）天理人欲之辨

關於天理、人欲此命題之論辯，主要見於〈與陳乾初論學書〉一文，文中載乾初之意見，謂：

> 老兄云：「周子無欲之教，不禪而禪，吾儒只言寡欲耳。人心本無所謂天理，天理正從人欲中見，人欲恰好處，即天理也，向無人欲，則亦無天理之可言矣。」（《南雷文案》，卷二，〈陳乾初論學書〉）

乾初此言，實與其「性善」論有互通之處，乾初既由實然表現，亦即「經實踐工夫成就後」〔註142〕之基點論「性善」，則其辨天理、人欲自亦由現象上著眼。正因如此，乾初之論天理、人欲乃不能截然二分。大率就現象言，人欲乃指個人之基本生活需求，是以，欲人無欲，誠不可能，而謂天理或聖人乃個人盡去其生活需要，更為謬誤。凡應事接物，若非出於一己私心，而能順乎自然且合理之需要以求取，即並未違反天理，反而，於此順乎自然且合理之需要而求取中，顯見天理公道。〔註143〕換言之，乾初之所謂人欲，乃指「生機之自然而不容己者」，〔註144〕為聖人與常人所共有，而「聖人能不放縱耳」。〔註145〕對於此說，梨洲甚不贊同。嘗駁曰：

> 老兄此言，從先師道心即人心之本心，義理之性即氣質之本性，離氣質無所謂性而來。然以之言氣質，言人心則可，以之言人欲則不可。氣質、人心是渾然流行之體，公共之物也。人欲是落在方所，一人之私也。天理、人欲，正是相反，此盈則彼絀，彼盈則此絀。故寡之又寡，至于無欲，而後純乎天理，若人心、氣質，惡可言寡耶？棖也慾，焉得剛？子言之謂何？無欲故靜。孔安國註《論語》，

〔註142〕見古清美，《黃梨洲之生平及其學術思想》，頁122。

〔註143〕同前註，頁123～124。

〔註144〕見陳確，〈知性〉，《陳確集》（臺北：漢京文化出版社，1984年初版），別集，卷三。

〔註145〕同前註。

仁者靜句，不自濂溪始也。以此而禪濂溪，濂溪不受也。必從人欲
恰好處求天理，則終身擾擾，不出世情，所見為天理者，恐是人欲
之改頭換面耳。大抵老兄不喜言未發，故于宋儒所言近于未發者，
一切抹去，以為禪障。（《南雷文案》，卷二，〈與陳乾初論學書〉）

梨洲主要乃由氣質、人心之不同於人欲以駁斥乾初之言。蓋因梨洲深恐乾初「天
理正從人欲中見」之論，容易導致假借名義，混理欲為一，而造成「以為可衡
量客觀情況，能容許人獲得多少，便盡其量而取，只要不違背客觀規律，即出
之一己私心亦可不論」之誤會，〔註146〕若果如此，則「天理恐是人欲之改頭換
面」，故梨洲殷切申論，重視未發時之居敬存養，目的即在防患此弊之生。然則，
梨洲之所謂人欲，乃落於方所之一人之私，是須紲退、克治之對象，故必肯定
於「人欲」之外，另有一圓滿體現天理之能力與工夫。〔註147〕

　　觀乾初與梨洲二人之說，根本歧異點仍在二人立論基點之不同，乾初固
著重於現象上，梨洲則著重於心之動機，換言之，二人之歧異，乃在二人對
人欲之定義不同，乾初視人欲為現實生活之需要，故天理、人欲誠不可分，
分則戕賊人性以為天理；梨洲則以人欲為已之私心，故天理、人欲絕不可混
淆，必截然劃分，是非乃明。雖然，二人於天理意義與價值之肯定上，終未
有歧見。唯乾初「天理正從人欲中見」，因由現象著眼，強調實踐之工夫，個
中誠有重視客觀現實世界之傾向。而梨洲對乾初此說，由否定、反對至肯定、
接納，其間思想轉變所代表之意義，即梨洲學術思想，重視客觀世界傾向之
逐漸呈露。

　　乾初與梨洲均本蕺山學出發，二人論學之有歧異，乃因把握蕺山學之方
式不同。〔註148〕古清美嘗論梨洲，曰：

〔註146〕見古清美，《黃梨洲之生平及其學術思想》，頁 124。
〔註147〕見林聰舜，《明清之際儒家思想的變遷與發展》，第二章，第二節，頁 28。
〔註148〕總括而言，乾初實未嘗背叛蕺山學，否則，梨洲不可能謂其「未嘗背師門之
　　　　旨」。對此，古清美嘗申言：「乾初確實沒有反叛蕺山學的意思，他對蕺山學
　　　　的體會與梨洲不同：他以為蕺山雖講未發，也講本體，但不妨礙其具有躬行
　　　　實踐，不假空言的寶貴精神；所以他不像梨洲注重蕺山『意為未發』這個主
　　　　張，而以〈禪障〉、〈性解〉、〈大學辨〉攻擊一開口就談本體，必欲將本體之
　　　　說建立成一個理論架子的宋儒，而使學者花費畢生精力在這個建立在所謂『本
　　　　體』上的理論知解中摸索，同時力倡切實篤行以後孔孟真精神，乾初以為這
　　　　樣才是真正把握到蕺山學的精華，他這種方式才是真正闡揚繼述師門之學，
　　　　而他的著作唯有更加發揚蕺山實踐的精神而無牴觸之處。」見氏著《黃梨洲
　　　　之生平及其學術思想》，頁 131。則乾初之學術立場乃明。

他最初反對乾初……以爲是背師門之旨；而從他闡揚蕺山學，是因
爲蕺山學能救正當時心學高倡玄論，而行悖禮教的末流風氣，我們
可以看出，乾初和梨洲出發點實在是不異的，但方式不同，這不同
的方式就表現在他們對蕺山學不同重點的把握。所以當梨洲一旦不
堅持他自己把握蕺山學的方式時，他便能體會到乾初說法的眞義
了。(〈黃梨洲之生平及其學術思想〉，第三章，第二節)

唯檢視梨洲之能順利轉化蕺山思想，從而開展其經世思想，固因領略、認同
乾初之觀點，撤除其以往堅持之立場，而逐漸步出蕺山學範圍；然其個人性
格中之重實傾向，亦不可忽略，若無此特質，則其受乾初影再大，亦僅能拾
人牙慧，而無法開發屬於其自身之學術路徑。

第四章　黃宗羲經世思想之意涵

　　黃宗羲承心學轉經世之歷程，一如前文所述。則其學術思想中重視客觀世界之特質，誠爲其經世思想產生之重要根源。大抵梨洲（案：黃宗羲，字太沖，號南雷，別號梨洲）之經世思想，主要呈現於《明夷待訪錄》與《留書》二書中，[註1] 全祖望即嘗謂此二書乃「佐王之略」。[註2] 爲求體系化展

[註1]　關於《明夷待訪錄》與《留書》（案：或謂《明夷留書》，或謂《黃子留書》）之關係，各家著錄不同，梨洲本人、其子百家與邵廷采均只提及《待訪錄》，而未言《留書》。至全祖望始著錄《留書》，並於其〈書明夷待訪錄後〉，中言：「《明夷待訪錄》一卷，……原本不止於此，以多嫌諱，弗盡出，今並已刻之板亦毀於火。徵君著書兼輛，然散亡者什九，良可惜也。」而錢林、李元度、黃炳垕、江藩等人亦均言及《留書》。此外，於《明夷待訪錄》之卷數，亦各有不同記載，或謂一卷，或謂二卷。據大陸學者吳光考證可知：「第一，《明夷待訪錄》和《明夷留書》，本來是合稱爲《待訪錄》的，所以黃宗羲本人著作及顧炎武、黃百家、邵廷采等人著作中，只有《待訪錄》而無《留書》之名。後來所以析爲二書，蓋因其內容頗多觸犯清廷忌諱之辭，所以刊刻時因爲嫌諱而只選擇了部分篇章，那些直接犯忌干禁的篇章則未敢刊布而僅存鈔本流傳，於是已刻之書被稱爲《明夷待訪錄》，未刻之書被稱爲《留書》了。所謂《留書》也者，意謂留存未刻之書也。第二，《待訪錄》的原稿，實際上是不分卷的，黃百家所謂『《待訪錄》一卷』，係指原稿一總卷，而不是現存的一卷。我們從全祖望、黃嗣艾著錄中存在的卷數矛盾，正可看出《待訪錄》從一書析爲二書，《明夷待訪錄》則又從二卷變爲一卷的過程。看來今本《明夷待訪錄》只佔《待訪錄》原書的三分之一，其他都歸入《明夷留書》了。……第三，書名中「明夷」二字，當係後人所加（寫定於鄭氏二老閣刻書之時），而其依據，則因宗羲在〈待訪錄自序〉，中有自比箕子和「夷之初旦，明而未融」之嘆，其言係從《周易》，〈明夷卦〉之象辭演化出來，鄭性等人便取了來把《待訪錄》原名改爲《明夷待訪錄》了。」見氏著〈黃宗羲遺著考（一）〉，頁 425～427，本文收錄於《黃宗羲全集》，第一冊。而最近吳光所尋出鄭性訂、

現梨洲之經世思想，以下乃分三章進行論述，探討範圍乃以《明夷待訪錄》與《留書》二書爲主，而旁及梨洲其他著作，大凡梨洲於《明夷待訪錄》中對現實制度所作批評與主張，因時過境遷，衡諸今日，多不合實際需要。唯現實制度原當因時制宜，不可一成不變，否則必致僵化、窒塞，故此亦無可厚非。雖然，梨洲經世思想之精神與原則卻深具時代意義而有突破，足可取法，未可因現實制度之不符實用而摒棄。是以之後三章對梨洲經世思想之探究，較偏重其精神與原則方面，至於現實制度之主張方面則不詳述。

關於梨洲經世思想之本質，可自經世理念與政治理想兩方面加以理解。

第一節　經世理念

梨洲之經世理念直接影響其經世藍圖——理想政治——之建構，即其經世思想之風格與特色之形成亦與其經世理念有關。則梨洲之經世理念實爲其經世思想中一重要環節，若欲掌握梨洲之經世思想，必自其經世理念領略，方能掌握要領。概言之，梨洲之經世理念主要凸顯於二點上，即：「反蹈虛、重應務」與「尊崇三代古風」。而此二點原即孔、孟當初所已注重者；唯梨洲本其學養，加以面臨驚天動地之時代變局，爲解決空前之歷史難題，遂於此二理念上益加發揮並有所超越，由是乃建構其獨特、創新且深富時代意義之經世理想。

一、反蹈虛、重應務

注重現世，原爲孔、孟思想中一重要經世風格。〔註3〕後隨時局變化與學

其子大節校抄之《留書》抄本，乃完整保存《留書》，〈自序〉及正文五篇，即：〈文質〉、〈封建〉、〈衛所〉、〈朋黨〉與〈史〉。據梨洲《留書》，〈自序〉可知此書共「爲書八篇」，鄭氏父子之校抄本五篇乃因梨洲《留書》八篇中，〈田賦〉、〈制科〉、〈將〉三篇已見錄於《待訪錄》中，故不具載。此可見於鄭氏父子校抄本之原注中。參見大陸學者洪波，〈黃宗羲《留書》評述〉，頁489～491，本文收錄於《黃宗羲論》，頁489～495。由上述可知，《明夷待訪錄》與《留書》今雖分爲二書，然二書同具梨洲經世主張之特色，而所論述內容亦皆爲梨洲經世主張之代表，故本論文於探究梨洲經世思想時，乃以此二書爲主要研究對象，而旁及其他著作。

〔註 2〕 見全祖望，〈梨洲先生神道碑文〉，《鮚埼亭集》，卷十一。全祖望言：「《明夷待訪錄》二卷，《留書》一卷，則佐王之略。」案：梨洲《明夷待訪錄》與《留書》二者之經世色彩，殆無可疑。

〔註 3〕 有關此說，請參見本論文第二章，第一節之論述。

術發展之交互作用，而時隱時顯。當其隱時，乃經世思想之沈落；待其顯時，即經世思想之興起，則客觀現世之重視與否，誠為經世思想顯隱之標幟。由前文檢視梨洲之學統傳承與思想轉變過程中，已透露其重視外在客觀現世事物之思想傾向；又審諸梨洲一生行事，或積極參與反清復明之政治活動，或致力於著書立說、講學育才；凡此無一不顯露其尚實惡虛之性格。若前者，固不待言；若後者，觀其著書、講學之宗旨與出發點，亦盡悉本諸反蹈虛、重應務之經世理念，即其論為文，亦主文以載道，且文道合一之說，則梨洲之由心學傳人轉經世思想家，洵非偶然。

全祖望嘗引述梨洲之言，曰：

> 先生始謂：「學必原本於經術，而後不為蹈虛；必證明於史籍，而後足以應務。元元本本，可據可依。」（《鮚埼亭集》，外編，卷十六，〈甬上證人書院記〉）

梨洲反蹈虛、重應務之經世理念，於此明白揭示。梨洲論學乃必本乎經術、證諸史籍，而其視經術、史籍之「可據可依」，即在二者所具「元元本本」之特質。如此觀點，實為孔、孟原始儒家特重經、史之經世風格之延伸與發揚。梨洲嘗述孔子之學，云：

> 余以為孔子之道，非一家之學也，非一世之學也，天地賴以常運而不息，人紀賴以接續而不墜。世治，則巷吏門兒莫不知仁義之為美，無一物之不得其生，不遂其性；世亂，則學士大夫風節凜然，必不肯以刀鋸鼎鑊損立身之清格。蓋非刊注《四書》，衍輯《語錄》，及建立書院，聚集生徒之足以了事也。（《破邪論》，〈後祀〉）

梨洲可謂深得孔學意旨。由其掌握孔學特色為「天地賴以常運而不息，人紀賴以接續而不墜」，而與世之治亂相關，並視注《四書》、輯《語錄》、聚生徒為未足，乃見其慨然有經世之志。是以梨洲甚不贊同讀書僅為登科中舉、揚名場屋，而無濟於人倫日用之實行與時代難題之解決；故於當時葬送儒學經國濟民特質之科舉流弊，深惡痛絕，或謂「制科盛而人才絀」，〔註4〕或謂「自科舉之學興，儒門那一件不是自為為人」，〔註5〕甚至更直言：

> 科舉之弊，未有甚於今日矣。余見高曾以來，為其學者，《五經》、《通鑑》、《左傳》、《國語》、《戰國策》、《莊子》、八大家，此數書者，未

〔註4〕見黃宗羲，〈陳夔獻墓誌銘〉，《南雷文定》，後集，卷三。
〔註5〕見黃宗羲，《孟子師說》，卷三，〈好辨章〉。

有不讀以資舉業之用者也。自後則束之高閣，而鑽研於《蒙存》《淺達》之講章。又其後則以爲汎濫，而《說約》出焉。又以《說約》爲冗，而圭撮於低頭四書之上，童而習之，至於解褐出仕，未嘗更見他書也。此外但取科舉中選之文，諷誦摹倣，移前綴後，雷同下筆已耳。……此等人才，豈能効使國家一障一亭之用？徒使天之生民，受其笞撻，可哀也夫！（《破邪論》，〈科舉〉）

梨洲之不滿科舉流弊，於此表露無遺。大抵梨洲視「儒者之學」當「經緯天地」而有裨於世道人心，若「以語錄爲究竟」，「附答問一、二條於伊、洛門下」，以「廁儒者之列」，是假名欺世，非眞儒學也。〔註6〕對於「經緯天地」之儒學範疇，梨洲以爲「古今事物，錯落高下，不以涯量，帝王之所經營，聖賢之所授受，下而緣情綺靡之功，俱屬吾人分內」。〔註7〕基於此，梨洲尤其反對裂析儒學，而自外於儒者固有經世精神之逃巧之士。然當時學風正是如此，故梨洲深致慨嘆，云：

嘗謂學問之事，析之者愈精，而逃之者愈巧。三代以上，祇有儒之名而已。……夫一儒也，裂而爲文苑、爲儒林、爲理學、爲心學，豈非析之欲其極精乎？奈何今之言心學者，則無事乎讀書窮理；言理學者，其所讀之書，不過經生之章句，其所窮之理，不過字義之從違。薄文苑爲詞章，惜儒林於皓首，封己守殘，摘索不出一卷之內，其規爲措注，與纖兒細士，不見長短，天崩地解，落然無與吾事，猶且說同道異，自附於所謂道學者，豈非逃之者之愈巧乎？（《南雷文定》，前集，卷一，〈留別海昌同學序〉）

梨洲之反對精析學問，非不明此乃爲學工夫之必要途徑，特以學者於精析學問時，逕視工夫爲究竟，且「執其成說，以裁量古今學術」，〔註8〕若有一語

〔註6〕見黃宗羲，〈贈編修弁玉吳君墓誌銘〉，《南雷文定》，後集，卷三。
〔註7〕同前書，〈進士心友張君墓誌銘〉，前集，卷八。
〔註8〕見黃宗羲〈惲仲升文集序〉，《南雷文案》，卷一。梨洲曰：「舉業盛而聖學亡，舉業之士，亦知其非聖學也，第以仕宦之途寄跡焉爾。而士之庸妄者，遂執其成說，以裁量古今之學術，有一語不與之相合者，愕眙而視曰：『此離經也。此背訓也。』於是六經之傳注，歷代之治亂，人物之臧否，莫不各有一定之說；此一定之說者，皆膚論瞽言，未嘗深求其故，取證於心，其書數卷可盡也，其學終朝可畢也。」案：梨洲深痛科舉制度之流弊，乃精析學問而陷溺學者於「膚論瞽言」之「庸妄」之學，故極力申言爲學必博，且須「取證於心」，否則即爲無本之學，而「終朝可畢」，實無有裨益於天下。

不合，即謂離經、背訓，而不反求諸心，必「以適用爲是」，〔註9〕遂予人逃巧藉口與方便，終致離棄儒者平治天下之經世精神與抱負；而謂治財賦爲聚斂，開闔扞邊爲粗材，讀書作文爲玩物喪志，留心政事爲俗吏，舉凡一切人倫日用皆無與儒者之事。儒學精神至此可謂淪喪殆盡，而盡爲迂儒之學與無根之學。則梨洲之痛斥精析學問，乃在其流弊之深重。由是，梨洲倡言博學諸家以矯其弊，蓋因「學術之不同，正以見道體之無盡」。〔註10〕嘗言：

> 昔明道汎濫諸家，出入於老釋者幾十年，而後返求諸六經，考亭於釋老之學，亦必究其歸趣，訂其是非。自來求道之士，未有不然者。蓋道非一家之私，聖賢之血路，散殊於百家，求之愈艱，則得之愈眞。雖其得之有至有不至，要不可謂無與於道者也。(《南雷文定》，三集，卷二，〈朝議大夫奉敕提督山東學政布政司右參議兼按察司僉事清谿錢先生墓誌銘〉)

則梨洲固承認學術分途之必然性，唯其強調根本——道——之重要性；明道、考亭之汎濫諸家、探究釋老，終未損其求道之功；原因即在二人能返求六經，深究歸趣；而「六經皆載道之書」，〔註11〕是知梨洲之所謂道，乃儒學「經緯天地」之道，亦即統貫學術、道德、事功爲一之道。故梨洲之返求六經，旨在行道用世，而爲達此目的，又須兼讀史書，因經世之業，無不備載於二十一史中。〔註12〕然則，梨洲之博學絕非漫無頭緒，毫無標的，而是以六經、史書爲經緯，復向外涵括其他學術，然最終仍須回歸經緯，以求經世致用。足見梨洲博學主張，主要仍著眼於反蹈虛、重應務之經世理念上。

　　基於反蹈虛、重應務之理念，對於爲文，梨洲乃主文以載道且文道合一之說。謂：

〔註9〕　見黃宗羲，〈兵部督捕右侍郎西山許先生墓誌銘〉，《南雷文約》，卷二。梨洲謂：「今夫世之講學者，非墨守訓詁之習，則高談性命之理。大言炎炎，小言詹詹，有其聲而無宮角，寧當於琴瑟鐘鼓之調乎？先生之學，不名一轍，以適用爲是，故於六家皆取其長，而以至誠流出金石，瓦鑠鎔爲妙義。」案：唯其「不名一轍，以適用爲是」，方能博學廣取，而不蹈精析學問之逃巧流弊。則「以適用爲是」誠爲梨洲經世理念之特色。

〔註10〕　見黃宗羲，〈明儒學案序〉，《明儒學案》。

〔註11〕　見黃宗羲，〈學禮質疑序〉，《南雷文定》，前集，卷一。

〔註12〕　見黃宗羲，〈補歷代史表序〉，《南雷文約》，卷四。梨洲云：「夫二十一史所載，凡經世之業，亦無備矣。」案：梨洲之讀史書，乃奉父黃尊素之言。因甚有所得，遂發此論。

周元公曰：「文所以載道也。」今人無道可載，徒欲激昂於篇章字句
之間，經織紛綴以求勝，是空無一物而飾其舟車也。故雖大輅雕艎，
終爲虛器而已矣。況其無眞實之功，求鹵莽之效，不異結柳作車，
縛草爲船耳。(《南雷文案》，卷一，〈陳葵獻偶刻詩文序〉)

梨洲以爲今人爲文既「無道可載」，又「無眞實之功」，即令摛藻優美，架構
出色，亦不過「虛器而已」！換言之，梨洲所認同之文章，非僅須言之有物，
且必與經世目的結合，以達致實用功效，否則即「不可爲文」。曰：

文之美惡，視道合離，文以載道，猶爲二之。聚之以學，經史子集；
行之以法，章句呼吸；無情之辭，外強中乾，其神不傳，優孟衣冠。
五者不備，不可爲文。(《南雷文定》，前集，卷七，〈李杲堂先生墓
誌銘〉)

若謂文以載道，則文、道猶爲二事，此乃梨洲所深感不妥；必文與道合，「二者
煥然復歸於一」，〔註13〕方可爲文，亦方可謂美。如是，「『道』是內涵於『文』
的，亦即，所謂的『文』事實上就含有濃厚的『道』的色彩，而且是自身具足，
無待於外求個『道』來依附的」。〔註14〕則梨洲乃以「經世爲文合一」，〔註15〕
亦唯其如此，其發爲議論之文字撰述，方不爲空言，而具意義。故云：

夫道一而已，修於身則爲道德，形於言則爲藝文，見於用則爲事功名
節。豈若九流百家，人自爲家，莫適相通乎？(《南雷文定》，三集，
卷一，〈餘姚縣重修儒學記〉)

梨洲此言，頗與宋儒劉彝謂聖人之道乃體、用、文三者兼具之論相通。〔註16〕

─────────────────

〔註13〕見黃宗羲《南雷文案》一書中，梨洲門人鄭梁所著〈南雷文案序〉。曰：「吾
師黃先生非欲以文見者也。然梁竊引孔子之言曰：『文不在茲乎？』是文即道
也。孟子既沒，文與道裂而爲二，趙宋以來，間有合之者，然或以道兼文，
或以文兼道，求其卓卓皆可名世者，指亦不屢屈也。而先生起於文衰道喪之
餘，能使二者煥然復歸於一，則雖謂先生竟以文見可也。」案：無論「以文
兼道」或「以道兼文」，皆仍裂文、道爲二以論說，如此，誠與孔、孟本意不
合，且猶不免於偏頗一方之弊，梨洲深明個中弊病，乃主張文與道合，必如
此方能復聖人本意，得聖人之言。

〔註14〕見林保淳，《明末清初經世文論研究》，第三章，第一節，頁117。

〔註15〕見魏禧，〈雜說〉，《日錄論文》(臺北：新文豐出版公司，1989年臺一版)，卷
二。

〔註16〕見黃宗羲原著，全祖望補修，〈安定學案〉，〈文昭胡安定先生瑗〉，《宋元學案》，
卷一。文中載胡瑗門人劉彝答宋神宗問話，言：「臣聞聖人之道，有體、有用、
有文。君臣父子，仁義禮樂，歷世不可變者，其體也。《詩》《書》史傳子集，

是知梨洲之論文，仍以行道用世爲究竟。由是可見，梨洲思想中反蹈虛、重應務理念，非僅充分彰顯，亦統貫其論學、爲文，乃至一生行事，而爲建構其經世思想之根本理念。由是，孔、孟注重客觀現世經世風格亦得更進一步之發展。

二、尊崇三代古風

一如注重客觀現世，尊崇三代古風亦爲孔、孟所確立經世風格之一。自孔、孟推崇三代之治，歷來傳統儒者，有慨然用世之志，以平治天下者，莫不依循聖人之言，意欲恢復或取法三代之治，則對三代古風之推尊，遂爲儒家經世思想之特色。梨洲以一儒者，又遭逢天崩地解之時代變局，乃益以經世濟民之責自任，而其經世思想之基本理念之一，即凸顯於對三代古制、古風之尊崇、景仰上。梨洲嘗明謂其著《待訪錄》一書，目的即在「思復三代之治」。〔註17〕並言：

> 余常疑孟子一治一亂之言，何三代而下之有亂無治也？乃觀胡翰所謂十二運者，起周敬王甲子以至於今，皆在一亂之運。向後二十年交入「大壯」，始得一治，則三代之盛猶未絕望也。（《明夷待訪錄》，〈題辭〉）

是知梨洲非僅欲復三代之治，亦以「三代之盛猶未絕望」。推究梨洲經世思想之特重三代之治，實乃孔、孟經世遺緒之繼承。

對於井田、封建、什之一稅等三代古制，梨洲於其《明夷待訪錄》及《留書》中頗多稱述。諸如：「當三代之盛，賦有九等，……古者井田養民……井田不復，仁政不行，天下之民始敝敝矣。」、〔註18〕「自三代以後，亂天下者無如夷狄矣，遂以爲五德沴眚之運。然以余觀之，則是廢封建之罪也。」、〔註19〕

垂法後世者，其文也。舉而措之天下，能潤澤斯民，歸于皇極者，其用也。國家累朝取士，不以體用爲本，而尚聲律浮華之詞，是以風俗偷薄。」本此以較梨洲之言，二說固有相通處，如均分三者以論述，又論述內容大抵類似，尤其二人亦皆「以體用爲本」，反對「尚聲律浮華之詞」，則二人觀點之相近，由是得見。

〔註17〕見黃宗羲，〈題辭〉，《破邪論》（收錄於《黃宗羲全集》，第一冊）。原文云：「余嘗爲《待訪錄》，思復三代之治。」

〔註18〕見黃宗羲，〈田制〉，一，《明夷待訪錄》。

〔註19〕見黃宗羲，〈封建〉，《留書》。案：《黃宗羲全集》，第一冊中收有二篇《明夷待訪錄》未刊文，即〈文質〉與〈封建〉。此處所引即採《黃宗羲全集》本中

「什一之法，三代皆然。」、〔註20〕「三代之法，藏天下於天下者也。」〔註21〕等，梨洲之重視、讚許三代古制，實不言而喻。唯梨洲之尊崇三代，固以古制為善，然絕非泥於形式，必盡如三代古制為是。事實上梨洲既企望三代之治，自然必須深明三代之「為治大法」，〔註22〕而非僅取三代古制以行於世。換言之，梨洲之推尊三代，主要乃著意於三代之法（原則）上，即使其嘗主張「復井田、封建、學校、卒乘之舊」〔註23〕等古制，然亦以為當「為之遠思深覽，一一通變」，〔註24〕以具存「古聖王之所惻隱愛人而經營」〔註25〕之本心、本意，否則，「小小更革，生民之戚戚終無已時」。〔註26〕是知，梨洲之崇仰三代古風，乃在「原其心」，〔註27〕從而取法之以為其經世思想之基本理念。曰：

> 二帝，三王知天下之不可無養也，為之授田以耕之；知天下之不可
> 無衣也，為之授地以桑麻之；知天下之不可無教也，為之學校以興
> 之，為之婚姻之禮以防其淫，為之卒乘之賦以防其亂。此三代以上
> 之法也，固未嘗為一己而立也。（《明夷待訪錄》，〈原法〉）

之文。案：《留書》全本今已出現於中國大陸。

〔註20〕 見黃宗羲，〈滕文公問為國章〉，《孟子師說》，卷三。

〔註21〕 見黃宗羲，〈原法〉，《明夷待訪錄》。

〔註22〕 見前註，〈題辭〉。案：梨洲自謂其著《明夷待訪錄》，乃條具三代為治大法，本是而作。

〔註23〕 同前註，〈原法〉。梨洲曰：「夫古今之變，至秦而一盡，至元而又一盡。經此二盡之後，古聖王之所惻隱愛人而經營者蕩然無具，苟非為之遠思深覽，一一通變，以復井田、封建、學校、卒乘之舊，雖小小更革，生民之戚戚終無已時也。」案：此段文字，誠明白顯示梨洲對恢復三代古制之態度，當以古聖先王之本心本意為重，然後因革損益，方不致令生民有戚戚之憂苦。

〔註24〕 同前註。

〔註25〕 同前註。

〔註26〕 同前註。

〔註27〕 見錢林、王藻所撰梨洲傳記，收錄於《梨洲遺著彙刊》，首卷，《傳》，三。《傳》中提及梨洲論人選文之原則，云：「初在南京社，會歸德侯朝宗每食必以伎侑。公（案：即黃宗羲）曰：『朝宗尊人，尚在獄中，而燕樂至此乎？吾輩不言是損友也。』或曰：『朝宗賦性不耐寂寞。』公曰：『夫人而不耐寂寞，則亦何所不至矣。』時歎為名言。及選明文，或謂朝宗不當復豫。公曰：『姚孝錫嘗仕金，遺山終置之南冠之列，不以為金人者，原其心也。夫朝宗亦若是矣。』乃知公之論人嚴，而未嘗不恕也。」梨洲論學、論人均謂須「原其心」，蓋因其以萬物之理皆在吾心之中，而散為萬殊，若不「原於心」，則為學、著文、行事皆必散於萬殊而不復歸於一本，如是則陷溺人心於末也。梨洲基於「一本萬殊」之觀點，乃特重「原於心」，故其尊崇三代立法古風，亦自此入手，必先掌握三代之旨，方論及制度之更革。

三代立法唯天下人民食、衣、教化爲慮，「固未嘗爲一己而立」，此即三代「爲治大法」之所在，亦即梨洲取法於三代者。本此，梨洲乃對三代所行制度之精神與立意分別加以掌握、領略。

綜觀梨洲之《明夷待訪錄》首敘〈唐君〉，足見其對君主地位之重視。蓋因國君身居萬人之上，原爲眾民百姓所仰望者，然三代以下，國君反爲眾民百姓憂苦之根源。梨洲深體三代爲君之精神，謂：

> 古者以天下爲主，君爲客，凡君之所畢世而經營者，爲天下也。（《明夷待訪錄》，〈原君〉）

換言之，君位之設，乃爲天下萬民，非爲一己個人；而國君之職，當謀公益而不營私利。梨洲此言實繼承《禮記》，〈禮運〉、〈大同〉篇「天下爲公」及孟子「民貴君輕」說之意。三代以下之君，或不明三代爲君之宗旨，或明瞭而猶爲一己私欲所陷溺，遂「以爲天下利害之權皆出於我，我以天下之利盡歸於己，以天下之害盡歸於人」，〔註28〕故梨洲乃痛言：

> 然則爲天下之大害者，君而已矣。向使無君，人各得自私也，人各得自利也。嗚呼，豈設君之道固如是乎！（《明夷待訪錄》，〈原君〉）

國君既爲天下萬民而設，然以天下之大，究非一人能力所得畢治，遂須人臣分工合作以完成。故梨洲曰：

> 我之出而仕也，爲天下，非爲君也；爲萬民，非爲一姓也。（《明夷待訪錄》，〈原臣〉）

則人臣之設與出仕與否，亦仍著眼於天下萬民。苟所行非其道，「而以君之一身一姓起見」，〔註29〕設令國君以權力威勢相逼，爲人臣者亦不當遵從，必「以天下萬民起見」，〔註30〕方爲人臣之道。由是，對君死而人臣從之諸情事，梨洲乃目爲「私暱者之事」。〔註31〕此外，如井田制度，梨洲除認同制度本身外，更著重井田制度之立法原意。云：

〔註28〕見黃宗羲，〈原君〉，《明夷待訪錄》。

〔註29〕同前註，〈原臣〉。梨洲謂臣道：「吾以天下萬民起見，非其道，即君以形聲強我，未之敢從也，況於無形無聲乎！非其道，即立身於其朝，未之敢許也，況於殺其身乎！不然，而以君之一身一姓起見，君有無形無聲之嗜欲，吾從而視之聽之，此宦官宮妾之心也；君爲己死而爲己亡，吾從而死之亡之，此其私暱者之事也。是乃臣不臣之辨也。」則梨洲之論人臣之道，亦以天下、萬民爲基點，若三代以下必規以君臣之義於一姓之君，誠爲梨洲所不許。

〔註30〕同前註。

〔註31〕同前註。

> 夫先王之制井田，所以遂民之生，使其繁庶也。（《明夷待訪錄》，〈田制〉，二）

又謂：

> 古者井田養民，其田皆上之田也。自秦而後，民所自有之田也。上既不能養民，使民自養；……。（《明夷待訪錄》，〈田制〉，一）

又言：

> 先王之時，民養於上。其後民自爲養。……《詩》云：「普天之下，莫非王土；率土之濱，莫非王臣。」田出於王以授民，故謂之「王土」。後世之田爲民所買，是民土而非王土也。民待養於上，故謂之「王臣」。民不爲上所養，則不得係之以王。（《破邪論》，〈賦稅〉）

井田制度之恢復與否，自來即爲部分儒者討論之命題，或反對，或贊成。梨洲乃持贊成態度，唯其於贊成恢復井田制之外，更於井田制度之制定宗旨頗多致意。梨洲以爲先王爲遂民生、使繁庶，乃制井田，則古聖先王之行井田制度，出發點仍在天下眾民之生存，而國君亦必以養民爲己責，方足稱「王」。凡此均顯示梨洲之推崇三代、取法三代，並非昧於時事，不加揀擇，極端尚古，而是制度、精神並取，尤以精神爲重。故其雖視「《周禮》出自王莽、劉歆之手，大半後世殘民之餘習」，〔註32〕然終未嘗遽謂廢禮以行，而仍主張「猶勉強爲之，不敢廢也」，〔註33〕且其自身亦於張載之禮教頗有研習，並謂「六經皆載道之書，而禮其節目也」，〔註34〕是知梨洲仍甚肯定禮之節度與教化作用，以其確有裨於人心世道之端正也。再如梨洲之論治亂，以三代以上爲治，三代以下有亂無治。三代未嘗無暴虐之君，然終能平治天下，而得治世之名，即因有賢相、賢臣攝政、還政，一心以濟世救民爲念之美風。故梨洲曰：

> 伊尹之志，以救民爲主，所謂「民爲貴，君爲輕」也。「放太甲于桐」與「放桀于南巢」，其義一也。向使桀能遷善改過，未嘗不可復立，太甲不能賢，豈可又反之乎？後世之視天下，以爲利之所在，故篡奪之心生焉。（《孟子師說》，卷七，〈伊尹曰章〉）

〔註32〕見黃宗羲，〈明堂章〉，《孟子師說》，卷一。

〔註33〕見黃宗羲，〈陳母沈孺人墓誌銘〉，《南雷文定》，前集，卷八。謂：「先王制禮，以斬齊功緦爲其文，以不飲酒食肉處內爲其實，昔之居喪者，雖文實未必相稱，然猶勉強爲之，不敢廢也。」是知梨洲仍肯定禮之意義與作用，即令文實頗不相稱，猶未敢直言廢禮。

〔註34〕同前註，〈學禮質疑序〉，前集，卷一。

梨洲以爲無論君、臣，唯其「救民爲主」，亦即視民爲貴，而君爲輕，方能平治天下；亦必視天下非利之所在，而以「萬民之憂樂」〔註35〕爲意，方不生爭逐、竊奪之心，而天下治亂之判即在此。然則賢臣之於國家，助益實大，因其足以救不肖君王之弊。由是，尚賢之觀念乃爲梨洲所肯定。

　　綜上所述，梨洲之尊崇三代古風，固非僅形式、制度之尚古，而係更進一步掌握三代立法之原則與精神，本此而成其經世思想之基本理念。觀梨洲所掌握之三代立法精神，即在以天下萬民之憂樂爲慮，亦即天下爲公、以民爲本。或謂梨洲具有近代民主思想之理念，此言誠有謬誤。蓋梨洲之踵繼孔、孟遺緒而崇三代古風，而主張公利、民本之爲政理念，雖以其遭逢時代變局，而頗有發揚，如其明謂「爲天下大害者，君而已矣」，然終未嘗提及人民有權以投票方式選舉、罷免國君；則梨洲固深知專制政權之弊病，但猶未能全然跳脫此制度以提供解決之道，唯於肯定君權之下，力求限制君權過度膨脹之方法，其觀念誠有突破處，卻並未涵有近代民主思想之理念。若必欲以此立說，是過度誇大梨洲思想矣。

第二節　政治理想

　　本諸「反蹈虛、重應務」與「尊崇三代古風」之經世理念，梨洲乃建構其理想政治。梨洲之理想政治大抵見於《明夷待訪錄》中，至若《留書》、《破邪論》乃至其他諸書，唯間有敘及其政治理想者，然終不似《明夷待訪錄》一書般之有體系。故此處乃以《明夷待訪錄》作爲主要探究對象，而以他書所敘爲輔，由是具體呈現梨洲經世理想之全貌。今本《明夷待訪錄》，計收十三篇文章，其〈取士〉、〈奄宦〉各析爲二篇，而〈田制〉、〈兵制〉、〈財計〉各析爲三篇。〔註36〕舉凡政治、經濟、法制、教育、財賦、軍事等，無不論及。爲確實掌握梨洲政治理想之面目，亦爲敘述方便，以下乃就六方面進行論析。〔註37〕

〔註35〕見黃宗羲，〈原臣〉，《明夷待訪錄》。云：「蓋天下之治亂，不在一姓之興亡，而在萬民之憂樂。是故桀、紂之亡，乃所以爲治也；秦政、蒙古之興，乃所以爲亂也。」以天下之治亂繫於天下萬民之憂樂上，梨洲以民爲本，以民爲貴之政治觀，於此得見。

〔註36〕關於《明夷待訪錄》之篇數，本文係以里仁書局所出版《黃宗羲全集》，第一冊，收錄之《明夷待訪錄》爲主要參考來源；而此刻本乃以浙江餘姚縣梨洲文獻館藏乾隆年間慈谿鄭氏二老閣初刻本爲底本。

〔註37〕有關此六方面之分法，乃酌參鄭吉雄，《經史與經世──清代浙東學者的學

一、國家之政治體制

《明夷待訪錄》中，討論國家政體問題之文章共有四篇，即〈原君〉、〈原臣〉、〈原法〉與〈置相〉。由前述梨洲尊崇三代古風之經世理念可知，梨洲以為三代以下之有亂無治，關鍵繫乎一君；君既以己為主，以天下為客，遂「使天下之人不敢自私，不敢自利，以我之大私為天下之大公」，〔註38〕則君之為害天下大矣！由是梨洲乃取三代「以天下為主，君為客，凡君之所畢世而經營者，為天下」之立君本意，以建構其理想政治中之國家政體。

大體而言，梨洲之理想國家政體，仍立基於君權統治上，換言之，梨洲並未提倡民主政治，而視為其理想政治之模式。雖然，梨洲之論國家政體仍有突破性，謂：

> 有生之初，人各自私也，人各自利也，天下有公利而莫或興之，有公害而莫或除之。有人者出，不以一己之利為利，而使天下受其利，不以一己之害為害，而使天下釋其害。此其人之勤勞必千萬倍於天下之人。夫以千萬倍之勤勞而己又不享其利，必非天下之人情所欲居也。故古之人君，量而不欲入者，許由、務光是也；入而又去之者，堯、舜是也；初不欲入而不得去者，禹是也。豈古之人有所異哉？好逸惡勞，亦猶夫人之情也。（《明夷待訪錄》，〈原君〉）

梨洲就實際人情之「好逸惡勞」以說禪讓，此固異於世俗一般以超越人情之高操人格而立論，然亦益顯君之職分非在於個人之富貴，而在於為天下興公利、除公害。是知梨洲之理想政治當如三代之以天下為公。若以天下為一己之私，而「屠毒天下之肝腦，離散天下之子女」，〔註39〕以博國君一己之產業，以奉國君一己之淫樂，則此為害天下之君，即可名為「獨夫」。曰：

> 古者天下之人愛戴其君，比之如父，擬之如天，誠不為過也。今也天下之人怨惡其君，視之如寇讎，名之為獨夫，固其所也。而小儒規規焉以君臣之義無所逃於天地之間，至桀、紂之暴，猶謂湯、武不當誅之，而妄傳伯夷、叔齊無稽之事，使兆人萬姓崩潰之血肉，曾不異夫腐鼠。豈天地之大，於兆人萬姓之中，獨私其一人一姓乎？

術思想》（臺北：臺灣大學中國文學研究所碩士論文，1990年），第一章中之四點分法，與邱漢生，〈讀《明夷待訪錄》札記〉，收入《黃宗羲論》，頁250～262，第二部分中之五點分法，並會以己意而成。

〔註38〕見黃宗羲，〈原君〉，《明夷待訪錄》。

〔註39〕同前註。

是故武王聖人也，孟子之言，聖人之言也。後世之君，欲以如父如
天之空名禁人之窺伺者，皆不便於其言，至廢孟子而不立，非導源
於小儒乎！（《明夷待訪錄》，〈原君〉）

對於獨夫，梨洲雖未明言臣、民可變置之，然觀其許武王爲聖人，並以孟子之
言爲聖人之言，則於梨洲之理想政體中，仍透露些許君位非不可變易之訊息。
由是，人臣之出仕，當爲天下、爲萬民，而非爲一姓數傳之君。若世之爲臣者，
謂「臣爲君而設」，〔註40〕而「視天下人民爲人君囊中之私物」，〔註41〕爲遂君
之私欲，乃勠力勞擾四方、憔悴民生，是背臣道而同於宮妾、宦官也。

　　梨洲既以天下、萬民爲君、臣設置之基點，乃對君、臣之關係與地位重
加釐清。曰：

夫治天下猶曳大木然，前者唱邪，後者喝許。君與臣，共曳木之人
也，若手不執緯，足不履地，曳木者唯娛笑於曳木者之前，從曳木
者以爲良，而曳木之職荒矣。（《明夷待訪錄》，〈原臣〉）

以君、臣爲共曳木之人，則君、臣之關係與地位，誠定位於群工分治之觀念
上，必二者合力，方稱曳木之職。換言之，君、臣固有名、位之別，然就平
治天下之職責言，「臣之與君，名異而實同」，〔註42〕故世人皆駭然於張居正
之受君王優禮而失人臣之禮，而梨洲乃罪其「不能以師傅自待，聽指使於僕
妾」。〔註43〕君、臣之名，既「後天下而有之者」，〔註44〕若「吾無天下之責，
則吾在君爲路人」，〔註45〕是以，梨洲不贊同以臣與子並稱，云：

出而仕於君也，不以天下爲事，則君之僕妾也；以天下爲事，則君

〔註40〕　同前註，〈原臣〉。對於世之爲臣者之想法，梨洲嘗作說明：「以謂臣爲君而設
　　　者也。君分吾以天下而後治之，君授吾以人民而後牧之，視天下人民爲人君
　　　囊中之私物。今以四方之勞擾，民生之憔悴，足以危吾君也，不得不講治之、
　　　牧之之術。苟無係於社稷之存亡，則四方之勞擾，民生之憔悴，雖有誠臣，
　　　亦以爲纖芥之疾也。」

〔註41〕　同前註。

〔註42〕　同前註。

〔註43〕　同前註。梨洲舉張居正爲例以論說爲人臣之道。曰：「萬曆初，神宗之待張居
　　　正，其禮稍優，此於古之師傅未能百一。當時論者駭然居正之受無人臣禮。
　　　夫居正之罪，正坐不能以師傅自待，聽指使於僕妾，而責之反是，何也？是
　　　則耳目浸淫於流俗之所謂臣者以爲鵠矣！又豈知臣之與君，名異而實同耶？」
　　　則梨洲誠以師傅之識分論爲人臣之道。

〔註44〕　同前註。

〔註45〕　同前註。

之師友也。夫然，謂之臣，其名累變。夫父子固不可變者也。(《明
夷待訪錄》,〈原臣〉)

君臣關係之不同於父子關係於此乃明。唯於人臣之中，梨洲尤重宰相一職，
乃別著〈置相〉一文以明其作用。觀梨洲之特重宰相，實有其歷史因素，〈置
相〉一文首言「有明之無善治，自高皇帝罷丞相始也。」〔註46〕足見梨洲置
相之論乃針對明代政治作檢討而發。然則，置相之緣由為何？梨洲言：

原夫作君之意，所以治天下也。天下不能一人而治，則設官以治之；
是官者，分身之君也。(《明夷待訪錄》,〈置相〉)

又謂：

古者君之待臣也，臣拜，君必答拜。秦、漢以後，廢而不講，然丞
相進，天子御座為起，在輿為下。宰相既罷，天子更無與為禮者
矣。……古者不傳子而傳賢，其視天子之位，去留猶夫宰相也。其
後天子傳子，宰相不傳子。天子之子不皆賢，尚賴宰相傳賢足相輔
救，則天子亦不失傳賢之意。宰相既罷，天子之子一不賢，更無與
為賢者矣，不亦并傳子之意而失者乎？(《明夷待訪錄》,〈置相〉)

則梨洲之重置相，目的即在三代以下，家天下成為風氣，遂不復有古代傳子
不傳賢之遺風。然一姓之君數傳，其子孫未必皆賢，故必賴宰相之傳賢，而
「以古聖哲王之行摩切其主」，〔註47〕令其主「有所畏而不敢不從」，〔註48〕
以為補救之道，故苟廢相不置，既無法匡輔其君，傳賢之遺意亦喪失殆盡。
梨洲深體明代政權之落於宮奴之手而日趨敗壞，即因廢相而起，故非僅申言
「昔者伊尹、周公之攝政，以宰相而攝天子，亦不殊於大夫之攝卿，士之攝
大夫耳」，〔註49〕以提升宰相之地位，抑制君權之過度擴張；更倡論宰相之職

〔註46〕同前註，〈置相〉。
〔註47〕同前註。梨洲云：「使宰相不罷，自得以古聖哲王之行摩切其主，其主亦有所
　　　　畏而不敢不從也。」是知梨洲之期許於宰相不可謂不大，無怪乎其特重之。
〔註48〕同前註。
〔註49〕同前註。案：梨洲之視天子之位乃列於卿、大夫、士之間，未有過高之處，
　　　　故其云：「蓋自外而言之，天子之去公，猶公、侯、伯、子、男之遞相去；自
　　　　內而言之，君之去卿，猶卿、大夫、士之遞相去。非獨至於天子遂截然無等
　　　　級也。……後世君驕臣諂，天子之位始不列於卿、大夫、士之間，而小儒遂
　　　　河漢其攝位之事，以至君崩子立，忘哭泣衰絰之哀，講禮樂征伐之治，君臣
　　　　之義未必全，父子之恩已先絕矣。不幸國無長君，委之母后，為宰相者方避
　　　　嫌而處，寧使其決裂敗壞，貽笑千古。無乃視天子之位過高所致乎？」梨洲
　　　　深知後世之有亂無治，乃在君權之過度膨脹，故非刻意抑制不可。

務，必每日便殿與天子、大臣議政，而於天子未能盡批之章奏進呈加以批示，以「下六部施行」，〔註50〕而達君臣合力為治之意。此外，尚須設政事堂，「分曹以主眾務」，〔註51〕既分工合作，亦避免專斷。如此，大權方不致為宮奴所竊取而亂政。是知，於梨洲之理想政體中，宰相誠扮演甚為重要之角色。

　　梨洲於建構其理想之國家政體時，特別論及法。蓋因立國不可無法，無法則國無以立；治天下亦不可無法，無法則天下必亂。法之為用大矣，梨洲明此，故於其理想之國家政體中，揭示法之重要。梨洲之論法，有「無法之法」與「非法之法」二者。曰：

> 三代之法，藏天下於天下者也。山澤之利不必其盡取，刑賞之權不疑其旁落，貴不在朝廷也，賤不在草莽也。在後世方議其法之疏，而天下之人不見上之可欲，不見下之可惡，法愈疏而亂愈不作，所謂無法之法也。後世之法，藏天下於筐篋者也。利不欲其遺於下，福必欲其斂於上；用一人焉則疑其自私，而又用一人以制其私；行一事焉則慮其可欺，而又設一事以防其欺。天下之人共知其筐篋之所在，吾亦鰓鰓然日唯筐篋之是虞，故其法不得不密。法愈密而天下之亂即生於法之中，所謂非法之法也。（《明夷待訪錄》，〈原法〉）

大抵「無法之法」乃本諸天下之不可無養、無教以立法，著眼點在天下萬民之福祉，故亦可謂天下之法。「非法之法」乃本諸人主唯恐所得天下之祚命不長，未能傳之久遠而立法，著眼點在一家一姓之私利，故亦可謂一家之法。梨洲以「非法之法，前王不勝其利欲之私以創之，後王或不勝其利欲之私以壞之。壞之者固足以害天下，其創之者亦未始非害天下者」，〔註52〕故主張行公天下之「無法之法」；並謂「有治法而後有治人」。〔註53〕蓋因「無法之法」、

〔註50〕　同前註。梨洲對宰相之職務，嘗明言：「宰相一人，參知政事無常員。每日便殿議政，天子南面，宰相、六卿、諫官東西面以次坐。其執事皆用士人。凡章奏進呈，六科給事中主之，給事中以白宰相，宰相以白天子，同議可否，天子批紅。天子不能盡，則宰相批之，下六部施行。」如此，即不須呈章奏於御前，又轉發至閣中票擬，復繳回御前，方下於衙門施行，則宮奴自不能於故事往返中掌握大權。是知梨洲所設計之相權，實具有防患宮奴握權之意。

〔註51〕　同前註。關於設政事堂，梨洲之意乃為分工合作，諸事皆達。曰：「宰相設政事堂，使新進士立之，或用待詔者。唐張說為相，列五房於政事堂之後：一曰吏房，二曰樞機房，三曰兵房，四曰戶房，五曰刑禮房，分曹以主眾務，此其例也。四方上書言利弊者及待詔之人皆集焉，凡事無不得達。」

〔註52〕　同前註，〈原法〉。

〔註53〕　同前註。梨洲對治人與治法之關係深致其意，乃因此涉及天下之治與亂。故

「莫不有法外之意存乎其閒」，〔註54〕執法者所行爲，是則可充分發揮「法外之意」；即執法者爲非，亦未至深刻網羅，反害天下。治法之重要，於此可見。而此遂亦成爲梨洲理想政體中之一大特色。

綜觀梨洲理想國家政體之設計，主要乃針對明代政治所作之反省而發，因此，其立基點仍在君權統治上。雖然，此固時代之限制，未可以之爲評價梨洲思想之尺度。持平而論，梨洲之政體設計，若就其所處時代言，誠已具突破性，諸如：以君臣之名後天下而有，君臣之實乃共治天下，而重新釐定君臣關係與地位；提升相權以限制君權之過度膨脹；治法觀念之提出與強調等。尤其治法觀念之提出與強調，對儒家向來主張德治之政治理想言，實有創新之深意。而梨洲之反對家天下，景仰公天下，且以民爲本之政治思想亦於此可見。

二、人才之培育與擢用

有關梨洲對人才培育與擢用之看法，主要見於《明夷待訪錄》〈學校〉、〈取士〉、〈胥吏〉三文。大凡國家、天下之欲治，賢良人才必不可少，唯賢良人才非天生而有，端賴學校培育之功。故古聖先王之治天下，必設學校、重教育，唯恐「學校之法廢，民蚩蚩而失教」。〔註55〕梨洲既明三代爲治之大法，乃於學校深致其意，謂：

> 學校，所以養士也。然古之聖王，其意不僅此也，必使治天下之具皆出於學校，而後設學校之意始備，非謂班朝，布令，養老，恤孤，訊馘，大師旅則會將士，大獄訟則期吏民，大祭祀則享始祖，行之自辟雍也。蓋使朝廷之上，閭閻之細，漸摩濡染，莫不有《詩》《書》寬大之氣，天子之所是未必是，天子之所非未必非，天子亦遂不敢自爲非是，而公其非是於學校。是故養士爲學校之一事，而學校不僅爲養士而設也。(《明夷待訪錄》，〈學校〉)

其申言：「即論者謂有治人無治法，吾以謂有治法而後有治人。自非法之法桎梏天下人之手足，即有能治之人，終不勝其牽挽嫌疑之顧盼，有所設施，亦就其分之所得，安於苟簡，而不能有度外之功名。使先王之法而在，莫不有法外之意存乎其間。其人是也，則可以無不行之意；其人非也，亦不至深刻羅網，反害天下。故曰有治法而後有治人。」梨洲此觀念之提出甚具意義，而隱寓儒者於德治之政治主張外，亦頗已注意治法之重要。

〔註54〕同前註。

〔註55〕同前註，〈學校〉。

梨洲固肯定學校養士之功能，然猶以此為未足，而以學校肩負有培養健全之輿論力量之責；亦即，學校於作育人才外，尚須監督政府，批評時政，使政府免於過失。必如是，方能得賢良人才，尤其令君王心有所忌，未敢恣意行事，則天下之是非乃可藉學校之評量，而得一公正客觀之標準。此誠為梨洲理想政治中，藉設立學校而具有「提高士權以限制君權」之用意在。〔註56〕由是，梨洲乃稱許東漢太學清議之事。云：

> 東漢太學三萬人，危言深論，不隱豪強，公卿避其貶議。宋諸生伏
> 闕搥鼓，請起李綱。三代遺風，惟此猶為相近。使當日之在朝廷者，
> 以其所非是為非是，將見盜賊奸邪懾心於正氣霜雪之下！君安而國
> 可保也。乃論者目之為衰世之事，不知其所以亡者，收捕黨人，編
> 管陳、歐，正坐破壞學校所致，而反咎學校之人乎！（《明夷待訪錄》，
> 〈學校〉）

梨洲既以君安國保繫乎以太學之非是為非是上，則其於三代以下之破壞學校，致令「不特不能養士，且至於害士」〔註57〕之情事，深表不滿，而提出其理想中之學校制度。大抵梨洲以為，當自中央至地方普設各級學校，並敦

〔註56〕　見董師金裕編撰，《明夷待訪錄──忠臣孝子的悲願》（臺北：時報文化事業公司，1987年1月初版），頁84。案：對於梨洲以士權制衡君權之意，董師以為：「就客觀歷史而言，我國對君主政體的設計，固然有以相權限制君權的本意，但似乎並無以士權限制君權的構想。……所以黃宗羲雖有提高士權以限制君權的構想，用心固然可取，然而若因此斷定我國歷史上本有這種事實的存在，恐怕仍有待商榷。」至於梨洲所極力主張之以學校任監督、批評朝政之責，董師以為梨洲之設計仍略嫌粗疏，加以梨洲未能對類似東漢及北宋末年太學生受迫害之事之發生尋得解決之道，故董師謂：「在士權得不到充分保障的情況下，卻要拿來發揮限制君權的功能，這豈非有如緣木求魚？」董師之言，誠甚中肯。

〔註57〕　見黃宗羲，〈學校〉，《明夷待訪錄》。對於三代以下學校之遭破壞，梨洲嘗述曰：「三代以下，天下之是非一出於朝廷。天子榮之，則群趨以為是；天子辱之，則群摘以為非。簿書、期會、錢穀、戎獄，一切委之俗吏。時風眾勢之下，稍有人焉，便以為學校中無當於緩急之習氣。而其所謂學校者，科舉囂爭，富貴熏心，亦遂以朝廷之勢利一變其本領，而士之有才能學術者，且往往自拔於草野之間，於學校初無與也，究竟養士一事亦失之矣。於是學校變而為書院。有所非也，則朝廷必以為是而榮之；有所是也，則朝廷必以為非而辱之。偽學之禁，書院之毀，必欲以朝廷之權與之爭勝。其不仕者有刑，曰：「此率天下士大夫而背朝廷者也。」其始也，學校與朝廷無與；其繼也，朝廷與學校相反。不特不能養士，且至於害士。」則學校功能之盡失，實因君權之過度發展、擴張。

請學行俱稱之師儒講學。除士民外，「每朔日，天子臨幸太學，宰相、六卿、諫議皆從之。祭酒南面講學，天子亦就弟子之列。政有缺失，祭酒直言無諱」，〔註58〕而「郡縣朔望，大會一邑之縉紳士子。學官講學，郡縣官就弟子列，北面再拜。師弟子各以疑義相質難。……郡縣官政事缺失，小則糾繩，大則伐鼓號於眾」。〔註59〕若學校之課程，於五經兼備之通才培育外，尚須注重兵、曆、醫、射等專門人才之培養。待士子學成後，依其學習成果安排任用之職，必令人才各有所用。此外，有關婚喪禮俗，亦皆由學校主興革之事，舉凡虛名浮譽，有違風化者，無論建築物或出版品盡皆禁絕；而「一邑之名蹟及先賢陵墓祠宇，其修飾表章，皆學官之事」。〔註60〕若「入其境，有違禮之祀，有非法之服，市懸無益之物，土留未掩之喪，優歌在耳，鄙語滿街，則學官之職不修也」。〔註61〕是知梨洲之設計學校制度固以「必使治天下之具皆出於學校」為宗旨，而其所委任於學校者誠大矣。

　　賢良人才既經培育而出，苟不得擢拔任用，亦若廢才，故人才之選取甄別，遂為國家當務之急。梨洲檢視明代科舉以時文取士，而流弊甚深，乃針對國家之取用人才提出看法與主張。謂：

　　　　古之取士也寬，其用士也嚴；今之取士也嚴，其用士也寬。……寬
　　　　於取則無枉才，嚴於用則少倖進。（《明夷待訪錄》，〈取士〉，下）

梨洲以為選拔人才必寬，方能多得人才，以備不時之需，而不漏失人才；若任用人才則必嚴，方可適才適用，而不致有在位者不得其人，或才非所用之病。古制如此，降至唐、宋，雖以科舉取士，不復古代之鄉舉里選，然因其科目不一，終不失「取士也寬」之意；至若用人，唐、宋所採方式雖不同，〔註62〕亦猶本《禮記》，〈王制〉「一人之身，未入仕之先凡經四轉，已入仕之後凡經三轉，總七轉，始與之以祿」之意，〔註63〕而嚴於用士。及有明一

〔註58〕同前註。
〔註59〕同前註。
〔註60〕同前註。
〔註61〕同前註。
〔註62〕有關唐、宋用人之法，梨洲論曰：「唐之士，及第者未便解褐，入仕吏部，又復試之。韓良之三試於吏部無成，則十年猶布衣也。宋雖登第入仕，然亦止是簿尉令錄，榜首纔得丞判，是其用之之嚴也。」同前註，〈取士〉，下。是知唐、宋取士制度雖不同，然終能持守古制「用士也嚴」之意。
〔註63〕同前註。梨洲嘗釋古代取士之制，云：「〈王制〉論秀士，升之司徒曰選士；司徒論選士之秀者，升之學曰俊士，大樂正論造士之秀者，升之司馬曰進士；

代則反是而行，嚴於取，寬於用，遂令豪傑者老死兵壑，而在位者不得其人，「徒使庸妄之輩充塞天下」，〔註64〕無怪乎流弊之生。以故，梨洲乃主張「寬取士之法」，〔註65〕而提出科舉、薦舉、太學、任子、郡邑佐、辟召、絕學、上書等八法。〔註66〕其中僅科舉一法為明代所實行，至若其他七法，則為梨洲所增列。唯梨洲之言科舉，非如明代所行之科舉，而為已擴大應試科目之改良法。關於梨洲取士八法之設計主旨，簡言之，若科舉，乃以科舉取士；若薦舉，乃由郡推薦人才；若太學，乃藉學校培養選拔人才；若任子，乃設官校培養官吏子弟；若郡邑佐，乃郡縣任職鍛鍊選拔法；若辟召，乃部門授權選拔法；若絕學，乃選拔各類專門人才法；若上書，乃上書言事選拔法。〔註67〕是知梨洲取士範圍之寬；而於其申述八法時猶兼及用士之嚴，〔註68〕益見其寬於取士，嚴於用士之宗旨。

此外，梨洲復主張地方之胥吏須用士人。如是，非僅可廣士人出仕之途，而復孔、孟之時，「委吏、乘田、抱關、擊柝之皆士人」之制，〔註69〕亦可免除徒隸出身而主簿書、期會之胥吏，求利而創為文網以濟私之害。〔註70〕本此可見，梨洲之理想政治，乃冀以治天下者皆士人，而士人出於學校之培養，故其委學校以重任，而謂「必使治天下之具皆出於學校」。

綜上所述，梨洲乃以學校、士子之公論為向度，以限制君權之過度發展，則孔、孟所樹立儒者、士人論政之經世風格，至此乃得具體發揮。唯梨洲此說若無客觀情勢之配合，如保障士人論政免於受迫害之法規訂定，及學校與

　　　司馬論進士之賢者，以告於王而定其論。論定然後官之，任官然後爵之，位定然後祿之。」所引「一人之身」之言，即梨洲所掌握〈王制〉論秀士之重點。

〔註64〕同前註。

〔註65〕同前註。

〔註66〕關於梨洲取士八法之詳細內容，請參見〈取士〉，下，《明夷待訪錄》。

〔註67〕參見王維和，〈黃宗羲人才「八法」述評〉，收入《黃宗羲論》，頁610～616。

〔註68〕有關梨洲於取士八法中所論及之嚴於用士，王維和將之歸納於兩方面，一為建立嚴格之考核程序；一為實行舉薦獎懲措施。有關詳細內容，參見同前註，頁614。

〔註69〕見黃宗羲，〈胥吏〉，《明夷待訪錄》。

〔註70〕同前註。案：梨洲乃分胥吏為二，一為主奔走服役之胥吏；一為主簿書期會之胥吏。二者均於國家、天下有害，故梨洲亟欲除二胥吏之弊病。所採行之方法，前者則復差役，後者則用士人。有關詳細論述內容，可參見梨洲〈胥吏〉一文。

朝廷間直接溝通管道之建立等，而欲以學校之公是公非限制君權之發展，誠無可能。至於梨洲之取士八法，就其實質內容言，固因時移勢異，或不適用於今日；然就其所涵蓋網羅人才範圍之廣，亦頗符合其取寬用嚴之原則，則就其精神與立意言，仍足爲今日法。

三、中央與地方之規畫

　　《明夷待訪錄》中之〈建都〉、〈方鎮〉，與《留書》中之〈封建〉三文，所討論者，即中央與地方權力之均衡與邊防建制之規模。梨洲之論建都，著眼於中央政府所在地與邊患問題上，此乃本其考察明代建都政策而來。對於明代建都於燕，梨洲甚反對，嘗以李自成圍京城，毅宗「欲南下，而孤懸絕北，音塵不貫，一時既不能出，出亦不能必達，故不得已而身殉社稷」之事實，〔註71〕與唐朝外族數次寇邊而終未亡之事，〔註72〕論析明代都燕之失。謂：

> 昔人之治天下也，以治天下爲事，不以失天下爲事者也。有明都燕不過二百年，而英宗狩於土木，武宗困於陽和，景泰初京城受圍，嘉靖二十八年受圍，四十三年邊人闌入，崇禎間京城歲歲戒嚴。上下精神敝於寇至，日以失天下爲事，而禮樂政教猶足觀乎？江南之民命竭於輸輓，大府之金錢靡於河道，皆都燕之爲害也。（《明夷待訪錄》，〈建都〉）

有明都燕二百年，外患不斷，亂事頻仍；禮樂政教既失，民命財賦又竭，國家豈有不亡乎？唯亡國因素固然極多，然建都之不當實難辭其咎。故梨洲慨然歎曰：「亡之道不一，而建都失算，所以不可救也。」〔註73〕梨洲之重視建都一事，於此可見。梨洲於審視歷朝建都政策中，乃提出建都金陵之主張，並以關中與金陵相較，曰：

> 秦、漢之時，關中風氣會聚，田野開闢，人物殷盛；吳、楚方脫蠻夷之號，風氣僕略，故金陵不能與之爭勝。今關中人物不及吳、會久矣，又經流寇之亂，煙火聚落，十無二三，生聚教訓，故非一日

〔註71〕同前註，〈建都〉。

〔註72〕同前註。梨洲所列舉唐代外族犯邊之事，有「安祿山之禍，玄宗幸蜀；吐蕃之難，代宗幸陝；朱泚之亂，德宗幸奉天」。其並歸納一結論，曰：「以汴京中原四達，就使有急而形勢無所阻。」是知梨洲以爲唐代之能歷數亂而猶不亡，都汴京乃一主要因素。

〔註73〕同前註。

之所能移也。而東南粟帛，灌輸天下，天下之有吳、會，猶富室之
有倉庫匱篋也。今夫千金之子，其倉庫匱篋必身親守之，而門庭則
以委之僕妾。舍金陵而勿都，是委僕妾以倉庫匱篋；昔日之都燕，
則身守夫門庭矣。曾謂治天下而智不千金之子若與？（《明夷待訪
錄》，〈建都〉）

梨洲以時代不同，以說明其都金陵，不都關中之說，乃因金陵之人物與粟帛
俱非關中所能及。以時論事，而不墨守成規，梨洲重應務而通權達變之經世
理念固在其中矣。

梨洲基於尊崇三代古風之經世理念，對封建制度頗為嚮往，嘗有恢復封
建制度之構想，而以三代以下之有亂無治，歸罪於封建之廢。云：

自秦至今一千八百七十四年，中國為夷狄所割者四百二十八年，為
所據者二百二十六年，而號為全盛之時，亦必使國家之賦稅十之三
耗於歲幣，十之四耗於戍卒，而又薦女以事之，卑辭以副之，夫然
後可以僅免。乃自堯以至於秦二千一百三十七年，獨無此事。此何
也？豈夷狄怯於昔而勇於今哉？則封建與不封建之故也。（《留書》，
〈封建〉）

梨洲之反對廢封建，乃因封建既廢，國力轉弱，而於夷狄來犯時，遂不能抵抗，
或割據於夷狄之手，或薦女卑辭以求倖免。是知，梨洲之欲恢復封建，係以防
患夷狄之禍為主要考慮。蓋因「封建之時，兵民不分，君之視民猶子弟，民之
視君猶父母，無事則耕，有事則戰；所謂力役之徵者，不用之於興築，即用之
於攻守」，〔註74〕君民團結和諧，故夷狄即無可乘之機，〔註75〕縱有夷狄來犯，
亦不足為懼。然以三代已遠，欲驟然恢復封建之事，殆不可行，加以梨洲深諳
後世專行封建或郡縣所生流弊，乃因時乘勢，倡復方鎮之制。謂：

今封之事遠矣，因時乘勢，則方鎮可復也。……封建之弊，強弱吞
併，天子之政教有所不加；郡縣之弊，疆場之害苦無已時。欲去兩

〔註74〕見黃宗羲，〈封建〉，《黃宗羲全集》，第一冊。
〔註75〕洪波謂：「黃宗羲明確表示，夷狄之所以能亂天下，並非由於什麼合乎天意的
五德循環，而是由於廢封建（指與郡縣制相對的分封制）的罪過。他認為如
果實行封建制，則『一國衰弱，一國富強，有瑕者，又有堅者』，戎虜就不可
能輕易地以『一戰而得志于天下』。因此說天下之治與不治，『則封建與不封
建之故也』。」見氏著〈黃宗羲《留書》評述〉一文，頁493，現收錄於《黃
宗羲論，頁489～495。筆者此處之論點即參考洪波之言而立說。

者之弊，使其並行不悖，則沿邊之方鎮乎！（《明夷待訪錄》，〈方
鎮〉）

梨洲既欲解決專行封建而致地方權力過大，中央政教無以施行之弊，與專行
郡縣而致中央權力過大，地政政府因權小位輕乃爲禍不已之病；遂本諸唐代
之制度，主張於國之邊境設方鎮，並言：

務令其錢糧兵馬，內足自立，外足捍患，田賦商稅，聽其徵收，以
充戰守之用；一切政教張弛，不從中制；屬下官員亦聽其自行辟召，
然後名聞。每年一貢，三年一朝，終其世兵民輯睦，疆場寧謐者，
許以嗣世。（《明夷待訪錄》，〈方鎮〉）

梨洲認爲行方鎮可得五利：一爲統帥專一，且各爲長子孫之計；二爲用一方
之財，自供一方；三爲一方之兵，足供一方之用；四爲各有專地，兵食不出
於外；五爲山有虎豹，藜藿不採。〔註76〕至於或謂唐之亡，亡於方鎮。梨洲
以爲唐之亡，乃亡於方鎮之弱，而非方鎮之強。〔註77〕又爲使利多害少，則
方鎮之設，當在沿邊，以防邊患。然則，雖名爲方鎮制，其精神取諸封建制。
是知梨洲之於封建制，乃立意與制度並取，而尤以立意爲重，至於實際設置，
則應因時乘勢而有所更易。

綜觀梨洲對中央與地方之規畫，誠以封建立意爲本，而非全然無視時勢
之需要與能否配合，必盡復封建之實際制度不可。則梨洲之規畫中央與地方，
實寓封建古意於方鎮制度中。唯梨洲之以建都失算爲亡國之道，見解固有創
意，然其都金陵優於都關中之說，無論就歷史教訓、地理環境及該地現況言，
均非長治久安之策，而僅爲一時救弊之權宜之計。〔註78〕至若方鎮之構想，

〔註76〕見黃宗羲，〈方鎮〉。有關詳論部分，可參看本文。
〔註77〕同前註。梨洲曰：「自唐以方鎮亡天下，庸人狃之，遂爲屬饜。然原其本末則
　　　　不然。當太宗分置節度，皆在邊境，不過數府，其帶甲十萬，力足以控制寇
　　　　亂。故安祿山、朱泚皆憑方鎮而起，乃制亂者亦藉方鎮。其後析爲數十，勢
　　　　弱兵單，方鎮之兵不足相制，黃巢、朱溫遂決裂而無忌。然則唐之所以亡，
　　　　由方鎮之弱，非由方鎮之強也。」則梨洲仍甚肯定方鎮制亂之作用，而以唐
　　　　乃亡於方鎮之弱，而非方鎮之強。
〔註78〕見董師金裕，《明夷待訪錄——忠臣孝子的悲願》，頁113～115。案：董師乃
　　　　從三方面以檢討梨洲所論建都地點之選擇是否得當。首就歷史教訓言，董師
　　　　認爲梨洲「所舉的史實，從『英宗狩於土木』到『崇禎間京城歲歲戒嚴』，關
　　　　鍵都不在建都不當，而是君王的昏庸或邊防的不固，總之是政教失修所促
　　　　成」，政教既失修，縱令建都南京，豈必可免於梨洲所舉之患？況且審諸歷史，
　　　　凡都南京者，未嘗不王業偏安而無恢宏氣象，如是其可乎？次就地理環境論，

雖不失爲同時兼顧邊防與制衡中央過度集權之良策；然以方鎮統帥之職可世襲，或具鼓勵作用，但若處理不當，其弊病恐亦不小，實有待斟酌。雖然，梨洲之重視建都與致意於中央與地方之制衡，亦見其目光之恢宏、遠大。

四、民生經濟與財賦

梨洲有關民生經濟與財賦之論述，主要見於《明夷待訪錄》〈田制〉、〈財計〉二文，田賦自來即爲我國古代財政收入之基本來源，自井田廢，歷朝賦稅並無定準。梨洲於考察中國古代之田賦後，本上古徵稅過少將不敷國用，過多又近於擾民之原則，而以漢之「三十而稅一」法爲妥。曰：

> 井田既廢，漢初十五而稅一，文、景三十而稅一，光武初行什一之
> 法，後亦三十而稅一。蓋土地廣大，不能縷分區別，總其大勢，使
> 癖土之民不至於甚困而已。是故合九州之田，以下下爲則，下下者
> 不困，則天下之勢相安，吾亦可無事於縷分區別，而爲則壞經野之
> 事也。夫三十而稅一，下下之稅也。……古者井田養民，其田皆上
> 之田也。自秦而後，民所自有之田也。上既不能養民，使民自養，
> 又從而賦之，雖三十而稅一，較之於古亦未嘗爲輕也。至於後世，
> 不能深原其本末，以爲什一而稅，古之法也。……九州之田，不授
> 於上而賦以什一，則是以上上爲則也。以上上爲則，而民焉有不困
> 者乎？……吾意有王者起，必當重定天下之賦，重定天下之賦，必
> 當以下下爲則而後合於古法也。（《明夷待訪錄》，〈田制〉，一）

梨洲以爲三代行井田養民，而予民上上之田，故什一之稅亦猶輕；若後代井田既廢，民失其養乃自費購田，唯所購未必盡上上之田，若遇下下之田，即三十而稅一，亦備感困窮，況且在上者，復「以法奪之」，〔註79〕是「行一不

董師謂梨洲於此幾未提及。然就中國地理形勢看，「朝向西北代表奮發上進，轉向東南則是鬆頹後退。只有經得起考驗才能挺立不屈，所以漢、唐盛世，並非偶然。以此條件而論，南京絕非理想建都地點」。最後自該地現況觀，此固爲梨洲所持最大理由之所在。董師認爲「當知繁華往往容易消頹心志，所謂『生於憂患，死於安樂』，全國經濟中心並不適宜成爲政治中心」，並舉世界先進國家如美、英、法等均於經濟中心之外，另擇他處以奠國都之實例以爲證明。由是，董師乃謂梨洲都金陵之說誠非長治久安之良策。

〔註79〕見黃宗羲，〈田制〉，二，《明夷待訪錄》。梨洲言：「古之聖君，方授田以養民，今民自有之田，乃復以法奪之，授田之政未成而奪田之事先見，所謂行一不義而不可爲也。」可見梨洲甚反對國君未能授田於民而反先奪之之事。

義，而不可爲也」；〔註80〕故於井田未復時，梨洲以爲田賦當探下下之則，方合三代古法之意。若「漢之省賦，非通行長久之道，必欲合於古法」，〔註81〕天下之田，「不授於上而賦以什一」，則所謂什而稅一，「名爲古法，其不合於古法甚矣」。〔註82〕是知，梨洲本意，仍在恢復井田制度，而以明代衛所屯田制之可行，說明井田實可復。曰：

> 余蓋於衛所之屯田，而知所以復井田者亦不外於是矣。世儒於屯田
> 則言可行，於井田則言不可行，是不知二五之爲十也。……故吾於
> 屯田之行，而知井田之必可復也。(《明夷待訪錄》，〈田制〉，二)

梨洲主要乃自授田百畝之法與貢法二者論說屯田與井田之關係，〔註83〕以肯定屯田既可行，則井田必可復。唯於井田恢復後，自當定稅，而定稅之原則，即去暴稅之害。梨洲以爲所當去者有三：一爲積累莫返之害；二爲所稅非所出之害；三爲田土無等第之害。〔註84〕必如是，方能達到爲民制產，紓解民困之目的。

　　至於財計，梨洲以爲欲天下安富，必廢金銀而勿用。明代後期以金銀爲貨幣，而弊害乃生。蓋因金銀之數一定，而貨物無窮，若用金銀爲貨幣，必致世人競以金銀爲貴而盡斂，銀力一竭，貨物即無法流通，而國家之經濟遂亦萎縮倒退。故梨洲乃主張以錢鈔爲貨幣，而以粟帛爲賦稅。果如是可獲七

〔註80〕同前註。
〔註81〕同前註，〈田制〉，一。
〔註82〕同前註。
〔註83〕梨洲論點見〈田制〉，二，《明夷待訪錄》。謂：「每軍撥田五十畝，古之百畝也，非即周時一夫授田百畝乎？五十畝科正糧十二石，聽本軍支用，餘糧十二石，給本衛官軍俸糧，是實徵十二石也。每畝二斗四升，亦即周之鄉遂用貢法也。」梨洲以爲果能行此則「天下之田自無不足，又何必限田、均田之紛紛，而徒爲困苦富民之事乎」！
〔註84〕同前註，〈田制〉，三。有關此三害之詳論，可參見本文。簡言之，所謂積累莫返之害，乃指別設他稅，且重覆課徵，致令人民負擔愈重。所謂所稅非所出之害，即指人民納稅必將農產品折換爲銀錢方可繳納，而銀數不足，銀價日增，折換之數益減，人民負擔乃重。所謂田土無等第之害，則指土地肥瘠程度不一，若必依土地面積大小以課稅，自不公平。而人民爲繳稅，遂令田土無休耕而致地力日竭，如是惡性循環，民生益艱，而人民負擔益重。解決之道，若第一害，必全然廢除所有苛捐雜稅。若第二害，必恢復以人民之生產品繳稅法。若第三害，當權衡丈量土地畝數之大小，由土愈佳者，一畝之面積愈小；愈差者，一畝之面積愈大，如是人民之負擔趨於平均，可收等齊之效。案：簡述部分參見董師之說，見氏編撰《明夷待彷錄——忠臣孝子的悲願》，頁 126～127。

利，梨洲謂：

> ……其利有七：粟帛之屬，小民力能自致，則家易足，一也。鑄錢
> 以通有無，鑄者不息，貨無匱竭，二也。不藏金銀，無甚貧甚富之
> 家，三也。輕齎不便，民難去其鄉，四也。官吏贓私難覆，五也。
> 盜賊胠篋，負重易跡，六也。錢鈔路通，七也。（《明夷待訪錄》，〈財
> 計〉，一）

至於公鈔之法，若錢幣，梨洲主張由官方鑄造，統一樣式，以利通行；若鈔
法，則採行宋代「稱提」之法，梨洲嘗釋曰：

> 每造一界，備本錢三十六萬緡，而又佐之以鹽酒等項。蓋民間欲得
> 鈔，則以錢入庫；欲得錢，則以鈔入庫，欲得鹽酒，則以鈔入諸務。
> 故鈔之在手，與見錢無異。其必限之以界者，一則官之本錢，當使
> 與所造之鈔相準，非界則增造無藝，一則每界造鈔若干，下界收鈔
> 若干，詐偽易辨，非界則收造無數。宋之稱提鈔法如此。（《明夷待
> 訪錄》，〈財計〉，二）

如此，錢鈔行使方便，人民自樂於行用。而明代因以金銀為貨幣所致之流弊，
乃得盡除。

除輕賦薄斂、廢行金銀外，梨洲亦以工商為本，而非如世儒般視之為末。
云：

> 世儒不察，以工商為末，妄議抑之。夫工固聖王之所欲來，商又使
> 其願出於途者，蓋皆本也。（《明夷訪錄》，〈財計〉，一）

視農、工、商皆本，而以「不切於民用」之所有活動為末，[註85] 梨洲此觀
念誠已突破傳統以農為本，工商為末之看法，而於國家經濟之全面推展有有
助益。唯梨洲之以工商皆本，實亦與其贊同行使銅錢、紙幣相關連。蓋因銅
錢、紙幣乃伴隨工商業貨物交通之熱絡而行，為工商業交易行為過程中之媒
介。梨洲既認同銅錢、錢幣之發行，自於工商業亦不排斥；既以工商皆本，
亦必主張銅錢、紙幣之行使。二者原相環扣也。

總言之，梨洲之設計民生經濟與財賦，乃以安民、富民、利民為念，而針

〔註85〕 見黃宗羲，〈財計〉，三，《明夷待訪錄》。梨洲云：「今夫通都之市肆，十室而
九，有為佛而貨者，有為巫而貨者，有為倡優而貨者，有為奇技淫巧而貨者，
皆不切於民用，一概痛絕之，亦庶乎救弊之一端也。此古聖王崇本抑末之道。」
梨洲乃以不切民用者為弊、為末，而必救、必抑也。

對明代制度加以改革。設計中固有新意，如以工商皆本，且重視經濟。然梨洲終究未能自整個根本制度上，探討個中之利弊得失，而僅就某些點、線作修正。例如梨洲所提及藉由明代衛所屯田制度稍加變通、擴大，可復井田制度，觀其所論，猶未詳盡，則由屯田以復井田，是否能行，殆有疑問。然而，梨洲充分體會井田制遺意以改善民生之本心與胸懷，誠爲儒者經世樹立良好典範。

五、軍事制度問題

梨洲之論國家軍事制度，見於《明夷待訪錄》，〈兵制〉一文。考察明代兵制，梨洲認爲大致有三變，「衛所之兵，變而爲召募，至崇禎、弘光間又變而大將之屯兵」，〔註86〕然三變均有其弊：衛所之弊，兵民太分也；召募之弊，財政負擔過重也；大將屯兵之弊，專任武將也。〔註87〕遂令兵不可用，而又竭民力以養之，天下乃困。有明之滅亡，此固爲一大因素。梨洲深感明代兵制之不善，乃倡改革之道。曰：

> 余以爲天下之兵當取之於口，而天下爲兵之養當取之於戶。其取之口也，教練之時五十而出二，調發之時五十而出一。其取之戶也，調發之兵十戶而養一，教練之兵則無資於養。……夫五十口而出一人，則其役不爲重，一十戶而養一人，則其費不爲難。……夫五十口而出一人，而又四年方一行役，以一人計之，二十歲而入伍，五十歲而出伍，始終三十年，止歷七踐更耳，而又不出千里之遠，則爲兵者其任亦不爲過勞。國家無養兵之費則國富，隊伍無老弱之卒則兵強。（《明夷待訪錄》，〈兵制〉，一）

國富兵強本爲一國安定之必要條件。若國窮兵弱，非僅不能安民，亦將予外敵以可乘之機，終致亡國。而國之富或窮又與兵之強或弱有關，觀梨洲之論兵制，即本此而發。梨洲以爲取兵之數不宜過多，否則國家負擔養兵之費必過重，將有礙於國家其他建設與發展；加以，兵多而訓練不精，亦如同烏合

〔註86〕同前註，〈兵制〉，一。
〔註87〕同前註，〈田制〉，二。梨洲謂：「衛所之弊也，官軍三百一十三萬八千三百，皆仰食於民，除西北邊兵三十萬外，其所以禦寇定亂者，不得不別設兵以養之。兵分於農，然且不可，乃又使軍分於兵，是一天下之民養兩天下之兵也。召募之弊也，如東事之起，安家、行糧、馬匹、甲仗費數百萬金，得兵十餘萬而不當三萬之選，天下已騷動矣。大將屯兵之弊也，擁眾自衛，與敵爲市，搶殺不可問，宣召不能行，率我所養之兵反而攻我者，即其人也。有明之所以亡，其不在斯三者乎？」

之眾，凡戰必敗，遇敵則逃，豈能捍禦國家、天下於危急乎？故梨洲乃主張「五十口而出一人」、「一十戶而養一人」，並以明萬曆六年戶口數目為例，說明其役不重，其費不難，「而天下之兵滿一百二十餘萬，亦不為少矣」；〔註88〕又因兵取於民間，而不服役或除役時，即返回民間，是兵農合一，則明代衛所屯田所致「兵民太分」〔註89〕之弊，乃得避免。

此外，梨洲亦反對明末兵制之專任武人，蓋因「武臣擁眾，與賊相望，同事虜略」。〔註90〕雖然，梨洲並非不重武，而是所重之武不同。云：

> 武之所重者將；湯之伐桀，伊尹為將；武之入商，太公為將；晉作六軍，其為將者皆六卿之選也。……夫安國家，全社稷，君子之事也；供指使，用氣力，小人之事也。國家社稷之事，孰有大於將？使小人而優為之，又何貴乎君子耶？今以天下之大託之於小人，為重武耶？為輕武耶？（《明夷待訪錄》，〈兵制〉，二）

梨洲誠以所重武者當在將，而必以文臣君子擔當此任，方得安國家、全社稷。故主張文武合途。謂：

> 使文武合為一途，為儒生者知兵書戰策非我分外，習之而知其無過高之論，為武夫者知親上愛民為用武之本，不以麤暴為能，是則皆不可叛之人也。（《明夷待訪錄》，〈兵制〉，三）

古代文武合途，至唐、宋始分兩途，然猶「文武參用」，〔註91〕降至明朝，「截然不相出入，文臣之督撫，雖與軍事而專任節制，與兵士離而不屬」，〔註92〕遂令「涖軍者不得計餉，計餉者不涖軍；節制者不得操兵，操兵者不得節制」，〔註93〕而武臣之專擅跋扈乃生。梨洲深痛此弊，倡文武合一，使儒生亦知武事，而武夫當明仁道，則非僅兵制復善，即政事亦得以安定。

總結梨洲之兵制設計，誠立於肯定明代衛所屯田制之基點上，對其「兵民太分」之流弊進行修正、補強之工作。而梨洲之肯定衛所屯田，即著眼於

〔註88〕 同前註，〈兵制〉，一。案：此一百二十餘萬之數，乃本諸萬曆六年，六千六十九萬二千八百五十六人口，依五十口而出一人之法計算得出。

〔註89〕 同前註。

〔註90〕 同前註，〈兵制〉，二。案：此乃用於敘述毅宗帝「專任大帥，不使文臣節制」之結果。

〔註91〕 同前註，〈兵制〉，三。唐、宋之文武參用，依梨洲之言，乃「內而樞密，外而閫帥州軍」，故雖其時文武已分途，然就職官言，仍文武參用。

〔註92〕 同前註。

〔註93〕 同前註。

寓兵於農之意，此又可與其恢復井田制之主張連線，則梨洲之尊崇三代，言必稱之，固掌握其內在精神與一貫宗旨，而以治本為目的；此自非一般頭痛醫頭，腳痛醫腳，隨處抓藥之治標態度所可比。至若梨洲之力倡文武合途，亦可謂深得古人遺意。而就梨洲個人言，以一儒者，而能洞悉明代軍事制度問題，並提出具體改革方案，復於明亡後，組織義軍，憑山設險，與清兵抗爭達數年之久，則梨洲實一親蹈其言之允文允武者。

六、奄宦為禍問題

奄宦為禍，歷代有之，而有明之末，為禍尤烈。梨洲親歷目睹，深惡痛絕，乃於《明夷待訪錄》中撰〈奄宦〉一文，欲使後世有所鑑戒。其論明代奄宦為禍之烈，曰：

> 奄宦之禍，歷漢、唐、宋而相尋無已，然未有若有明之為烈也。漢、唐、宋有干與朝政之奄宦，無奉行奄宦之朝政。今夫宰相六部，朝政所自出也。而本章之批答，先有口傳，後有票擬。天下之財賦，先內庫而後太倉。天下之刑獄，先東廠而後法司。其它無不皆然。則是宰相六部，為奄宦奉行之員而已。「人主以天下為家，故以府庫之有為己有，環衛之強為己強者，尚然末王之事。今也衣服、飲食、馬匹、甲仗、禮樂、貨賄、造作，無不取辦於禁城數里之內，而外庭所設之衙門，所供之財賦，亦遂視之為非其有，嘵嘵而爭。使人主之天下不過此禁城數里之內者，皆奄宦為之也。……其禍未有若是之烈也！」（《明夷待訪錄》，〈奄宦〉，上）

審諸漢、唐、宋之宦官為禍，在於干預朝政；至明則以高祖罷相，遂令相權旁落至宦官之手，由是，宦官乃進而掌握朝政、控制朝政，舉凡財政、司法等國家大權，俱為宦官所竊取，終致「奉行奄宦之朝政」。除此之外，宦官既握大權，而以其奴婢之道事其主，人主亦以奴婢之道為人臣之道，「於是天下之為人臣者，見夫上之所賢所否者在是，亦遂舍其師友之道而相趨於奴顏婢膝之一途」，〔註94〕長久如此，小儒習焉而不明大義，〔註95〕以為事君

〔註94〕同前註，〈奄宦〉，上。

〔註95〕此所謂大義，即明奄宦、廷臣之道不同。梨洲嘗對此二者析論，言：「且夫人主之有奄宦，奴婢也，其有廷臣，師友也。所求乎奴婢者使令，所求乎師友者道德。故奴婢以伺喜怒為賢，師友而喜怒其喜怒，則為容悅矣；師友以規過失為賢，奴婢而過失其過失，則為悖逆矣。」同前註，是知奄宦、廷臣之

之道當如是，「豈知一世之人心學術爲奴婢之歸者，皆奄宦爲之也」。〔註96〕
然則，有明奄宦之爲禍，誠已至舉國上下，以非爲是，政事與風俗盡皆敗壞
殆盡之地步。是可忍，孰不可忍，故梨洲痛斥奄宦爲「毒藥猛獸」，〔註97〕
而尋索解決之道，並指出宦官之設立，乃在「人主之多欲」，〔註98〕謂：

> 夫人主受命於天，原非得已。故許由、務光之流，實見其以天下爲
> 桎梏而掉臂去之。豈料後世之君，視天下爲娛樂之具。崇其宮室，
> 不得不以女謁充之；盛其女謁，不得不以奄寺守之。此相因之勢也。
> （《明夷待訪錄》，〈奄宦〉，下）

是知人君果能公天下，不視天下爲一己之私，娛樂之具，即可去奄宦，而奄
宦之禍遂無由作。故梨洲乃言：

> 吾意爲人主者，自三宮以外，一切當罷。如是，則奄之給使令者，
> 不過數十人而足矣。（《明夷待訪錄》，〈奄宦〉，下）

梨洲以爲必去除「唯恐後之有天下者不出於其子孫」之「流俗富翁」之見，
〔註99〕並裁汰後宮，方能避免奄宦之爲禍國家、天下。

綜觀梨洲之論奄宦爲禍，固甚剴切深刻，唯就梨洲所提裁減宦官人數之
主張言，究屬治標之方，且未跳脫君主專制統治之藩籬。蓋因宦官人數即便
減少，其欲奪得君王寵幸之存心終未消失，俟其一掌權，仍可玩法弄權，殘
害生靈。是以治本之道，當在全然廢除君主專制政權，必如是，方能眞正剷
除奄宦爲禍之弊病。雖然，梨洲之能正視此問題，且於政事與風俗之清明、
端正，力求改革之道，此番作法，固亦展現其儒者經世之風。

總結上述梨洲之政治理想主張，非僅所論範圍廣闊，且大抵均能針對問
題尋出其根源、癥結之所在，從而提出補偏救弊之解決方法。誠然，其見解

道固相異矣！

〔註96〕 同前註。
〔註97〕 同前註，〈奄宦〉，下。梨洲云：「奄宦之如毒藥猛獸，數千年以來，人盡知之
矣。乃卒遭其裂肝碎首者，曷故哉？豈無法以制之與？則由於人主之多欲也。」
梨洲之痛恨奄宦，於此可見。
〔註98〕 同前註。
〔註99〕 同前註。梨洲此看法，主要乃針對人君擔憂其子嗣不廣而發。梨洲曰：「議者
竊憂其嗣育之不廣也。夫天下何嘗之有！吾不能治天下，尚欲避之，況於子
孫乎！彼鰓鰓然唯恐後之有天下者不出於其子孫，是乃流俗富翁之見。故堯、
舜有子，尚不傳之。宋徽宗未嘗不多子，止以供金人之屠醢耳。」梨洲尊崇
三代公天下之古風，於此復見，則公天下之政治思想誠爲梨洲所殷切致意者。

容或有不適用與粗疏處，但此原爲時代侷限所致，固未可以此爲評價其政治理想之準據。持平而論，梨洲之政治主張誠有可取處，故顧炎武乃深致其意，曰：「於是知天下之未嘗無人，百王之敝，可以復起，而三代之盛，可以徐還也。」〔註100〕亭林可謂深知梨洲之意。唯梨洲終其一生究竟未得實踐其經世理想之機會，空有主張而不得實現，傳統儒者經世之困境與遺憾，莫不在此乎！

〔註100〕見林保淳導讀，《明夷待訪錄》（臺北：金楓出版社，1987 年），附錄，所引顧炎武，〈與黃太沖書〉，頁 121。案：林保淳所引乃擇自張穆，《顧亭林年譜》所引。

第五章　黃宗羲經世思想之特色

　　通經以致用自來即爲儒者所持經世思想之宗則，梨洲亦然，其經世理念中，蓋以經術爲學之本源，以爲「六經皆載道之書」；〔註1〕而其所設計之政治理想藍圖，亦大抵取法乎古經載錄之三代制度，如井田、封建、學校、卒乘等，凡此均充分說明梨洲通經致用之經世特色。此固爲梨洲同於一般經世儒者之處。然而，通經之外，梨洲更強調讀史之重要，蓋因唯有通經方不蹈虛，亦唯有讀史方能應物。而梨洲重史之經世特色，遂亦爲其異於一般經世儒者之處。雖然，梨洲之特重史書並非前無所承，早在孔、孟時代即已確立特重史書之經世風格，〔註2〕唯至梨洲方得更進一步之發揮，並於此窮經明理，讀史徵實之經世特色中，萌生科學精神。以下即針對此三項特色進行析論，以期確立梨洲經世思想之學術價值與意義。

第一節　經術所以經世

　　梨洲之視「經術所以經世」，〔註3〕誠有其時代背景。梨洲時代，學者多不講讀書，唯「以語錄爲究竟，僅附答問一、二條於伊、洛門下，便廁儒者之列」；〔註4〕言心學者，則束書游談，無事於讀書窮理；講理學者，雖讀書窮理，然所讀乃章句之講章，所窮乃字義從違之理，全然無與於天下、萬民。

〔註1〕見黃宗羲，〈學禮質疑序〉，《南雷文定》，前集，卷一。
〔註2〕有關孔、孟所確立之經世風格，可參見本論文第二章，第二章。
〔註3〕見全祖望，〈梨洲先生神道碑文〉，《鮚埼亭集》，卷十一。
〔註4〕見黃宗羲，〈贈編修弁玉吳君墓誌銘〉，《南雷文定》，後集，卷三。

如此學術學術風潮誠令以經緯天地爲理想之梨洲深惡痛絕。爲矯正當時之學術風氣，並爲儒者經世提供一可循途徑，梨洲乃一方面以六經爲學問之根柢，另方面申言窮經明理之重要，欲學者由此而達經世目的。全祖望嘗述及梨洲爲學旨趣，曰：

> 公謂明人講學，襲語錄之糟粕，不以六經爲根柢，束書而從事於遊談。故受業者必先窮經，經術所以經世。(《鮚埼亭集》，卷十一，〈梨洲先生神道碑文〉)

梨洲以爲學問必本諸六經，方不蹈虛，方得經世之資。故受業必自窮經始。嘗謂：

> 六經皆載道之書，而《禮》其節目也。當時舉一禮必有一儀，要皆官司所傳，歷世所行，人人得而知之，非聖人所獨行者。大而類禋巡狩，皆爲實治，小而進退揖讓，皆爲實行也。(《南雷文定》，前集，卷一，〈學禮質疑序〉)

梨洲此言固論禮，然禮既屬經學，則梨洲之視禮爲「實治」、「實行」之學，當亦間接說明經學之特色乃「實治」與「實行」；而六經所載之道，亦當爲經世之道。六經既記載聖人安民平治之道，學者於研求六經時，自不能僅究經生章句，字義從違之事，必深察六經眞義，上溯三代善治以明治道，而施用於現世，故謂「經術所以經世」。

唯欲窮究經義，必先治經。蓋因六經歷經數千年流傳，其間時、空變移，加以人爲因素，遂令經書本身存有太多難題，此類難題若不釐清，終無法探究經之眞義，亦不能呈現經之原貌。則訓解經文乃成爲窮經明理之基本工作。唯以經書難題涉及範圍甚廣，因此，必藉助各方面知識方得完成。梨洲年輕時即對天文、曆算、象數、地理、律呂等學，深感興趣，頗多研究、深造，故於訓解經文工作所必須憑藉之相關知識與訓練，紮根甚爲深厚。以此博學基礎進行訓解經文工作，而得到傑出成績。對於梨洲之治經成果，全祖望述曰：

> 經術則《易學象數論》六卷，力辨河洛方位圖說之非，而遍及諸家，以其依附於《易》，似是而非者，爲內編；以其顯背於《易》，而擬作者，爲外編。《授書隨筆》一卷，則淮安閻徵君若璩問《尚書》而告之者。《春秋日食歷》一卷，辨衛樸所言之謬。《律呂新義》二卷，公少時，嘗取餘杭竹管肉好停句者，斷之爲十二律，與四清聲試之，因廣其說者也，又以蕺山有《論語》、《大學》、《中庸》諸解，獨少

《孟子》，乃疏爲《孟子師說》四卷。(《鮚埼亭集》，卷十一，〈梨洲
　　先生神道碑文〉)

其中以《易學象數論》最受矚目，梨洲本其天文，象數等方面之知識，扣緊
經書，依經爲說，對歷來以河圖、洛書解《易》之穿鑿附會處加以廓清。謂：

晦翁云：「談《易》者，譬之燭籠，添得一條骨子，則障了一路光明，
若能盡去其障，使之統體光明，豈不更好？」斯言是也。……世儒
過視象數，以爲絕學，故爲所欺。余一一疏通之，知其於《易》，本
了無干涉，而後反求之程傳，或亦廓清之一端也。(《南雷文定》，三
集，卷一，〈易學象數序〉)

是知梨洲之著此書，乃爲復明《易》之本意，蓋因「《易》者，範圍天地之書
也，廣大無所不備」，〔註5〕可取資經世者誠多；然亦以其廣大而無不備，遂
令「九流百家之學，俱可竄入」，〔註6〕由是《易》之本意乃晦，而其所具之
經世特性，亦遭埋沒。爲使《易》重復原貌，並得用於世，梨洲乃撰《易學
象數論》詳爲疏通。《四庫全書總目提要》嘗評此書示：

其持論皆有依據。蓋宗羲究心象數，故一一能洞曉其始末，而得其
瑕疵，非但據理空談，不能中其要害者比也。(《四庫全書》，〈經部〉，
三四，〈易類〉，冊四○)

則梨洲之治《易》，固持論有據，而得以重復《易》之本意。

　梨洲既重治經，故於講學時多所致意，其門人深受影響而亦講治經。〔註7〕
其中尤以萬充宗表現最爲特出。梨洲曰：

充宗……不爲科舉之學，湛思諸經，以爲非通諸經，不能通一經；
非悟傳註之失，則不能通經，非以經釋經，則亦無由悟傳註之失。……
充宗會通各經，證墜緝缺，聚訟之議，渙然冰泮。……所爲書，曰
《學禮質疑》二卷，《周官辨非》二卷，《儀禮商》二卷，《禮記偶箋》

〔註5〕同前註，〈易學象數論序〉，三集，卷一。
〔註6〕同前註。梨洲云：「夫《易》者，範圍天地之書也，廣大無所不備。故九流百
　　　家之學，俱可竄入焉。自九流百家，借之行其說，而於《易》之本意反晦矣。」
　　　是知《易》之本意不明，實因其廣大而無不備，故九流百家易竄入也。
〔註7〕梨洲弟子陳夔獻嘗於康熙六、七年間甬上創立講經會。梨洲略述當時情況，
　　　謂：「丁未、戊申閒，甬上陳夔獻創爲講經會，搜故家經學之書，與同志討論
　　　得失，一義未安，迭互鋒起，賈馬盧鄭，非無純駁，必使倍害自和而後已，
　　　思至心破，往往有荒途，爲先儒之所未廓者。」是知梨洲門人講經風氣之盛。
　　　見黃宗羲，〈陳夔獻墓誌銘〉，《南雷文約》，卷二。

> 三卷，初輯《春秋》二百四十卷，燼於大火，復輯，絕筆於昭公，《丁
> 災》、《甲陽草》各一卷，其間說經者居多。……學不患不博、患不
> 能精。充宗之經學，由博以致精，信矣其可傳也。(《南雷文約》，卷
> 一，〈萬充宗墓誌銘〉)

充宗之冶經，誠已甚具規模。而由梨洲「由博以致精，信矣其可傳也」之讚
賞語，足見其對充宗治經方法之稱道。又自梨洲對充宗冶經方法之闡釋中，
或可略見梨洲心目中冶經方法之大概面貌。曰：

> 何謂通諸經以通一經？經文錯互，有此略而彼詳者，有此同而彼異
> 者，因詳以求其略，因異以求其同，學者所當致思者也。何謂悟傳
> 註之失？學者入傳註之重圍，其於經也，無庸致思；經既不思，則
> 傳註無失矣，若之何而悟之？何謂以經解經？世之信傳註過於信
> 經，試拈二節爲例，八卦之方位，載於經矣。以康節離南坎北之臆
> 說，反有致疑於經者。平王之孫、齊侯之子，證諸《春秋》，一在魯
> 莊公元年，一在十一年，皆書王姬歸於齊，周莊王爲平王之孫，則
> 王姬當是其姊妹，非襄公則威公也。毛公以爲武王女，文王孫，所
> 謂平王爲平正之王，齊侯爲齊一之侯，非附會乎？(《南雷文約》，
> 卷一，〈萬充宗墓誌銘〉)

是知「以經解經」乃梨洲、充宗治經之根本方法，而目的即在通經。梨洲嘗
欲「大修群經」，然未爲成而止，充宗乃繼其師而勉爲之，唯畢其一生終未竟
全功。〔註8〕凡此均證明梨洲及其門人對治經之重視與用力。

　　雖然，梨洲之講治經，固未嘗忘卻最終目的仍在「經術所以經世」，亦即
通經以致用。唯當如何通經，方能致用？審諸梨洲之意，有二：一爲縱向加

〔註 8〕關於此事，全祖望載錄較詳。曰：「往者姚江黃微君（案：即黃宗羲），以經
學大師，倡教浙東西之閒，嘗欲推廣房審權、曾稑、衛湜諸君之緒，大修群
經，而首從事於《春秋》：先令其徒薈萃大略，輯爲叢目，只篇首春王正月一
條，草卷至五大冊，猶未定。微君笑曰：『得無爲秦延君之說《尚書》乎？』
度難以成編而止。萬充宗先生者，微君之高弟也，不以爲然。退而獨任其事，
取其重複者去之，繁蕪者刪之分門別戶，芋區而瓜疇，輯成二百四十卷。一
夕，爲大火所燼，微君爲之悵然。時先生方纂《禮記解》，既畢，復重輯之，
而先生已病，猶矻矻不倦，至昭公而絕筆。方易簀時，顧左右而言曰：『吾魂
魄中不了季武子立後一事。』……先生竭膏肓之力，繼之以死，可謂志士也
已。」見氏著〈春秋輯傳序〉，《鮚埼亭集》，外編，卷二十三。則梨洲固有大
修群經之意，唯纂輯、整理工作，中途而止：其弟子萬充宗乃繼起力爲，然
終其一生，仍未能克盡全功。

深；一爲橫向增廣。所謂縱向加深，即「各人自用得著」。梨洲云：

> 學問之道，以各人自用得著者爲眞。凡倚門傍戶，依樣葫蘆者，非
> 流俗之士，則經生之業也。(《明儒學案》，〈明儒學案發凡〉)

是知梨洲先生之論爲學，貴在自得，非依傍門戶，又於海昌講席時，「每拈四
書或五經作講義，令司講宣讀，讀畢，辯難蠭起」，〔註9〕觀此，梨洲乃謂：

> 各人自用得著的，方是學問；尋行數墨，以附會一先生之言，則聖
> 經賢傳，皆是糊心之具。(《黃梨洲先生年譜》，卷下，〈十六年丁巳，
> 公六十八歲〉條)

聖賢經傳所論盡皆載道之旨，原有用於世，若未能會通其旨，「自用得著」，僅
依附一先生之說，必將「糊心」而終不能致其用。然則，梨洲之所謂「各人自
用得著」，當在一心。蓋因經書所載固爲古代聖王經世之道，然古今時空互異，
古代之制度、行事，當時誠佳，若用諸今世則未必適合。是以，學者窮經，當
「窮其理」，〔註10〕並「深求其故，取證於心」，〔註11〕必如是方不爲俗學，方
不守一先生之言，而眞有得於古代聖王之經世之道，如此觀點，實爲梨洲心學
思想之延伸，亦見其由心學轉爲經世之軌跡。古清美嘗論析，曰：

> 梨洲所得於心學的，便是一切求之於心的這一點；從誠正以至修齊
> 治平每一步工作無不本此，其〈明儒學案序〉中所提到「盈天地皆
> 心」，及「工夫著到，不離此心」即表示了想將講義理並求之於心的
> 精神，作爲其心學與經、史學的橋樑的希望。梨洲講心學最後的轉
> 變也是歸向於此，他正是以這種方式將心學與其經、史學打成一片

〔註 9〕見黃㠠炳（案：即黃宗羲之七世孫），《黃梨洲先生年譜》，卷下，〈十六年丁
　　　巳、公六十八歲〉條。案：所參見本收錄於《梨洲遺著彙刊》，上。

〔註10〕見黃宗羲，〈諸儒學案〉，中六，〈文定張甫川先生邦奇〉，《明儒學案》，卷五
　　　十二。梨洲言：「夫窮經者，窮其理也，世人之窮經，守一先生之言，未嘗會
　　　通之以理，則所窮者一先生之言耳。」梨洲誠反對窮經而限於一己之見，蓋
　　　必相互會通，方能掌握經之眞意。

〔註11〕見黃宗羲，〈惲仲升文集序〉，《南雷文案》，卷一。梨洲云：「舉業盛而聖學亡。
　　　舉業之士，亦知其非聖學也，第以仕宦之途寄跡焉爾。而世之庸妄者，遂執
　　　其成說，以裁量古今之學術，有一語不與之相合者，愕眙而視曰：『此離經也，
　　　此背訓也。』於是六經之傳註，歷代之治亂，人物之臧否，莫不各有一定之
　　　說者，皆膚論瞽言，未嘗深求其故，取證於心，其書數卷可盡也，其學終朝
　　　可畢也。」梨洲凡學必返求諸心，若執一定說，必落於支離破碎之弊，非僅
　　　不能用以經世，即稱爲學術，亦爲「數卷可盡」、「終朝可畢」之無本之學，
　　　終非有源本，不蹈虛，而足經世之學。

而步步落實。(〈黃梨洲之生平及其學術思想〉，第四章，第一節)

以下即舉二例以說明梨洲通經致用之方式。首敘梨洲之釋《易經》，〈泰卦〉，云：

> 泰訓通，否訓塞，只通塞二字足盡古今治亂之故。……是故有天下者，小民祈寒暑雨日，聞於上，臣下嘉言罔攸伏，天下氣脈自流通，便是至治之世，若當衰亂之時，忌諱愈深，人情隔礙，……君日驕亢，臣日卑諂，以至於此卑諂與不卑諂，君子、小人於此分途，君子自然直言敢諫，小人自然阿諛曲從，故治天下以親君子、遠小人為急務，〈泰卦〉所言皆是此意。(《政學合一集》，卷一，海昌會語梨洲〈泰卦講義〉)

梨洲藉〈泰卦〉之釋，以辨析君子、小人之別與天下治亂之所由。其依經立說，直取經義，從而落實於人倫日用之通經過程，於此可見一斑。又如梨洲之講《尚書》，〈洪範〉，謂：

> 此心若正無不是福，此心若邪無不是禍。其心邪，其事惡，縱是目前富貴，正人觀之，無異在囹圄糞穢中也；其心正，其事善，雖在貧賤患難中，心自亨通，正人觀之，即是福德，此即正其誼不謀其利，明其道不計其功之意；在君子立心固是如此，然天人感應之理，實鑿鑿不爽毫髮。禍福者數也，數歸于氣，善惡者心也，心原於理，理氣合一，一本而萬殊，福善同源，禍惡相守，若禍福錯出無關於善惡，則止有萬殊而無一本。……(《政學合一集》，卷一，海昌會語梨洲〈洪範五皇極講義〉)

此處梨洲藉〈洪範〉經義之闡說，以明禍福、善惡之源，當在立心。立心正，行事善，福德自在其中；若立心邪，行事惡，即令富貴，於正人目中亦如糞穢之土。由是乃與其心學思想之理氣說系聯，並從而加以發揮。則梨洲之通經而必求證於心，明見於此。綜上二例，是知梨洲之通經過程固須返求諸心，經心之驗證，有得於心，方得發用而可切合時事。

所謂橫向增廣，即博綜諸家以求統整，梨洲以為聖賢血路，散殊百家，而「學術之不同，正以見道體之無盡」〔註12〕故學者之通經當博綜諸家而約於心，未可執守一定成說而必出於一途。嘗言：

> 嗟六經之奧旨兮，猶射者之布鵠，挽一人之矢兮，不知眾人之弋獲。

〔註12〕見黃宗羲，〈明儒學案序〉，《明儒學案》。

（《南雷文案》，卷四，〈張侍軒先生哀辭〉）

窮經原當窮經之奧旨，而六經流傳至今，其間說者甚眾，必博綜會通以合一，方得經義之眞，而可謂通經。故梨洲曰：

> 五經之學，以余之固陋，所見傳註，《詩》、《書》、《春秋》，皆數十家；三《禮》頗少，《儀禮》、《周禮》十餘家，《禮記》自衛湜以外，亦十餘家；《周易》百餘家，可謂多矣。其聞而未見者，尚千家有餘，如是則後儒於經學，可無容復議矣。……《禮經》之大者，爲郊社、禘祫、喪服、宗法、官制，言人人殊，莫知適從，士生千載之下，不能會眾以合一，由谷而之川，川以達於海，猶可謂之窮經乎？（《南雷文定》，前集，卷八，〈萬充宗墓誌銘〉）

梨洲此處之以「由谷而之川，川以達於海」喻「窮經」，亦猶〈明儒學案序〉中，「夫道猶海也，江、淮、河、漢以至涇、渭蹄跨，莫不晝夜曲折以趨之，其各自爲水者，至於海而爲一水矣」之喻「窮理」。是知梨洲之通經固重博綜諸家以統整。蓋講統整則離至道愈近亦愈眞，若言精析，則必隔閡而終致逃巧，無能得經義之眞貌。雖然，此謂之統整，仍在一心。由是可見，梨洲之通經，就理論言，雖可分述，但就實踐論，則二者實相關連，而此誠與其一本萬殊之觀念相互貫通。

　　總而言之，梨洲經世思想中「經術所以經世」之特色，主要乃針對其時「志經世者則罵爲功利」之學術風氣而發。〔註13〕嘗言：

> 道無定體，學貴適用。奈何今之人執一以爲道，使學道與事功判爲兩途？事功而不出于道，則機智用事而流于僞；道不能達之事功，論其學則有，適于用則無。講一身之行爲則似是，救國家之急難則非也，豈眞儒哉！（《南雷文定》，五集，卷三，〈姜定菴先生小傳〉）

學道以達事功，事功源於學道，二者本當合而爲一，唯梨洲時代，二者分途而行，遂令儒者失卻自孔、孟以來所奠定儒者懷抱安百姓以平治天下之經世

〔註13〕同前註，〈七怪〉，卷四。梨洲謂：「昔之學者，學道者也。今之學者，學罵者也。矜氣節者則罵爲標榜；志經世者則罵爲功利；讀書作文者則罵爲玩物喪志；留心政事者則罵爲俗吏；接庸僧數輩，則罵考亭爲不足學矣；讀艾千子定待之尾，則罵象山、陽明爲禪學矣；濂溪之主靜，則曰盤桓於腔子中者也；洛下之持敬，則曰：是有方所之學也；遜志罵其學誤主；東林罵其黨亡國，相訟不決，以後息者爲勝，東坡所謂墻外悍婦，聲飛灰火，如豬嘶狗嗥者也。」足見梨洲對當時學術風氣之強烈不滿。

大志。梨洲身遭天崩地解之時代變局，又目睹其時儒者對救國濟世之事，或無力爲之，或無意爲之，乃有經世之志，而倡言必爲學與事功合一，方爲眞儒。則「經術所以經世」誠爲梨洲經世思想之特色，亦爲梨洲提供學者經世之指導原則。

第二節　史籍所以證經

　　梨洲嘗言：「學必原本於經術，而後不爲蹈虛，必證明於史籍，而後足以應務。」〔註14〕又全祖望述其論學宗旨云：「故受業者必先窮經，經術所以經世；方不爲迂儒之學，故兼令讀史。」〔註15〕梨洲固視經術爲學問之根柢，然通經之時則必須不拘執一說，食古不化，否則易蹈迂腐之弊，故梨洲乃主張須兼讀史，以輔助經學，從而達成通經致用之目的。關於梨洲讀史之因緣，全祖望嘗載錄，言：

　　　忠端公（案：即梨洲之父，黃尊素）之被逮也，謂公（案：即黃宗
　　　羲）曰：「學者不可不通知史事，可讀《獻徵錄》。」公遂自《明十
　　　三朝實錄》，上溯二十一史，靡不究心，而歸宿於諸經。（《鮚埼亭集》，
　　　卷十一，〈梨洲先生神道碑文〉）

是知梨洲之讀史，乃「因先公之言」；〔註16〕然以「二十一史所載，凡經世之業，亦無不備矣」，〔註17〕而梨洲乃上溯之，且「歸宿於諸經」，則梨洲之治史，即在以史證經，而能應世務、致其用；亦即以史學經世也。梨洲此觀點，頗與陽明類似，陽明嘗答弟子徐愛「先儒論六經，以《春秋》爲史，史專記事，恐與五經事體終或稍異」之疑問，曰：

　　　以事言謂之史，以道言謂之經。事即道，道即事。《春秋》亦經，五
　　　經亦史。《易》是包犧氏之史；《書》是堯、舜以下史；《禮》、《樂》
　　　是三代史。其事同，其道同，安有所謂異！（《傳習錄》，上）

又云：

〔註14〕見全祖望，〈甬上證人書院記〉，《鮚埼亭集》，外編，卷二十三。
〔註15〕見全祖望，〈梨洲先生神道碑文〉，《鮚埼亭集》，卷十一。
〔註16〕見黃宗羲，〈補歷代史表序〉，《南雷文約》，卷四，梨洲言：「先忠端公就逮時，
　　　途中謂某曰：『汝近日心麤，不必看時文，且將架上〈獻徵錄〉涉略可也。』
　　　自後三年，始讀二十一史，因先公之言也。夫二十一史所載，凡經世之業，
　　　亦無不備矣。」
〔註17〕同前註。

五經亦只是史。史以明善惡，示訓戒：善可爲訓者，特存其跡以示
法：惡可爲戒者，存其戒而削其事以杜奸。（《傳習錄》，上）

陽明之意，經、史原即合一，且史之作用，即在明善惡，示訓戒。審諸孔、
孟時代，固無經之名，後世所謂六經、五經者，於孔、孟而言，盡皆史事，
而可取資以爲用世、明道者。故特重史書遂爲孔、孟所樹立之經世風格之一。
觀梨洲言治經必兼治史，且以史證經，其意誠與孔、孟、陽明頗有淵源；而
梨洲之以史學經世，更可謂乃孔、孟特重史書之經世風格之繼承與發揚。

梨洲嘗論史，謂：

國可滅，史不可滅，後之君子，而推尋桑海餘事，知橫流在辰，猶
以風教爲急務也。（《南雷文案》，卷三，〈旌表節孝馮母鄭太安人墓
誌銘〉）

是知梨洲之言治史，絕非僅限於研求往昔歷史治亂、興亡之載錄詳略與否，
而必具有借鑑當世，取資應務，以達經世致用之用意。則梨洲六經必證諸史
籍以應務之主張，即在以史事證明經義，復從而發明之以致用，亦即，寓義
理於史學中，而以發明義理爲史學經世之要務。關於梨洲寓義理於史學中之
態度，明見於其論不宜立理學傳之觀點中。梨洲於條例分疏論說後，云：

雖然，某之叨叨分疏，終屬末流，於史法無當也。夫十七史以來，
止有儒林，以鄒魯之盛，司馬遷但言〈孔子世家〉、〈孔子弟子列傳〉、
〈孟子列傳〉而已，未嘗加以道學之名也。儒林亦爲傳經而設，以
處夫不及爲弟子者，猶之傳孔子之弟子也。歷代因之，亦是此意。
周程諸子，道德雖盛，以視孔子，則猶然在弟子之列，入之儒林，
正爲允當。今無故而出之爲道學，在周程未必加重，而於大一統之
義乖矣。統天地人曰儒，以魯國而止儒一人，儒之名目，原自不輕，
儒者成德之名，猶之曰賢曰聖也。道學者，以道爲學，未成乎名也。
猶之曰志於道。志道可以爲名乎？欲重而反輕，稱名而背義，此元
人之陋也。（《南雷文定》，前集，卷四，〈移史館論不宜立理與傳書〉）

梨洲以「大一統」之名義論述儒林、道學之不當分。梨洲認爲「儒者之學，
經緯天地」，〔註18〕非僅傳注詁訓之學，或倡言心性之學，而必融貫心性、義
理與實用，亦即內聖外王兼備之學。梨洲爲切中要旨，深致其意，乃於屬末
流之分疏論析後，復就十七史之史法以辨明理學當歸入儒林，而「學術之異

────────────────

〔註18〕見黃宗羲，〈贈編修弁玉吳君墓誌銘〉，《南雷文定》，後集，卷三。

同，皆可無論」。〔註19〕則梨洲誠以義理之明於條列分疏為未足，必證諸史籍，據事立言，方為善矣。經術義理既經史事徵驗後，於應務時，自無匱乏之虞，而能見諸實行，甲凱曾論及梨洲之史學致用，言：

> 梨洲的史學致用，首在發明義理，這與理學家從《論語》、《孟子》、《大學》、《中庸》，乃至《易經》中闡揚義理稍有不同。理學家所用的是正面功夫、直接演釋，注釋和引申。梨洲則從歷史事跡演化的過程中說明義理，義理的終極目的唯相同，但其撰述的對象卻並不一樣。梨洲所重視的當代的實人實事，尤其是南明時期，忠臣烈士奮鬥的故事，更是梨洲所要表揚的對象。由此可以看出民族的存亡，國家的盛衰是梨洲研治史學最關切的事。（《史學通論》，第十一章，第一節）

大抵梨洲乃將源本於經書之義理，落實於當代歷史事跡之演化過程中，尤以民族存亡與國家盛衰為其著意之所在，本此而闡明義理以為世用，蓋因梨洲所處時代，是非善惡淆亂不分，民族大業已淪亡，目睹如此情況，梨洲之憂患意識愈深，而經世之志亦愈益強烈，乃亟思端正世風以安天下、百姓。嘗謂：

> 嗟乎！亡國之戚，何代無之？使過宗周而不憫黍離，陟北山而不憂父母，感陰雨而不念故夫，聞山陽笛而不懷舊友，是無人心矣。故遺民者，天地之元氣也。（《南雷文約》，卷二，〈謝時符先生墓誌銘〉）

又言：

> 天地之所以不毀，名教之所以僅存者，多在亡國之人物，血心流注，朝露同晞，史於是而亡矣。猶幸野制遙傳，苦語難銷，此耿耿者明滅於爛紙昏墨之餘，九原可作，地起泥香。……（《南雷文約》，卷四，〈萬履安先生詩序〉）

梨洲既視遺民為天地元氣之所依，人倫綱常之所繫，乃特重人物之表彰，而藉人物傳與墓誌銘之撰作，留存遺民之志節與行事，以透顯、發明民族存亡、國家興衰之義理。以下即舉例說明，以見梨洲之能以史事明義理。如梨洲於所撰錢機山之碑銘中，即藉史事辨明有明亡國之因，云：

> 有明朋黨之禍，至於亡國，論者亦止謂其遞勝遞負，但營門戶，罔恤國是已耳。然所以亡之故，皆不能指其事實，至於易代而後明也。

〔註19〕同前註，〈移史館論不宜立理學傳書〉，前集，卷四。梨洲云：「某竊謂道學一門，所當去也。一切總歸儒林，則學術之異同，皆可無論，以待後之學者，擇而取之。」梨洲堅去道學而歸儒木之立場乃見。

　　烈皇既誅魏奄，列其從逆者，命宰臣司寇定爲逆案；首輔韓爌傷弓
　　之後，不敢任事，機山錢公，爲物望所歸，首輔倚以裁決，當時從
　　逆之途，險拙不同，拙者妒寵爭妍，冰山富貴，累丸不止，爲逆奄
　　所用者也。險者去梯造謀，經營怨毒，豫留敗著，資其捲土重來之
　　計，盡用逆庵者也。例以渠魁脅從，但誅把持局面之險人，不過十
　　餘，聽拙者之自去，則逆案可以不立，顧險人蓋藏甚密，破心無路，
　　遂使滔天括地之虐燄，滯固於鬼薪城旦之律文，公從票擬中爲之點
　　破。……（《南雷文約》，卷一，〈大學士機山錢公神道碑銘〉）

梨洲此文固爲錢機山所作，但已由機山之立身行事論及有明亡國之原因。其
文首論朋黨亡明之說，僅揭示因門戶之爭，而令有明朝政無法順利運作之現
象，並未直接切中明亡之眞正原因。之後乃歷敘機山主張「誅把持局面之險
人」，而逆黨恨甚，「耽耽思以奇計中之」，〔註20〕乃連同袁崇煥另造新逆案，
遂令機山下獄，崇煥遭磔，「從此精銳盡喪，士卒不可以經戰陣矣」。〔註21〕
本此，梨洲曰：

　　逆案雖未翻，而烈皇之胸中，已隱然疑東林之敗類。由是十餘年之
　　行事，親小人而遠君子，以至於不救，然則有明之亡，非逆案之小
　　人亡之乎？（《南雷文約》，卷一，〈大學士機山錢公神道碑銘〉）

是知梨洲本諸史事，於辨析機山、崇煥冤屈之過程中，透顯、發明有明亡於
逆案之小人，而非僅朋黨之禍所致之義理。其銘曰：

　　史狐罪盾，君子赦止；大儒經註，尚多遷徙；見聞異辭，去之千里，
　　湯湯冤血，沉埋故鬼……。（《南雷文約》，卷一，〈大學士機山錢公
　　神道碑銘〉）

以此之故，梨洲乃爲作碑銘，並謂：「後之君子，其考信於斯文」。〔註22〕梨
洲誠寓忠奸之辨於史事中，以維繫、發明紀綱之大義，〔註23〕而欲爲後世所
考信，其以史事發明義理之目的誠在此。

〔註20〕見黃宗羲，〈大學士機山錢公神道碑銘〉，《南雷文約》，卷一。
〔註21〕同前註，案：崇煥甚得軍心，梨洲述其被補下獄後，士兵之情況爲「關兵之
　　　　在城外者，聞其下獄，闐然稱亂，矢集皇城，兵部從獄中出其手書止之」，以
　　　　崇煥之得士心如此，竟使之誣死，無怪乎自其死後士兵不復能經戰陣矣。
〔註22〕同前註。
〔註23〕參見古清美，《黃梨洲之生平及其學術思想》，第四章，第一節，頁167。案：
　　　　有關此部分之論述，部分意見乃參考古清美之見解。

又如梨洲於所撰馮留仙碑銘中，即藉史事發明《春秋》之義。云：

> 思陵身死社稷，一洗懷、愍、徽、欽之恥，古今亡國而不失其正者，
> 此僅見也。然余以爲使思陵避之南都，天下事尚未去也。何至令荒
> 君逆臣，載胥及溺，遂不能保有江左乎？故唐玄宗幸蜀以避祿山之
> 禍；代宗幸陝以避吐蕃之難；德宗幸奉天以避朱泚之亂，皆再造唐
> 祚。史表曰：「諸侯王始封者，必受土於天子之社，歸立之爲國社，
> 以歲時祠之；死社稷者，諸侯守土之職，非天子事也。」恨其時小
> 儒不能通知大道，執李綱之一言，不敢力爭，乃使其出於此也。當
> 是時，慈谿馮公留仙，巡撫天津，先是崇禎十六年冬十月，公密陳
> 南北機宜，謂道路將梗，當疏通海道，防患於未然。天子俞之，公
> 乃具海舟二百艘，以備緩急，明年三月，使其子愷章，入迎天子，
> 奏曰：「京師戎政久虛，以戰以守，無一可恃，臣督勁旅五千，馳赴
> 通郊，躬候聖駕航海，行幸留都。」（《南雷文約》，卷一，〈巡撫天
> 津右僉都御史留仙馮公神道碑銘〉）

梨洲本文首就明思宗身死社稷之事，藉故唐興衰幾度交迭之史事加以檢視。認
爲明思宗之殉國固甚難得，然就民族存續、國祚恆長言，思宗此舉誠爲失策。
因其時大統尚在，若思宗不死社稷，或有復明之希望。事實上，當時即有天津
巡撫馮留仙主張迎天子幸留都。關於此，梨洲於前一段論述文字後，乃本史事
以敘述馮留仙之主張，與其他朝臣對天子幸留都一事之看法。大抵朝臣雖有贊
同者，但持國君死社稷之說者亦不少，遂令馮留仙之主張未得實現。〔註24〕俟
京師淪陷，馮留仙因其副使降賊而被剝奪兵權，不得討賊之機會，竟鬱鬱而死。
〔註25〕至於，議論馮留仙者復以《春秋》「君不書葬」之義以責馮留仙之爲臣不
應死。〔註26〕梨洲乃「謹次其事而辨之」，〔註27〕欲使來者知亡國之日，未嘗

〔註24〕梨洲述及當時朝議，謂：「愷章至京師，見張公國維，張公曰：『寇深矣，是
請也不可緩。』倪公元璐曰：『皇上有國君恐社稷之言，群臣無以難也。』方
公岳貢、范公景文曰：『曩者津門餉匱，公要蘇州之運以給之，天子方怒，疏
上且死。』愷章徬徨七日，不得要領，歸報於公，未四日而京師陷。」見氏
著，卷一，〈巡撫天津右僉都御史留仙馮公神道碑銘〉，《南雷文約》，卷一。
〔註25〕同前註。
〔註26〕梨洲詳載此事，言：「議公（案：即馮留仙）者曰：『公不當生出津門。』解
者曰：『是時以李希沆代公，公已解任，可以無死。夫《春秋》之義，君弑賊
討則善而書其誅；若莫之討，則君不書葬，不書葬，以爲無臣子也。當是之
時，在廷之臣，生則屈賊，惟有一死，公居外而亦與之徒死，使思陵不得書

無人，並銘曰：

> 當國危亡，曰守曰避；擇斯二者，視其形勢。唐避再興，宋守不墜，
> 未嘗執一，以為正義。奈何小儒，今古不備，伯紀不言，遂同成議。
> 南遷之論，並時有二，在外惟公，在內惟李（案：即李邦華）。舉朝
> 不然，至委神器，當日陪京，原有深意。公言若行，天威尚屬，官
> 守奔間，山河位置。幸災樂禍，何所施計，吁嗟馮公，此願不遂。（《南
> 雷文約》，卷一，〈巡撫天津右僉都御史留仙馮公神道碑銘〉）

梨洲之意，以為國家處危急存亡之時，國君當視形勢，或避或守；古今時代
不同，形勢亦異，必深究古代歷史遞替，方真有得於古人行事與古代制度之
真意，否則拘執一說，終不成事，又失大義。此亦即其所謂「必證明於史籍，
而後足以應務」之意，梨洲固深明《春秋》經義，復以其能證諸古今史事，
遂得予有心立功而未竟之馮留仙公正、客觀之評價，此為其以史事發明經義
之經世思想特色之充分表現。〔註28〕

除當代人物外，梨洲亦為殉國之臣、民作傳，既載其人之行事，亦明大
義之所存。嘗為徐雋里撰碑銘，而透顯殉國、殉君之義與治國之原則。云：

> 崇禎末，大臣為海內所屬望，以其進退卜天下之安危者，劉蕺山、
> 黃漳海、范吳橋、李吉水、倪始寧、徐雋里，屈指六人。北都之變，
> 范、李、倪三公，攀龍髯上升，則君亡與亡；蕺山、漳海、雋里在
> 林下，不與其難，而次第致命。蕺山以餓死，漳海以兵死，雋里以
> 自經死，則國亡與亡。所謂一代之斗極也。（《南雷文約》，卷一，〈光
> 祿大夫太子太保吏部尚書諡忠襄徐公神道碑銘〉）

對於殉國、殉君者，梨洲均視為朝野之表率，「一代之斗極」。二者行事或異，
然原其心，並無不同。特以一「攀龍上升」，一「在林下，不與其難，而次第

〔註27〕　葬，公忍之乎？』是故議者、解者，與國君死社稷之言，同出一喙者也。」
　　　　同前註，梨洲抱持思宗不應死社稷之態度，於此可見。
〔註27〕　同前註。梨洲自述其為馮留仙撰碑銘之心態為「謹次其事而辨之，使來者知
　　　　亡國之日，未嘗無人也」。梨洲誠知馮留仙也。
〔註28〕　古清美嘗就梨洲為當代人物作傳一事，評論道：「梨洲為當代人作傳，皆是以
　　　　探本溯源，並從整個大體上著眼的卓越見識中論定其價值和地位。這種立場
　　　　即是史家的；而以他的這番道理與此人評價同存，並繫之於傳中，便是以義
　　　　理寓於歷史之意，這也就是梨洲以史明義理之表現。」所言甚真確，誠有助
　　　　於了解梨洲以史事發明義理之真貌。見氏著《黃梨洲之生平及其學術思想》，
　　　　第四章，第一節，頁168。

致命。」遂有行事之別。即如同爲殉國者，雋里「與城存亡」，蕺山「出城外而死」，二人之赴死適相反，然梨洲以爲「其義則一」。〔註29〕由是，梨洲乃檢討明思宗之爲君，而對君臣之道之義理加以發明。謂：

> 烈皇撥亂反正之才，有明諸帝皆所不及；承熹宗蕪穢之後，銳於有爲，向若始事，即得公等六、七人而輔之，開誠布公，君臣一體，全不提防，其於致治也何有？自蒲州出而失望，見制於小人，所謂君子者，往往自開破綻，烈皇遂疑天下之士，莫不貪欺，頗用術輔其資，好以耳目隱發爲明。陸敬輿曰：「馭之以智則人詐，示之以疑則人偷，然後上下交戰於影響鬼魅之途。」烈皇之視其臣工，一如盜賊，欲不亡也得乎？故蕺山進告，先欲救其心術，公隨事消息，歸於忠厚，唯累逢投杼，而過後思之不置，蓋其性原不與小人合也。烏程、韓城、武陵，井研，能亡烈皇之天下，而不能使猜忌刻薄之名，加於烈皇者，觀兩公之遇合，而可以解於後世矣。（《南雷文約》，卷一，〈光祿大夫太子太保吏部尚書諡忠襄徐公神道碑銘〉）

國欲治，必君臣以正道相合，若君臣合之以詐偷之邪道而彼此相防，則國未有不亡者。梨洲乃本思宗爲君待臣之史實，而發明君臣遇合之道固爲治國原則之義理。觀梨洲之銘文，言：

> 國之興亡，豈以事功；曰誠曰術，何途之從。吁嗟烈皇，求治太急，不念刑名，僉壬斯集。公亦有言，王道平平，至誠透露，即是機權。……（《南雷文約》，卷一，〈光祿大夫太子太保吏部尚書諡忠襄徐公神道碑銘〉）

梨洲以爲治國之道乃在行誠之王道，若僅務言事功，必「僉壬斯集」，終無以

〔註29〕見黃宗羲，〈光祿大夫太子太保吏部尚書諡忠襄徐公神道碑銘〉，《南雷文約》，卷一。梨洲於文人就蕺山與雋里之行事稍作敘述，以明二者之異同，云：「公（案：即徐雋里）與蕺山先後去國，黃童白叟，皆知南都不能立矣。乙酉四月，余過嘉興，勸公避地四明山。公曰：『不可，吾東向一步，則馬阮謂我擁立潞王；西向一步，則馬阮謂我與臥子將興晉陽。惟有死此一塊土耳。』別後三月，干戈滿地，嘉興城守將破，公在城外，至城下呼曰：『吾大臣不可野死，當與城存亡。』城上人譁曰：『我公來矣，開門納之。』越宿而城陷，公朝服自縊死。……其時蕺山在越城，餓經七日，曰：『此降城，非我死所。』乃出城外而死，兩公死相反，而其義則一。」是知梨洲固不執守形式，而明變通之道。

爲治。是知梨洲誠寓治國、爲君之道之義理於當代史事撰述中。

綜上所述，梨洲撰墓誌銘、碑銘等類文章，非僅單純留存史事之紀錄，表彰人物之氣節，而更寓義理於史學中，藉史事以發明源本於經書之義理。梨洲之特重表彰人物，乃因其視道與名節，「非有二也」，〔註30〕而爲聖賢之血路。曰：

> 語曰：「慷慨赴死易，從容就義難。」所謂慷慨從容者，非以一身較遲速也。扶危定傾之心，吾身一日可以未死，吾力一絲有所未盡，不容但已；古今成敗利鈍有盡，而此不容已者，長留於天地之間，愚公移山，精衛塡海，常人藐爲說鈴，賢聖指爲血路也。是故知其不可而不爲，即非從容矣。（《南雷文約》，卷一，〈兵部左侍郎蒼水張公墓誌銘〉）

往聖先賢固已沒，然其人扶危定傾之心，乃化爲乾坤之正氣長留於天地間，歷千載而不墜，尤顯露於亡國人物之立身行事中，故梨洲深致其意，留心撰作人物碑傳之史，以維繫此千古長存之正氣。〔註31〕云：

> 嘗讀《宗史》所載二王之事，何其略也。夫其立國亦且三年。文、陸、陳、謝之外，豈遂無人物？顧聞陸君實有日記。鄧中甫有《塡海錄》；吳立夫有《桑海遺錄》；當時與文、陸、陳、謝同事之人，必有見其中者，今亦不聞存於人間矣。國可滅，史不可滅，後之君子，能無遺憾耶？乙酉丙戌，江東草創，孫公嘉績、熊公汝霖、錢金肅樂、沈公宸荃，皆聞文、陸、陳、謝之風而興起者，一時同事之人，殊多賢者，其事亦多卓犖可書。二十年以來，風霜銷鑠，日就蕪沒，此吾序董公之事，而爲之汍然流涕也。（《南雷文約》，卷一，〈戶部貴州清吏司主事兼經筵日講官次公董公墓誌銘〉）

〔註30〕見黃宗羲，〈壽徐蘭生七十序〉，《南雷文案》，外卷。梨洲曰：「白沙子謂：『名節者，道之藩籬也。』程子亦云：『東漢之義，一變至於道。』蓋道之未融謂之名節，名節已融謂之道。非有二也。」由是梨洲乃藉表彰人物名節以明道。

〔註31〕見黃宗羲，〈時禋謝君墓誌銘〉，《南雷文約》，卷二，梨洲謂：「余讀杜伯原《谷音》所記二十九人，釜崎歷落，或上書，或浮海，或仗劍沈淵，寰宇雖大，此身一日不能自容於其間，以常情測之，非有阡陌，是何怪奇之如是乎？不知乾坤之正氣，賦而爲剛，不可屈撓，當夫流極之運，無所發越，則號呼呶拏，穿透四溢，必伸之而後止。顧世人以廬舍血肉銷之，以習聞熟見覆之，始指此等之爲怪民，不亦冤乎？」梨洲乃以故國遺民之志節，通於天地乾坤之正氣，故特重之。然世人不明個中眞意，遂指爲「怪民」。

梨洲誠欲藉人物傳之撰作，以彰正氣、存聖道、明義理於世，則寓義理於史事中之經世思想特色乃由是而顯。

梨洲既以應務、致用為讀經、史之最終目的，自於「用」之關節，甚為注重。而欲求「用」，必以治當代切身之史為主，因此，梨洲之治史，乃呈顯特重當代史，尤其是南明時期之史事，觀其所著史書，如《行朝錄》九種：〈隆武紀年〉、〈贛州失事紀〉、〈紹武爭立紀〉、〈舟山興廢〉、〈日本乞師記〉、〔註32〕〈四明山寨記〉、〈永歷紀年〉、〈沙定洲亂記〉各一卷、〈魯紀年〉二卷。另有，《賜姓始末》、《鄭成功傳》、《張玄著先生事略》、《海外慟哭記》各一卷，以及《南雷文約》與《南雷文定》中之大量篇章，大抵載錄有關明代及至南明時期之史實史事。他如《明儒學案》、《宋元學案》等學術史之撰作，誠為其史學史上之一創作，而有功於明代學術之闡揚與保存之功。凡此固可見梨洲以遺民之志存史、撰史之用心。審諸梨洲史籍所以證經之主張，實能表明其不欲載諸空言，而欲見諸行事之心意，亦即欲以史學輔助經術，而達經世致用之目的。張高評嘗整理梨洲治史之目的，以為有七：表章人物、徵存文獻、匡救時弊、緬懷故國，黽勉來者、用資鑑戒、成一家之言。〔註33〕析論頗詳，然總觀七者，固亦可以一求實、求用之經世目的概括之。則史籍所以證經誠為梨洲經世思想之一大特色，而具有承先啟後之時化意義；非僅孔、孟特重史書之經世風格於此取得開發，即清代浙東史學之興盛亦可於此窺其端倪。至於梨洲史學經世之最具體表現，在《明夷待訪錄》與《留書》之著作，梨洲乃藉之檢討、剖析明代政治、經濟、社會等各方面制度之利弊，以見有明亡國之因，並從而提出改革之道，非僅批判而已。大率梨洲之批判皆據事立論，非無的放矢，而所提改革之道亦徵諸往古史事確有可行者，權衡古今之變而加以增損，絕不蹈虛空談，昧於時事。梨洲史籍所以證經、應務、致用之主張，於此畢現。

〔註32〕關於梨洲是否有乞師日本之行與〈日本乞師記〉是否為梨洲所作，學者意見頗為分歧。此處乃採吳光之見解，謂梨洲確實參與乞師日本之舉，亦著有〈日本乞師記〉。吳光之論據有五：第一，就梨洲晚年所作〈避地賦〉檢視；第二，就全祖望〈梨洲先生神道碑文〉所載取證；第三，就明季遺民翁洲老民所撰〈海東逸史馮京第傳〉所載辨析；第四，就清人李聿求〈魯之春秋馮京第傳〉一文論述；第五，就〈日本乞師記〉所載乞師之舉以驗徵。詳論部分參見吳光，《黃宗羲著作彙考》（臺灣：臺灣學生書局，1990年），十四，頁104～107。

〔註33〕參見張高評，《黃梨洲及其史學》（高雄：高雄師範學院國文研究所碩士論文，1976年），第三章，第二節，頁100～110。

第三節　科學精神之呈露

梨洲之科學精神，實蘊蓄於其通經致用與史學經世所講明理、徵實之思想中。換言之，梨洲之明理、徵實思想，見諸於自然客觀事物研究上，即成其實事求是，窮究物理，掌握自然界之規律性之科學精神，則科學精神之呈露，因爲梨洲經世思想之特色。梨洲之科學精神，主要呈露於有關天文、地理、算學、世俗迷信等方面之研究。其中除數學方面之著作俱已亡佚外，他如天文、地理、世俗迷信等方面，尚有著述流傳於世，〔註34〕茲論述梨洲於此數方面之重點觀點，以見其科學精神之具體表現。

關於天文方面，梨洲之研究乃著眼於曆法之探討與編製，嘗著有《授時曆故》、《回回曆假如》、《春秋日食曆》、《大統曆推法》、《監國魯元年丙戌大統曆》、《監國魯五年庚寅大統曆》、《時憲書法》、《新推交食法》各一卷；《曆學假如》二卷；《大統曆法辨》四卷。〔註35〕著述之多，足見梨洲對天文、曆法之濃厚興趣。嘗言：「舍明明可據之天象，附會漢儒所不敢附會者，亦心勞而術拙矣。」〔註36〕梨洲之意，研究、編製天文、曆法之最重要根據，即在客觀實存之天象變化上。一部曆法之優劣，端視其是否能與實際天象相合，苟棄實存天象不顧，而逕賴主觀臆測演說天文現象與曆法，誠蹈虛失實矣。故梨洲甚不滿宋儒不明實際變化之理而編製、解說曆法之態度，謂：

> 有宋名臣，多不識曆法，朱子與蔡季通極喜數學，乃其所言者，影響之理，不可施之實用。康節作《皇極書》，死板排定，亦是緯書末流。（《南雷文定》，後集，卷一，〈答萬貞一論明史曆志書〉）

以朱子與蔡季通之言曆法無裨實用；視康節之《皇極書》不知通變，爲「緯書末流」，梨洲誠本徵實思想以研求天文、曆法之問題。又如對於明儒春山之象數曆學，梨洲亦深不以爲然。大抵春山之曆書乃依《周易》之十二辟卦以分晝夜之長短，並用陽九陰六之數，規定每一卦晝爲一時，陽晝一時得九刻，陰晝一時得六刻。〔註37〕梨洲乃詳爲批駁曰：

〔註34〕有關此部分所論及之梨洲著作，其卷數與亡佚與否，均參見吳光，《黃宗羲著作彙考》一書。

〔註35〕同前註，頁 133～142。

〔註36〕見黃宗羲，〈答范國雯問喻春山律曆〉，《南雷文約》，卷四。

〔註37〕梨洲嘗述春山之觀點爲：「以十二辟卦，分晝夜之長短，晝十二卦，夜十二卦，建子晝復夜姤，建丑晝臨夜遯，建寅晝泰夜否建，建卯晝袓壯夜觀，建辰晝夫夜剝，建巳晝乾夜坤，建午晝姤夜復，建未晝遯夜臨，建申晝否夜泰，

夫晝夜之分，分於日之出入；日行天上，在寅位爲寅時，在卯位爲卯時，在辰、在巳、在午、在未、在申、在酉皆然。信如春山之說，將日遇陽晝而行遲，遇陰晝而行疾乎？抑行無遲疾，陽晝則在未亦可謂之午，陰晝則在午亦可謂之未乎？午者，晝之中也；子者，夜之中也。春山以寅至未六時爲晝，申至丑六時爲夜，則晝之中在辰、巳之交；夜之中在戌亥之交，而午當桑榆之影，子當雞鳴之候矣。晝之上半下半，夜之上半下半，必相等也。值泰卦則上半二十七刻，下半一十八刻；值否卦則上半一十八刻，下半二十七刻，相去三分之一，果天行而如此，孰不驚駭乎？且日之短、夜之長，極於子月，子月晝三十九刻，夜五十一刻；亥月晝三十六刻，夜五十四刻。日之永，夜之短，極於午月，午月晝五十一刻，夜三十九刻；巳月晝五十四刻，夜三十六刻，是日之長至、短至，無不倒置也，以卦晝定晝夜長短，必不可通矣。(《南雷文約》，卷四，〈答范國雯問喻春山律歷〉)

以日之出入爲晝、夜之分，並就實際天象說明春山「以卦晝定晝夜長短」之不通與不符事實，梨洲富徵實意義之科學精神即寓於其中。

　　徵實之外，梨洲亦重明理，嘗謂：「窮理者必原其始，在物者必有其因。」〔註38〕對於「不推理之自然，而唯陳言之是循」，〔註39〕梨洲僅視爲「瞽說之紛紜」，〔註40〕未可置信也。換言之，徵實自然現象誠爲研求天文、曆法之必要條件，然並非充分條件，必窮究曆法推算之根本原理，並配合天象之徵實，如此爲曆，方盡善矣。故梨洲曰：

然前代顧亦有未盡善者，前代歷志，雖有推法，而立成不能盡載，推法將焉用之？如元之《授時》(案：即郭守敬之《授時曆》)，當載其作法根本，令後人尋繹端緒，無所藉於立成，始爲完書。顧乃不然，讀其歷志，又須尋其崇門之書，而後能知歷，是則歷志無當於歷也。(《南雷文定》，後集，卷一，〈答萬貞一論明史歷志書〉)

建酉晝觀夜壯，建戌晝剝夜夬，建亥晝坤夜乾。以一晝爲一時，晝夜綳定各六時，陽晝一時得九刻，陰晝一時得六刻，以爲刻有長短，時無遷移也。」同前註。則春山以《周易》定曆之大要乃可見。

〔註38〕 同前註，〈獲麟賦〉，卷三。
〔註39〕 同前註。
〔註40〕 同前註。

是知梨洲之要求一部完善曆書，乃曆志之推法與作法根本兼備，否則，終「無當於曆也」。因此，對於徐光啓合明理、辯義、言故三者於所主持編著之《崇禎曆書》，〔註41〕梨洲甚為欣賞，云：

> 《崇禎曆書》，所列恆年表，周歲平行表之類，猶之未來曆也。其推交食，有太陰距度表、黃道九十度表、太陽距赤度表、視半徑表、南北高弧表、視差表、時氣簡法表、太陰實行表、食分表，蓋作者之精神，盡在於表，使推者易於為力。今既不可盡載，而徒列推法，是則終於牆面而已。某竟欲將作表之法，載於志中，使推者不必見表，而自能成表，則尤為盡善也。（《南雷文定》，後集，卷一，〈答萬貞一論明史曆志書〉）

梨洲之意，掌握根本作表之法，即使不見表，亦能成表。必如是，於推算曆法者，非僅省力，更能深明道理，把握規律以通變，而不致死板失實。此外，對於西洋曆算，梨洲亦頗有研究，嘗言：

> 西人湯若望，曆算稱開闢；為吾發其凡，由此識阡陌。（《南雷詩歷》，卷三，〈贈百歲翁陳賡卿〉）

則梨洲天文曆算方面之知識，受有西方曆算之啟發。

科學精神之特質，原不僅在徵實客觀自然之事物與現象，尚須具有探求個中原委，究明原理之過程。梨洲自然不知今日之所謂科學，但不容否認，於其探討客觀事物時，其徵實、明理之思想特色，確已引領其趨近今日科學之殿堂；雖然梨洲終未入此科學殿堂，畢竟無妨於其科學精神之呈露。

至於地理方面之研究，梨洲主要涉及水文地理與區域地理。著有作品，現存《今水經》一卷、《四明山志》九卷、《匡廬遊錄》二卷，與多篇有關地學文章。梨洲之研求地理，一如其探究天文、曆法般，注重徵實、明理，而尤以徵實為要，故實地考察遂為其窮究地理，撰述地學著作之基本前提。嘗自言著《四明山志》之動機，謂：

〔註41〕此觀點參見周瀚光，〈黃宗羲科學思想論略〉，收入《黃宗羲論》，頁 427～438，謂：「徐光啓會通中西，曾把中西方天文數學加以比較，認為中國傳統的天算學是『第能言其法，不能言其義』（《勾股義緒言》），即只能說出方法，不能說明道理。因此，徐光啓提出『明理』、『辯義』、『言故』這三個範疇，作為天文數學工作的重要任務，強調要『深言所以然之故』（《曆書總目表》）、『指示確然不易之理』（《修改曆法請訪用湯若望羅雅谷疏》），並且把這一精神自始至終地貫徹於《崇禎曆書》的編著過程中。」見頁 429。

道藏中有〈丹山圖咏〉，以四明山名勝，製爲法曲，而托之木元虛撰、
賀知章註。其圖爲祠宇觀所刻，與元道士毛永貞〈石田山房詩〉合
爲一卷，則此咏此註，亦永貞之徒所爲。……四面七十峰疆域，因
是圖咏，而觑割就理，然亦不免淆亂。如以小溪接梨洲，以翠巖屬
西面，以紫溪附大小晦，以抱子山置大小皎，皆疎略之甚，永貞住
山中四十年，舉掘藥採薪者相習，何難於考校眞實，而乃有此失耶？
至其攀援故事，大概子虛烏有，不可以記傳勘之，固鹵莽道士之常，
不足怪也。原圖不傳，在餘姚縣志者，復多謬誤，余既爲別作，其
咏註之失亦稍正之。(《南雷文約》，卷四，〈丹山圖咏序〉)

則〈丹山圖咏〉永考校失眞，「攀援故事」，爲梨洲所不滿，而欲別作以校正
之。徵實既爲梨洲評價地學著作致意之所在，於其自身地學著述中，遂頗多
留心，自述撰作《四明山志》之方式，云：

歲壬午，至自燕京，便與晦木、澤望月下走密巖，探石質藏書處，
宿雪竇，觀隱潭水柱。大雪登芙蓉峰，歷鞠侯巖，至過雲，識所謂
木冰。〔註42〕歸而晦木爲賦，澤望爲遊錄，余則爲《四明山志》。(《南
雷文約》，卷四，〈丹山圖咏序〉)

舉凡走探、宿觀、登歷，無一不爲親身實地考察，是知梨洲之探究地理，固
建立於此一基礎上。又如梨洲之處理《水經》一書問題亦然。曰：

《水經》之作，亦〈禹貢〉之遺意也。酈善長注之，補其所未備，
可謂有功於是書矣。然開章河水二字，注以數千言，援引釋氏無稽，
於事實何當？已失作者之意。(《今水經》，〈今水經序〉)

大抵梨洲以爲，儒、墨諸家之著書，大以治天下，小以爲民用，總未有空言
而無事實者；至後世乃淪爲詞章之學，或「修飾字句，流連光景」，或「不究
其原委，割裂以爲詞章之用」；〔註43〕遂令高文典冊，充塞汙惑之聲，而失作

─────────────

〔註42〕「識所謂木冰」此言或作「識所謂木介」，見台灣商務印書館發行之《南雷文
定》，前集，卷一。

〔註43〕見黃宗羲，〈今水經序〉，《今水經》(收入於《梨洲遺著彙刊（上）、（下）》)。
梨洲謂：「古者儒、墨諸家，其所著書，大者以治天下，小者以爲民用，蓋未
有空言無事實者也。後世流爲詞章之學，始修飾字句，流連光景，高文巨冊，
徒充汙惑之聲而已。由是而讀古人之書，亦不究其原委，割裂以爲詞章之用，
作者之意如彼，讀者之意如是，其傳者，非其所以傳者也。先王體國經野，
凡封內之山川，其離合向背，延袤道里，莫不講求。」是知梨洲之治地理，
固亦出乎其經世思想，而欲上體先王之意，而下用於現世。

者體國經野之本意。梨洲既有感於後世爲水經之學者，無所發明，徒增訛誤，
〔註44〕乃作《今水經》，謂：

> 余讀《水經注》，參考之以諸圖志，多不相合，是書不異汲冢斷簡，
> 空言而無事實，其所以作者之意，豈如是哉？乃不襲前作，條貫諸水，
> 各之曰《今水經》，窮源按脈，庶免空言。(《今水經》，〈今水經序〉)

對於空言無事實之論點，容或行之久遠，梨洲亦摒棄不從，如此態度豈非科
學精神之具現？而梨洲「窮源按脈，庶免空言」之自期，固亦本諸其徵實之
思想特色。

　　於算學方面，梨洲著述頗豐，如：《氣運算法》、《句股圖說》、《開方命算》、
《測圓要義》、《圓解》、《割圓八線解》各一卷，唯今皆未見傳本。對於算學，
梨洲以爲，原乃「六藝之一」，後爲方伎家私之，云：

> 句股之學，其精爲容圓、測圓、割圓，皆周公、商高之遺術，六藝
> 之一也。自後學者不講，方伎家遂私之。(《吾悔集》，卷二，〈敍陳
> 言揚句股述〉)

梨洲非僅研究中國算學，於西洋算學亦甚熱中，觀其著述之名目即可得知。
嘗自述學習算學之情況，曰：

> 余昔屛窮壑，雙瀑當窗，夜半猿啼倀嘯，布算簌簌，自歎眞爲癡絕。
> 及至學成，屠龍之伎，不但無所用，且無可與語者，漫不加理。今
> 因言揚，遂當復完前書。(《吾悔集》，卷二，〈敍陳言揚句股述〉)

足見梨洲於算學研究之用力。關於梨洲研求算學之方式，因其書今皆未見傳
本，遂無能一窺究竟，然而，以其於天文、曆法、地理等自然客觀事物之研
究而言，其探求算學之態度，或亦呈露出科學之精神。

　　此外，梨洲經世思想中之科學精神，亦可見於其對世俗迷信之駁斥態度
中。嘗著《破邪論》七篇，〔註45〕其中即有四篇文字討論世俗迷信之問題；

〔註44〕同前註，梨洲評後世爲《水經》之學者，曰：「蔡正甫《補正水經》，惜不獲
　　　　見；朱鬱儀《水經注箋》，毛舉一、二傳寫之誤，無所發明；馮開之以經傳相
　　　　淆，間用朱墨句乙，未曾卒業；若鍾伯敬《水經注鈔》，所謂割裂以爲詞章之
　　　　用者也。」梨洲之不滿情緒，於此可見一斑。

〔註45〕里仁書局出版之《黃宗羲全集》第一冊收入九篇，唯該書所附吳光〈黃宗義
　　　　遺著考〉定爲七篇；另可參見氏著《黃宗羲著作彙考》之考校，當以吳說爲
　　　　是。此七篇分別爲：〈從祀〉、〈上帝〉、〈魂魄〉、〈地獄〉、〈賦稅〉、〈科舉〉、〈罵
　　　　先賢〉。綜觀此書乃一批評時政積弊，反對世俗迷信之哲學、政治思想著作。
　　　　此可見於梨洲所作〈破邪論自序〉，云：「余嘗爲《待訪錄》，思復三代之治。

另有部分篇章亦論及此命題。大體而言，一般世俗迷信之產生，主要來自人對特異之自然現象與事物，因未能或無法充分了解其生成理由，遂基於恐懼心理，而予以神祕化，久之，乃成爲迷信之說。對於迷信之言，梨洲主張本諸徵實、明理之態度予以說明。例如：海市蜃樓，此本爲自然界一奇幻景象，依今日科學眼光看，蜃景之出現，乃大氣光學之一自然現象，即由光線經不同密度之空氣層而產生明顯折射所造成。古人未能深究個中原理，乃目之爲神仙居住之境地。梨洲固不明白現代所謂光學原理，然而，基於徵實、明理立場，將此自然現象與氣化觀點系聯而進行考察，嘗登蓬萊山，作〈海市賦〉以斥世俗仙居之說，謂：

> 或曰：「此何理也？」余曰：「夫積塊之閒，紅塵機巧，菁華銷鑠，猶且群羊飛鳥，野馬磅礴，彼大海空靈，神明郭廓，百色妖露，豈能牢落，故其軒豁呈露者，窮奇極變而無有齦齶，此固蛟龍之所不得專，天吳蝄像之所不能作，況蜃之爲物甚微，吐氣更薄乎。南海謂之浮山，東海謂之海市，是乃方言之託也。」（《南雷文約》，卷三，〈海市賦〉）

所謂「積塊」、「紅塵」、「野馬」均爲氣之代名詞，而出自《莊子》。〔註46〕梨洲本此以釋海市，則其視海市乃氣之一種機巧變化，純爲自然現象，固無神秘可言。若方士借海市而談神仙，誠乃「鑿空烏有之事」。〔註47〕

又如奇禽異獸之出現，此亦爲自然世界中一罕見現象。雖然，仍有事理可資合理說明，就生物學觀點言，此乃生物於遺傳過程中之突變現象。古人自不明此理，遂將此類變種之生物予以神化，視爲神物，或表祥瑞，或表災異，以之爲上天宣告旨意於世人之表徵。梨洲晚年，有餘姚烏山胡氏者之牛將產時，「狼項馬足，麕身牛尾，遍體肉鱗，間以金紫，口如噴血，聲函宮徵」，〔註48〕如此情狀，固爲天下所少見，一時間，奇說怪論紛然而起，吉祥與否，辯論甚烈。相對於當時論者種種迷信看法，梨洲以爲此全然爲一「物理之自然」，〔註49〕

> 崑山顧寧人見之，不以爲迂。今計作此時，已三十餘年矣。秦曉山十二運之言，無乃欺人。方飾巾待盡，因念天人之際，先儒有所未盡者，稍拈一、二，名曰《破邪》。」

〔註46〕此觀點參考周瀚光，〈黃宗羲科學思想論略〉，頁433。
〔註47〕見黃宗羲，〈明州香山寺志序〉，《南雷文約》，卷四。
〔註48〕同前註，〈獲麟賦〉，卷三。
〔註49〕同前註。

乃母牛「遇靈物之蜿蜒，覺和氣之絪縕」〔註50〕所致，故「世方以為怪，實不異馬牛虎鹿之胎娠」。〔註51〕梨洲由「和氣之絪縕」以釋怪獸產生之因，此雖不符實情，然而，重點在於梨洲已由當時世人之崇信迷信跨出，而漸近於本合理之論點，就事實言事之科學研究道途。換言之，梨洲企圖自氣論觀點窮究生物突變之理，自生物本身尋求變異之因而非假於外物，如此態度與研究方法，本身即寓有徵實、明理之科學精神；因此，梨洲之說解固不符今日科學之觀點，然此原乃時代之侷限，固不必以此苛責梨洲。

再如對世俗之鬼蔭之說，梨洲亦頗多批駁。所謂鬼蔭，即「父祖子孫同氣」，〔註52〕若父祖死後葬於吉土，則其靈魂猶能庇蔭其子孫。對於此說，梨洲視為荒誕不通而必欲破除之。嘗詳論云：

> 夫子孫者，父祖之分身也。吳綱之貌，四百年尚類長沙；蕭穎士之狀，七世猶似鄱陽，故嚙指心痛，呼吸相通，夫人皆然。後世至性汨沒，墮地以來，日遠日疏，貨財婚宦，經營異意，名為父祖，實則路人；勉強名義，便是階庭玉樹，彼生前之氣已不相同，而能同之於死後乎？子孫猶屬二身，人之爪髮，托處一身，隨氣生長。剪爪斷髮，痛癢不及，則是氣離血肉，不能周流，至於手足指鼻，血肉所成；而折臂刖足，蒿指劓鼻，一謝當身，即同木石，枯骸活骨，不相干涉，死者之形骸，即是折臂刖足，蒿指劓鼻也，在生前其氣不能通一身，在死後其氣能通子孫之各身乎？（《南雷文約》，卷三，〈讀葬書問對〉）

梨洲就人體形氣之生理知識以立說。實際考察人體外在各器官，如手、足、指、鼻，無一不為割離軀體後，即成與活體不相干涉之「枯骸」，況人死後，

〔註50〕同前註。

〔註51〕同前註。梨洲解釋何以有怪牛之出現，曰：「深山大澤，龍蛇是屯，風雨晦冥，下與物親，馮馬龍駒，憑牛麒麟，是皆龍種，故實出乎見聞。惟茲烏山，當海之濱，春郊風暖，陌上艸薰，或降或飲，濕耳千群，遇靈物之蜿蜒，覺和氣之絪縕，逮其生也，張煙霧於海際，耀光景於良辰，世方以為怪，實不異馬牛虎鹿之胎娠。」梨洲誠將所謂怪牛之出現視為一自然現象，而不以為奇。

〔註52〕見黃宗羲，〈讀葬書問對〉，《南雷文約》，卷三。案：此語乃程子所言，程子言：「父祖子孫同氣，彼安則此安，彼危則此危。」後人乃以此說鬼蔭，以為當葬父祖於吉土，方能得其庇蔭。梨洲則不以為然，嘗云：「程子所謂彼安則此安，彼危則此危者，據子孫之心而為言也，豈有禍福乎？」此二段引言俱見於〈讀葬書問對〉，中。

既已「氣離血肉，不能周流」，又如何能影響仍存活於世之子孫？梨洲徵實而不盲目崇信之態度，於此可見。又以鬼蔭之說，相較於神滅與神不滅二者。〔註53〕曰：

> 古今賢聖之論鬼神生死，千言萬語，總不出此二家；而鬼蔭之說，
> 是於二家之外，鑿空言死者之骨骼，能爲禍福窮通，乃是形不滅也，
> 其可通乎？（《南雷文約》，卷三，〈讀葬書問對〉）

則梨洲固反對形不滅之觀點，而其著眼點仍在徵實、明理上。

此外，梨洲亦不滿佛教之地獄輪迴說。以爲地獄也者，乃「佛氏之私言，非大道之通論」，〔註54〕且多爲不合理之說。〔註55〕或問梨洲，就警世作用言，以地獄之慘狀，禁陽世之爲非者，以補名教所未及，不亦可乎？〔註56〕梨洲答謂：

> 不然。大奸大惡，非可以刑懼者也。地獄之說，相傳已久，而亂臣
> 賊子，未嘗不接跡於世，徒使虔婆頂老，凜其纖介之惡，而又以奉
> 佛消之，於世又何益乎？……然則大奸大惡，將何所懲創乎？曰：
> 苟其人之行事，載之於史，傳之於後，使千載而下，人人欲加刃其

〔註53〕 同前註。梨洲解釋神滅與神不滅，曰：「昔范縝作神滅論，謂神即形也，形即神也；形存則神存，形謝則神滅。難之者謂神與形殊，生則合爲一體，死則離爲二物，二說雖異，然要不敢以死者之體骼爲有靈也。後來儒者，言斷無以既盡之氣，爲將來之氣者，即神滅之說也。釋氏所言人死爲鬼，鬼復爲人者，即神不滅之論也。」

〔註54〕 見黃宗羲，〈地獄〉，《破邪論》。

〔註55〕 梨洲所謂不合理者，乃就冥吏立說並與陽吏相較。謂：「蓋幽明一理，無所統屬，則依草附木之魂，將散於天地，冥吏不可無也。然當其任者，亦必好生如皋陶，使陽世不得其平者，於此無不平焉。陽世之吏，因乎天下之治亂，亂日常多，治日常少，故不肖之吏常多，亦其勢然也。冥吏爲上帝所命，吾知其必無不肖者矣。乃吾觀爲地獄之說者，其置刑有碓、磨、鋸、鑿、銅柱、鐵床、刀山、雪窖、蛇虎、糞穢，慘毒萬狀，目所不忍見，耳所不忍聞，是必索元禮、來俊臣之徒，性與人殊者，始能勝其任。吾不意天帝所任治獄之吏，乃如唐之武后也；且陽世之刑，止有笞、杖、徒、流、絞、斬，已不勝其紛紜上下。若地獄言而信，則故鬼、新鬼，大亂於冥冥之中矣，陽世之愛惡攻取方謝，而冥地之機械變詐復生，夫子所謂焵如、罦如而願息者，殆有甚焉。」同前註。則梨洲之置疑乃至反對地獄說之理由，固頗有徵實、明理之意味。

〔註56〕 同前註。問者之言爲：「地獄之慘形，所以禁陽世之爲非者也。上帝設此末命，使亂臣賊子知得容於陽世者，終不容於陰府，以補名教之所不及。」是知問者乃自警惕世人之作用立論，而非就地獄是否確實存有言。對於此項說詞，梨洲以爲，求諸史即可，固未嘗需要地獄也。

　　頸，賤之爲禽獸，是亦足矣。孟氏所謂亂臣賊子懼，不須以地獄蛇

　　足於其後也。(《破邪論》，〈地獄〉)

以陽世之史取代陰世之地獄設計，梨洲重現世、不蹈虛之經世理念於此顯現。
而所謂「大奸大惡，非可以刑懼者」之觀點，亦證明梨洲觀察現實情況之深
刻。則梨洲之反對地獄說，實爲梨洲科學精神呈露之具體代表。

　　有關梨洲科學精神呈露之事例甚眾，因篇輻緣故，無法於此一一說明。
然而，就上述所論，仍可發現梨洲誠重視客觀事物之研究，且用力不少，而
成果亦非凡。雖然其某些論點，於今日觀之，猶嫌不夠成熟；但就其所處時
代言，梨洲之探求客觀事物之理，確已深具時代意義。此外，由於梨洲對當
時西學之傳入抱持學習、吸收態度，故於會通中、西學術上，梨洲亦頗多發
明，而影響其弟、其子，乃至後學繼承其學而留心於天文、曆法、算學等自
然科學之研究。如梨洲之弟黃宗會即因梨洲而博覽諸學，舉凡「天官地誌、
金石算數、卦影革軌、藝術雜學」，〔註57〕無不學習；而梨洲子黃百家，非僅
傳父學，亦「從梅文鼎問推步法，著《句股矩測解原》二卷」。〔註58〕若梨洲
弟子王仲撝，則受曆法、律呂、壬遁、象數等學於梨洲，而頗有發明。〔註59〕
是知，梨洲思想中科學精神之呈露與發揚，固有後繼者續之。

〔註57〕見黃宗羲，〈前鄉進士澤望黃君壙誌〉，《南雷文定》，前集，卷八。

〔註58〕見蘇德用纂輯，〈黃梨洲學案〉，《劉蕺山、黃梨洲學案合輯》(臺北：正中書
　　　　局，1954 年 8 月臺初版)，頁 134。

〔註59〕見黃宗羲，〈王仲撝墓表〉，《南雷文約》，卷二。謂：「丁亥，訪某 (案：即黃
　　　　宗羲) 山中，某時註《授時歷》，仲撝受之而去；壬辰來訪，授以律呂；辛丑
　　　　來訪，授以壬遁，仲皆能有所發明。」

第六章　黃宗羲經世思想之實踐

　　儒家之言經世，原乃體用兼備，內聖外王合一，唯以客觀環境限制、學術思潮變遷，遂令內聖外王分途，且呈傾偏一方發展。雖然，儒者中之有用世之志者，終思合內聖外王為一，以確實達致安百姓平治天下之經世思想。梨洲身處亡清立之際，目睹在時代變局下，無辜人民受害，國家朝政破敗，儒者傳統之經世抱負，乃伴隨其憂患意識之加深而愈益強烈。青、壯年時期之梨洲，積極參與政治活動，舉凡結社、復國活動，無一不親身參與其事，唯終未竟全功。於是，一如歷來外王事功受挫之經世儒者般，[註1] 晚年之梨洲乃轉向講學、著述發展，盼能藉此而培育經世人才，並存留其經世思想，以為後世之用。本章即針對梨洲政治活動之參與，與講學、著述之持守，以及其經世思想變通實踐之因三方面，進行檢視，以進一步明瞭梨洲實踐其經世思想之真貌。

第一節　政治活動之參與

　　梨洲之政治活動，隨政局之轉變而有異，大致可以明亡為一分界線：明亡之前參加結社，明亡之後致力復國。

〔註 1〕　自孔、孟以來，儒者抱持經世理想欲行於世之企望，始終未如願達成，此誠為傳統儒者經世思想所面臨之困境。固然外在政治環境無法配合是一重要因素，但有學者認為，儒家內聖外王思想本身亦有疑難處，遂令數千年來儒家所追求之理想政治、社會，未能實現。有關論點，可參見陳弱水，〈「內聖外王」觀念的原始糾結與儒家政治思想的根本疑難〉，與林聰舜，〈傳統儒者經世思想的困境——從明清之際的顧、黃、王等人談起〉。

　　明朝末年，結社之風氣甚盛。其中最受矚目者爲熹宗天啓年間，張溥、楊彝、顧夢麟等人所組織之「應社」；〔註2〕以及思宗崇禎時，於吳縣集合南北文社中人，繼東林講學，〔註3〕取興復繼絕之意，而名爲「復社」者。〔註4〕其時，浙中響應者甚眾，梨洲兄弟三人亦應邀入社。崇禎六年（1633），梨洲年二十四，讀書於杭州南屏山下，與張岐然同學，岐然於杭州組織「讀書社」，〔註5〕梨洲亦參加。他如「澄社」、〔註6〕「鑑湖社」〔註7〕及劉瑞當於慈水之結社等，〔註8〕梨洲均曾參加。然而，影響梨洲最大者，仍屬「復社」。嘗述「復社」，云：

〔註2〕　朱彝尊，《靜志居詩話》，曰：「張受先（案：即張采）云：甲子（案：即天啓四年）冬，與天如（案：即張溥）同過唐市，問子常（案：即楊彝），盧麟士（案：顧夢麟）館焉，遂定應社約，敘年，子常居長。」案：此書附載於朱彝尊，《明詩綜》，卷七十六，〈楊彝〉條。今收錄於楊家駱主編，《中國學術名著》，《明詩綜：歷代詩文總集》（臺北：世界書局，1989年），第三輯，第十四冊。

〔註3〕　關於東林講學之特色，梨洲嘗引東林學派領導人物顧憲成之言闡明，曰：「（顧憲成）嘗言：『官輦轂，念頭不在君父上；官封疆，念頭不在百姓上；至於水間林下，三三兩兩，相與講求性命，切磨德義，念頭不在世道上；即有他美，君子不齒也。』故會中亦多裁量人物，訾議國政，亦冀執政者聞而藥之也。天下君子以清議歸於東林，廟常亦有畏忌。」明末「復社」之興，大率承東林遺緒而起。案：梨洲之言，見〈東林學案〉，一，〈端文顧涇陽先生憲成〉，《明儒學案》，卷五十八。

〔註4〕　陸世儀記載：「自世教衰，士子不通經術，但剽耳繪目，幾倖弋獲於有司，登明堂不能致君，長郡邑不知澤民，人材日下，吏治日偷，皆由於此。溥不度德、不量力，期與四方多士，共興復古學，將使異日者務爲有用，因名曰『復社』。」見氏著〈復社紀略〉（收於蔣平階等撰，《東林與復社》，臺北：臺灣銀行經濟研究室，1968年），頁54，則「復社」名之由來，於此可知。

〔註5〕　見黃宗羲，〈張仁菴先生墓誌銘〉，《南雷文約》，卷二，云：「仁菴……聞見既非流俗，更廣之而爲讀書社。」

〔註6〕　見黃宗羲，〈贈編修弁玉吳君墓誌銘〉，《南雷文定》，後集，卷三，謂：「語溪舉澄社，郁起麟、錢咸，皆欲以君（案：即吳夢寅）爲領袖，君雖應之，而未嘗以之標榜也。」案：「澄社」結社於石門。

〔註7〕　同前註，〈李杲堂先生墓誌銘〉，前集，卷七，曰：「里中有鑑湖社，倣場屋之例，糊名易書，以先生（案：即李文胤）爲主考。」案：「鑑湖社」結社於鄞縣。

〔註8〕　見黃宗羲，〈劉瑞當先生墓誌銘〉，《南雷文約》，卷一，云：「當是時，慈水才彥霧會，姜峀愚、劉瑞當、馮元度、馮正則、馮簟溪諸子，莫不爲物望所歸，而又引旁近縣以自助，甬上則陸文虎、萬履安；姚江則余兄弟晦木、澤望。蓋無月無四方之客，亦無會不諸子相徵逐也。」是知劉瑞當與姜峀愚等人亦嘗結社、聚會於慈水。

　　崇禎間，吳中倡爲復社，以網羅天下之士，高才宿學，多出其間，
主之者張受先、張天如，東浙馮留仙、鄴仙，與之枹鼓相應，皆喜
容接後進，標榜聲價，人士奔走，輻輳其門，蓬蓽小生；苟能分句
讀、習字義者，挾行卷西棹婁江，東放慈水，則其名成矣。其間模
楷之人，文章足以追古作，議論足以衛名教；裁量人物，譏刺得失，
執政聞而意忌之，以爲東林之似續也。(《南雷文約》，卷一，〈劉瑞
當先生墓誌銘〉)

東林學派乃以矯挽王學流弊，抨彈政治現況爲學風特色，惜逮其末流，氣節
有餘，而學問不足，加以滲入政治權力鬥爭之因素，終無能有所作爲。復社
承東林遺緒而起，亦批評時文、時政之弊，並尊經重史，講究實學，〔註9〕舉
凡王佐之學，如「兵書、戰策、農政、天官、治河、城守、律呂、鹽鐵之類，
無不講求，將以見之行事」。〔註10〕則儒者士人經議政而達經世目的之傳統，
因東林學派與復社之興盛而再現光輝。梨洲既爲復社中之一員，亦深受影響，
由是，乃益發激揚其安百姓平治天下之企望。

　　梨洲參加復社時期，嘗發生一件大事，即「留都防亂揭」一案。崇禎十一
年（1638），梨洲年二十九，其時朝廷起用馬士英爲鳳陽都督，馬士英以阮大鋮
爲援手，並勾結宦官，勢力日盛。阮大鋮原以依附東林起家，後因吏部出缺，
東林未舉薦阮大鋮，阮大鋮升官不成，遂心懷不滿。宦官魏忠賢專權得勢得，
阮大鋮乃拜魏忠賢爲義父，攻繫並屈害東林人士。待魏忠賢事敗後，又隨即見
風轉舵，上疏彈劾魏忠賢。然而，朝廷仍將阮大鋮定入逆案中，削去職官。阮
大鋮乃至南京，招朋引友，伺機觀望，期待朝廷重用。阮大鋮深知欲重返政壇，
必先洗刷罪名；而罪名之洗刷，則有賴於東林遺族子弟之寬恕；加以阮大鋮估
量復社青年才俊，日後定能出人頭地，位居顯要，故極力攏絡復社中人。每以
「新聲高會」，〔註11〕廣爲招徠，並託人傳言於復社人士，謂：「苟使大鋮得改

〔註9〕有關復社之學術內容，參見劉党党所分之三方面：一爲尊經重史；二爲文學
　　　復古；三爲講究實學。本文此處採其說，詳述部分，參見氏著《復社與晚明
　　　學風》（臺北：政治大學中國文學研究所碩士論文，1985 年），第四章，第一
　　　～三節，頁 79～95。

〔註10〕見黃宗羲，〈翰林院庶吉士子一魏先生墓誌銘〉，《南雷文約》，卷一。案：此
　　　段文字固用以說明魏子一之爲學內容，然以魏子一乃復社一重要代表人物，
　　　且因此段文字亦頗能點明復社之爲學內容，故轉用之。

〔註11〕同前註，〈徵君沈耕巖先生墓誌銘〉，卷一。對於阮大鋮之行徑，梨洲載道：「阮
　　　大鋮之在留都也，以新聲高會，招來天下之士，利天下有事，行其捭闔。」

事諸君，所謂生死而肉骨也。」〔註12〕當是時，「南中之士，入其牢籠者強半」，〔註13〕然而，復社中幾位名流領袖終不爲所動，梨洲更斥之曰：「以重賄新聲，招搖白下。」〔註14〕甚不齒阮大鋮之爲人。未久，傳聞阮大鋮將以邊才起用，復社中人便由陳貞慧、吳應箕執筆，草擬〈留都防亂揭〉，以揭發阮大鋮之罪狀。〔註15〕署名者共一百四十二人，〔註16〕而以顧杲與黃宗羲居首。〔註17〕此揭一出，都邑傳觀，果令阮大鋮杜門謝客。〔註18〕梨洲又與遭魏忠賢陷害者之子弟們，大會於桃葉渡，聲討阮大鋮之罪責，阮大鋮乃恨之入骨，〔註19〕而亟思有所報復。崇禎十七年（清順治元年，1644），梨洲年三十五。流寇李自成攻陷北京，明思宗殉難，阮大鋮與馬士英擁立福王於南京，以定策有功，把持朝政，乃將當初簽署揭文之人名，編列成冊，名爲「蝗蝻錄」，計畫興起大獄，一網殺盡，以報前恨，梨洲與顧杲、陳貞慧等人先後被捕，後清兵攻入南京，梨洲乃倉皇逃回浙東。〔註20〕嘗自述此事，云：

〔註12〕 同前註，〈陳定生先生墓誌銘〉，卷一。

〔註13〕 同前註。

〔註14〕 見黃梨洲七世孫黃炳垕編輯之《黃梨洲先生年譜》，卷上，〈崇禎十一年戊寅，公二十九歲〉條。

〔註15〕 此〈留都防亂揭〉之全文，可見於陳貞慧，〈防亂公揭本末〉，《書事七則》（收入氏著《陳定生先生遺書》，臺北：藝文印書館，1971 年）。揭文中所論阮大鋮罪狀，劉芫芫嘗扼要約爲八點，即：第一，朋比結黨，把持官府；第二，獻策魏璫，傾殘善類；第三，增設爪牙，誑語聚斂；第四，交通諸逆，賄啗才士；第五，飛語播揚，搖惑人心；第六，劫持哃喝，使人畏從；第七，誹謗聖明，譏刺當世；第八，貪墨挾騙，淆亂功罪。見劉芫芫，《復社與晚明學風》，第三章，第三節，頁 67。是知阮大鋮若當政，國家，天下必大亂不已。故復社人士必驅除之而後安。

〔註16〕 署名人數一般均言一百四十人，然經劉芫芫考察，應以一百四十二人爲確，若謂一百四十人，乃舉其成數而言。同前註，第三章，第三節，頁 62。

〔註17〕 見黃炳垕編輯，《黃梨洲先生年譜》，〈崇禎十一年戊寅，公二十九歲〉條：「（崇禎十一年戊寅）七月，金壇周仲馭鑣與宜興陳定生貞慧，貴池吳次尾應箕出〈南都防亂揭〉，集諸名士攻之，以顧子方杲與公爲首，……」是知梨洲對於此活動誠甚看重。

〔註18〕 見黃宗羲，〈陳定生先生墓誌銘〉，《南雷文約》，卷一。文中嘗以「大鋮杜門，咋舌欲死」形容阮大鋮對〈留都防亂揭〉之反應。案：此揭文於黃垕炳所編《黃梨洲先生年譜》中，乃載〈南都防亂揭〉之名；但於黃梨洲〈陳定生先生墓誌銘〉，中，則載爲〈留都防亂揭〉，二者所指實一。本論文乃採後者之名，以其出自黃梨洲之筆，當較符合事實。

〔註19〕 關於此事件，可參見《黃梨洲先生年譜》之記載，與梨洲爲數位相關重要人物，如：陳定生、沈耕巖等人所做墓誌銘中載述之史事。

〔註20〕 同前註，卷中，〈大清順治元年甲申，公三十五歲〉條記載梨洲得以逃脫之因：

士英定策，大鋮暴起，國狗之瘈，無不噬也。遂廣揭中姓名以造蝗蝻錄，思一網殺之，仲馭（案：即周鑣）下獄死，眉生（案：即沈耕巖）、次尾（案：即吳應箕）、崑銅（案：即沈士柱）皆亡命；余與子方（案：顧杲）從徐署丞疏逮問，而先生（案：即陳貞慧）亦爲校尉縛至鎮撫。事雖解，已濱十死矣。若是乎宏光南渡，止結得留都防亂揭一案也。（《南雷文約》，卷一，〈陳定生先生墓誌銘〉）

自加入結社活動，評議時政、公卿，至參與聲討佞臣阮大鋮之活動，梨洲所秉持經緯天地、平治天下、關懷萬民之經世願望，誠已日漸呈現並增強。待明亡清立，遂激發梨洲從事抗清復明之活動。

　　於李自成攻陷北京時，梨洲即與其師蕺山至杭州，意欲招募義師。後不久，福王監國於南京，梨洲乃上書朝廷，亟欲爲國效力，然遭阮大鋮陷害未能如願。清順治元年（1644）五月，清兵破南京，福王被捕遇難。大軍長驅直下，所至之處，屠城據地，殺戮慘烈。兩浙遺臣義士，紛起義師，奮勇抗清。當時，有明遺臣熊汝霖、孫嘉績、張國維等，乃迎立魯王至紹興即監國位，並「以一旅之師，畫江而守」，〔註21〕至此，清軍南下之勢方略受遏阻。而梨洲兄弟三人，則糾集黃竹浦子弟數百人，駐守江邊，擔任防衛工作，人稱「世忠營」。〔註22〕梨洲深明偏安不久長，必主動出擊，攻其不備，方得復江山之道理。乃謂總兵王之仁，曰：

　　公等不從頻山以下進師，而攻其有備，意蓋在自守也。蕞爾兩府，以供十萬之眾，即北師坐視不廢矣，一年之後，亦滌地無類矣。（《行朝錄》，卷三，〈魯王監國〉，〈紀年上〉）

梨洲並提出攻擊之計畫，即「崇明江海之門戶，盍以兵擾之，亦足分江上之勢」，〔註23〕則梨洲確有其主張，絕非空談而不切實際者。然而，王之仁終究「韙其言而不能用」。〔註24〕當是時，馬士英與阮大鋮竄入魯王部下方國安之

────────────────

　　「時鄒掌院虎臣與子方有姻連，故遲其駕帖，公踉蹌歸淛東，未幾。大兵至，得免。」
〔註21〕同前註，卷中，〈順治二年乙酉，公三十六歲〉條。
〔註22〕同前註。
〔註23〕同前註。
〔註24〕見黃宗羲，〈魯王監國〉，〈紀年上〉，《行朝錄》，卷三。案：王之仁固善梨洲之言，然不能用，而終日與熊汝霖、孫嘉績二督帥爭長短，故梨洲以爲就魯王監國失敗之罪責言，王之仁誠「一死不足贖也」。《行朝錄》，收於《黃宗羲全集》（杭州：浙江古籍出版社，1986年5月一版），第二冊。

兵營中，欲朝見魯王。群臣會議，「多言士英當誅」，〔註25〕唯熊汝霖因「恐其挾國安爲患」，〔註26〕云：「此非殺士英時也，正欲令其自贖耳。」〔註27〕梨洲雖贊同熊汝霖不誅馬士英之作法，然於熊汝霖之說辭，頗不以爲然，言：

> 非不當殺，但不能殺耳。然《春秋》之義，孔子亦豈能殺陳恆？固不可言不當殺也。（《行朝錄》，卷三，〈魯王監國〉，〈紀年上〉）

梨洲認爲不誅馬士英，乃以「諸臣力不能殺」，非「不當殺」。蓋因馬士英，論罪誠當死，但是，衡諸當時情況，時機甚不適切，故「不能殺」。雖然，必正不誅殺之名，否則，世人不明個中原委，誤以禍國者罪不當誅，將無所畏懼，遂令國家危亂不已，甚而有亡國之虞。故梨洲本《春秋》之義申明之。

魯王監國元年（清順治三年，1646），梨洲作監察御史兼兵部職方司主事，〔註28〕其不凡識見與經世之才於焉於具現。時有張國柱劫魯王將領王鳴謙入內地，聞訊，行朝震恐，欲封伯糜之，梨洲深感不能，以爲「如此則益橫矣，何以待後？」〔註29〕乃與孫嘉績裁量，署張國柱爲勝鹵將軍。另有總兵陳梧敗於橋李，後渡海掠奪餘姚鄉聚，王正中遣兵擊之，鄉聚乃犄角殺陳梧，朝議歸罪於王正中，欲聲討之，梨洲上疏，言：「梧之見殺，犯眾怒也。正中保守地方，不當罪。」〔註30〕由是，聲討之舉乃止。復國大業，固爲梨洲所縈繫於懷，而劃江堅守亦非長久之計，故梨洲復力陳西渡之策。遂合孫嘉績所屬之火攻營士卒與王正中部隊共三千人，偕同浙西數部隊攻陷海寧，方駐軍作浦，計畫直取海鹽時，清兵已突破錢塘江，王之仁戰死，方國安、馬士英、阮大鋮皆降，〔註31〕王師潰散，魯王自海道逃往福建。梨洲得報，盡速回師，

〔註25〕 同前註。
〔註26〕 見黃炳垕編輯，《黃梨洲先生年譜》，卷中，〈順治二年乙酉，公三十六歲〉條。
〔註27〕 見黃宗羲，〈魯王監國〉，〈紀年上〉，《行朝錄》，卷三。案：此二句話，於《黃梨洲先生年譜》中乃載曰：「此非殺士英時，宜使其立功自贖耳。」二者用字雖不同，但意涵並無二致，唯以《年譜》所言意義較明晰。以此較諸梨洲所言，當更易明白梨洲以爲熊汝霖說法之不妥處。
〔註28〕 關於梨洲擔任此職一事，《黃梨洲先生年譜》有較詳細之載述，云：「（順治三年）二月，監國以公爲兵部職方司主事，公請援李泌客從例，以布衣參軍，不許，尋以柯公夏卿與孫公交薦，改監察御史，仍兼職方。」見黃炳垕編輯，《黃梨洲先生年譜》，卷中，〈順治三年丙戌，公三十七歲〉條。
〔註29〕 同前註。
〔註30〕 同前註。
〔註31〕 方國安、馬士英、阮大鋮三人雖均降清，然下場略有不同。據載：「方國安、方逢年、馬士英、阮大鋮皆降，從征福建。方、馬至半途伏誅。大鋮未降之

然大勢已死，乃暫行遣散部隊，唯留願隨軍効忠者五百人，退守四明山，結
寨固守。為尋訪魯王消息，梨洲微服潛出，臨行，戒茅瀚、汪涵二帥，必聯
絡山民，方可從事於未來之復興大業。孰料二人未遵從梨洲之言，於近村徵
糧，得罪山民，山民乃相約數千人，夜半焚燒軍隊駐紮之杖錫寺，五百士卒
或被火燒死，或遭山民擊斃，無一倖免，〔註32〕梨洲之部屬至此盡被消滅。
方是時，以清兵追捕梨洲其急，梨洲乃返鄉安頓其母與家人於化安山其父之
墓舍旁，自己則另擇深山一處，結廬隱居，研究天文、曆法。〔註33〕三年後，
即魯王監國四年（清順治六年，1649），梨洲訪知魯王行蹤，即奔赴行在所，
魯王任命梨洲為左副都御史。此時無兵可領，梨洲乃日與吳鍾巒對坐講學，
並繼續研究天文、曆法，且相與唱和賦詩。〔註34〕未久，清廷下令地方政府，
查報南明不歸順遺臣之家眷，預備加以逮捕，迫令不歸順之遺臣歸降或以為
抵罪者，梨洲聞訊，深憂其母與家小安危，乃陳情魯王，更名換姓潛回家鄉
探望其母及家小。同年十月，魯王退守舟山，召遣梨洲與侍郎馮京第、澄波
將軍阮美向日本乞師援助，雖抵長崎，卻未得要領，終於失望而歸。

先，同黨逆之馮銓已書其姓名，屬之南征者，懸內院之缺以待，大鋮初降不
知也。其同邑潘應奎，時為委署杭、嚴道，名位下大鋮數等。大鋮入謁，應
奎故作聲色，欲斬之，大鋮不覺屈膝。既而示以銓之書，大喜。過仙霞嶺，
見雷演祚索命，墜馬折頸而死。」見黃宗羲，〈魯王監國〉，〈紀年上〉，《行朝
錄》，卷三。

〔註32〕同前註，〈四明山寨〉，卷九。梨洲自述事件發生經過，謂：「丙戌六月，浙東
師潰，某時率師渡海規取海鹽、海寧二城，報至而還。十日，散遣餘眾，願
從者歸安茅瀚、梅溪汪涵二帥，以五百人入四明，屯於杖錫。某意結寨固守，
徐為航海之計，因戒二帥聯絡山民，方可從事。二帥違某節制，取糧近地。
二十日，某令二帥守寨，出行旁舍。山民相約數千，乘二帥不備，夜半焚杖
錫寺。士卒睡中逃出，盡為擊死，二帥被焚。」梨洲之深謀遠慮，於此可略
見一斑。

〔註33〕梨洲所研究之曆法，以授時、泰西、回回三曆為主。見黃炳垕編輯，《黃梨洲
先生年譜》，卷上，〈崇禎十一年戊寅，公二十九歲〉條，載梨洲此段時間之行，
云：「時國事盡歸定西侯（案：即張名振），即閣臣張公肯堂，亦不得有所豫，
諸帥之悍，甚於方、王（案：即方國安、王之仁），文臣稍異同其間，立致禍，
公既失兵，日與吳尚書霞舟鍾巒正襟講學，暇則註授時、泰西、回回三曆。」
此時之梨洲已無能如前此般得以將兵出征，實現其復興大業之目標。

〔註34〕梨洲之《海外慟哭記》（收入《梨洲遺著彙刊（上）、（下）》）嘗言：「當此之
時，諸臣默默無所用力，俯首而聽武人之恣睢排擠，單字隻句，刻琢風騷，
若物外幽人之所為者。」處如此之境，梨洲與諸臣之愁苦甚深矣。而所愁苦
者，非寄命舟檝波濤，乃「宗廟亡矣，亡日尚矣，歸於何黨矣」。梨洲之以天
下、萬民為念，本此乃知。

其時，浙東一帶，猶有不少結寨自守者，予清廷頗大威脅。魯王監國六年（清順治八年，1651），清兵謀攻舟山，以義兵勢力強盛，乃採懷柔政策，招撫義兵，貪利之徒相繼歸附清廷，義兵遂潰散。梨洲恐舟山無備，遣人入海告警，未至而舟山已陷。此後清廷追緝梨洲益急，梨洲乃開始其近二十年之流亡生活，其間「無年不避，避不一地」，〔註35〕待清廷平定江南一帶反抗勢力，穩固統治政權後，對於梨洲，一則以其年屆六十，銳氣已失；一則以其文史學方面造詣，頗負盛名，清廷雖未明令赦免，然亦已不再追究其往日起義之事。而梨洲眼見大勢已去，無法再圖規復，乃重返故里定居，開始從事講學、著述之工作。梨洲參與政治活動以積極實踐其經世理想之作法，至此乃告一段落。

檢視梨洲之從事復國行動，雖最終仍未達成興復大明之目的，但於此過程中，梨洲誠已展露其獨特之識見與經世之才。如本《春秋》之義釋不誅殺馬士英之因，以正視聽，此即梨洲「經術所以經世」〔註36〕之具體實踐。必深明《春秋》經義，方能思慮深遠，以正誅殺之名為要務。蓋因名不正，世人但見馬士英以禍國之罪當誅而未殺，遂誤視禍國者無罪，乃不深自警惕，競逐一己私利而置家國天下之安危於不顧，人人如此，國家之危亂豈有已乎？故即令梨洲贊同不誅殺之作法，亦必深切著明誅殺之名義，梨洲誠以天下萬民長遠之安樂為念，自非一般識見短淺、不知經義、徒發空言之迂儒所可比。再如梨洲之署張國柱為將軍而不封伯，其著眼點即在，若封伯，則既顯魯王之畏事而無威儀，益增張國柱之蠻橫氣焰，苟如是，後患誠無窮；然署以將軍，非僅維持魯王之國君尊嚴，而於國無損，亦得平息一場戰事。又如梨洲之視王正中派兵擊陳梧為保民為國而不當罪，衡諸王正中之行事，固無罪責可言，但以行朝中人士有忌王正中者，故借題發揮，欲以此聲討，遂其私心。類此專以意氣之爭為導向，而無視事理是非之朝政議事過程，常為小人排除異己、冤殺忠臣之最佳途徑，實為國家喪亂之根源，梨洲深明此理，乃上疏魯王，申明事理是非，冀能使魯王不冤殺良將，自毀長城。他如所獻西渡之策，不以偏安為長久之計，必化守勢為主動出擊等，凡此皆可見梨洲確有經世之才，而梨洲亦能於擔任職官時，盡其力以踐其職責。是知梨洲固非空談

〔註35〕見黃宗羲，〈避地賦〉，《南雷文定》，前集，卷十一。梨洲曰：「最此二十年兮，無年不避，避不一地兮，念遷播之未定兮，老舟舟其已至。」梨洲流亡生活之居無定所情狀，言之甚明。

〔註36〕見全祖望，〈梨洲先生神道碑文〉，《鮚埼亭集》，卷十一。

心性者，亦非窮究字義而無與世事者，更非泛論而不求實踐之經世思想家。雖然，就成果言，梨洲之種種努力與奮鬥，最終仍告失敗；但就實踐精神與意義言，梨洲誠不愧爲明末清初居關鍵地位之經世思想家。

第二節　講學、著述之持守

自孔、孟以來傳統儒者於直接身居治權系統以經世方式受挫後，多轉向講學、著述，冀以作育人才、著書立說之間接方式實踐其經世思想。梨洲於歷經結社與復國行動之奮鬥後，年事已高，大勢已定，興復大業既無望達成，又不願放棄儒者經世之願望，乃如前儒一般從事講學、著述工作以存續其經世理念與設計。換言之，梨洲乃透過倡言撰論之方式，針對明代各種政經制度，發表個人之議論與主張；其目的固爲闡揚儒家孔、孟之義理，呈露一己道德之體認，抒發憂國憂民之悲痛情懷；但更重要者，仍在個中所隱含之實踐事功之企盼，亦即藉由語言、文字以闡述、存留其理想政經制度，待「有王者起，將以見諸行事」。〔註37〕故梨洲自五十六歲始，即投入講學、著述之工作，未嘗稍怠，至其卒前，猶矻矻於《明儒學案》序稿之撰述，梨洲之持守講學、著述，實有深意，而爲其經世理想之另一種實踐方式。

康熙四年（1665），梨洲年五十六。甬上之秀異弟子，如萬斯人、萬斯同、陳錫嘏、仇兆鰲等二十餘人，咸受業於梨洲門下。其中以萬氏兄弟最著名，以其二人直承梨洲之史學，而能有傑出之成績表現。梨洲之正式講學，始於康熙六年（1665）之證人書院講會。其時，梨洲極力闡揚師說，〔註38〕遂令

〔註37〕見顧炎武，〈與人書二十五〉，《亭林文集》（臺北：新興書局，1956年初版），卷四。

〔註38〕見黃炳垕編輯，《黃梨洲先生年譜》，卷中，〈康熙六年丁未，公五十八歲〉條，云：「子劉子講學於證人書院，正命之後，虛其席者二十餘年。九月，公與同門友姜定庵希轍、張奠夫應鰲兩先生，復爲講會，公表顯師門之學，發前人所未發者，大端有四：一曰靜存之外無動察；一曰意爲心之所存非所發；一曰已發未發，以表裡對待言，不以前後際言；一曰太極爲萬一總名。董吳仲疑意爲心之所存，未爲得也。作《劉子質疑》，公謂：『先師意爲心之所存，與陽明良知，是未發之中，其宗旨正相印合也。』萬子貞一至南潯，以近作求正。五月，慈邑鄭禹梅梁始見公，公授以《子劉子學言》，《聖學宗要》諸書，禹梅聞公之論，自焚其稿，不留一字，而名是年後之稿曰見黃稿。」則梨洲所發揚蕺山學之四端，於其時，誠有相當之影響，而梨洲用力於師說之發明，亦不在話下。

甬上學風爲之一變。全祖望嘗述曰：

> 證人書院一席，蕺山先生越中所開講也。吾鄉何以亦有之？蓋梨洲
> 先生以蕺山之徒，申其師說，其在吾鄉，從游者日就講，因亦以證
> 人名之。……不知自明中葉以後，講學之風，已爲極敝，高談性命，
> 直入禪障，束書不觀，其稍平者，則爲學究，皆無根之徒耳。先生
> 始謂學必原本於經術，而後不爲蹈虛；必證明於史籍，而後足以應
> 務，元元本本，可據可依，前此講堂錮疾，爲之一變。……而吾鄉
> 自隆、萬以後，人物稍衰，自先生之陶冶，遂大振，至今吾鄉後輩，
> 其知從事於有本之學，蓋自先生導之。（《鮚埼亭集》，外編，卷十六，
> 〈甬上證人書院記〉）

梨洲歷經家國巨變，又親身參與復國行動，於此歷程中，目睹當時儒者之行
事，令其對有明中葉以後之講學感觸良深。梨洲認爲，儒者之學當經緯天地，
經世致用，以平治天下安萬民爲念；絕非「襲語錄之糟粕，不以六經爲根柢」，
〔註 39〕徒束書游談，培育「無根」之學究，而於國家危急存亡之際，既不能
死社稷，又無經世之長才可施，但「蒙然張口，如坐雲霧」，〔註 40〕甚至一副
「落然無與吾事」之貌。〔註 41〕若「無根」學究此等人物，「豈能效國家一障
一亭之用」？〔註 42〕故梨洲爲培育經世人才以存續並實踐其經世理想，亦爲
挽救儒學於漸趨凋敝中，乃本「蕺山證人之教」，〔註 43〕講經論史，一掃以往
講會「游腹空談，終無撈摸」之錮疾，〔註 44〕既還儒學原本面貌，並導學者
務爲有本之學。由是，乃有講經會之成立。梨洲云：

> 制科盛而人才絀，於是當世之君子，立講會以通其變，其興起人才，
> 學校反有所不逮。如朱子之竹林，陸子之象山，五峰之岳麓，東萊

〔註 39〕見全祖望，〈梨洲先生神道碑文〉，《鮚埼亭集》，卷十一。

〔註 40〕見黃宗羲，〈贈編修弁玉吳君墓誌銘〉，《南雷文定》，後集，卷三。

〔註 41〕同前註，〈留別海昌同學序〉，前集，卷二。

〔註 42〕見黃宗羲，〈科舉〉，《破邪論》。

〔註 43〕見全祖望，〈甬上證人書院記〉，《鮚埼亭集》，外編，卷十六。對於王陽明與
劉蕺山之學術，梨洲嘗有評論，全祖望載曰：「其論王、劉兩家，謂皆因時風
眾勢以立教，陽明當建安格物之學大壞，無以救章句訓詁之支離，故以良知
之說倡率一時；乃曾未百年，陽明之學，亦復大壞，無以絕蔥嶺異端之夾雜，
故蕺山證人之教出焉。陽明聖門之狂，蕺山聖門之狷，其評至允，百世不可
易也。」是知梨洲之論王、劉學術演變，誠本客觀、公正之態度，尋求兩家
興起之因，而予以適切之評價。

〔註 44〕見黃炳垕編輯，《黃梨洲先生年譜》，卷中，〈康熙七年戊申，公五十九歲〉條。

之明招，白雲之僊華，繼以小坡江門，西樵龍瑞，逮陽明之徒，講
會且遍天下；其衰也，猶吳有東林，越有證人，古今人才，大略多
出於是。然士子之爲經義者，亦依倣之而立社。余自涉事至今，目
之所睹，其最著者，雲間之幾社，有才如何剛、陳子龍、徐孚遠，
而不能充其所至；武林之讀書社，徒爲釋氏之所網羅；婁東之復社，
徒爲奸相之所訾謷，此無他，本領脆薄，學術龐雜，終不能有所成
就。丁未戊申閒，甬上陳夔獻創爲講經會，搜故家經學之書，與同
志討論得失，一義未安，迭互鋒起，賈、馬、盧、鄭，非無純越，
必使倍害自和而後已。思至心破，往往有荒途，爲先儒之所未廓者。
數年之間，僅畢《詩》、《易》、三《禮》，諸子亦散而之四方，然皆
有以自見，嗚呼，盛矣！（《南雷文約》，卷二，〈陳夔獻墓誌銘〉）

大抵講會之出現，誠因制科盛，而學校所當負「興起人才」之責，有所未及，
故有心士人，通權達變，立講會以肩負此責。當其盛時，講會遍天下；及其
衰落，亦猶有東林與證人二者，繼續擔當爲國家社會培育人才之重任。時至
明末，如幾社、讀書社、復社等講習經義者，亦頗以「興起人才」自任，然
因「本領脆薄，學術龐雜」，其間雖果有人才興起，或未能「充其所至」，或
入於釋氏羅網，或徒爲奸相訾謷，終無能於經國濟世有所貢獻。故陳夔獻創
設講經會，諸子研經定義，時闢先儒未廓之荒途，數年過後，雖僅研習《詩》、
《易》、三《禮》等經，然誠已人才備出，卓然有成。是以梨洲盛讚夔獻立會
講經以培育人才之功，謂：

> 學之盛衰，關乎師友；師友聚散，誰爲樞紐？於嗟夔獻，立會講經；
> 十年之後，人物崢嶸；文治方興，推琴而起；非無鉅公，聲諧宮徵。……
> 庸人之論，謂君沈沒，豈知回、賜，不稱官閥。（《南雷文約》，卷二，
> 〈陳夔獻墓誌銘〉）

梨洲此言固稱陳夔獻之功，然亦顯露其講學以作育人才之旨歸。嘗言：

> 始學於子劉子，其時志在舉業，不能有得，聊備蕺山門人之一數耳。
> 天移地轉，殭餓深山，盡發藏書而讀之；近二十年，胸中窒礙解剝，
> 始知曩日之孤負，爲不可贖也。（《黃梨洲先生年譜》，卷中，〈康熙
> 七年戊申，公五十九歲〉條）

於檢視自己之爲學過程中，梨洲發現爲學若以舉業爲志，終無所得。蓋因明
朝之科舉制度，專重無補世用，講究定式，禁錮個人思想性靈之八股爲文，

而於六經義理眞有益於天下民用者，反輕忽視之。〔註45〕科舉考試至此乃淪
爲個人求取功名利祿之階梯，而非爲國家培育並拔擢經世經良才之管道。當
其時，儒者士人爲順利步上利祿之途，乃競相鑽研《蒙存》、《淺達》、《說約》、
十八房等應付考試，爲文之範本，而於他書一概不觀，以爲必如此方謂學問，
方稱士人。〔註46〕加以應試時之爲文答題，必限以非一先生之言不可，至於
個人心得，即隻字片語亦不得攙入其中，否則即目爲離經叛道。〔註47〕因此，
儒者士人之思想乃備受禁錮，而性靈亦不能抒發，天下之人才遂遭科舉之法
破壞。故梨洲云：

> 才士必能爲文章，然以文章求才士，則才士必遁。夫上以文章求才
> 士，才士亦必以文章求上；上之求下甚疎，下之求上甚濃，仁義化
> 爲富貴，而文章亦遁。……夫人才之難久矣！古之哲王極力以養之，
> 尚且不可多得，今日科舉之法所以破壞天下之人才唯恐不力。（《南
> 雷文定》，四集，卷三，〈蔣萬爲墓誌銘〉）

明代科舉之壞人才，在導士子入於空疏無本之學，有鑑於此，梨洲之講

〔註45〕梨洲嘗評明代之科考弊病，謂：「二場、三場置之高閣，去取止在頭場，頭場
之六義亦皆衍文，去取定於首義。牢籠士子以循故事，卷數既煩，摘其一字
一畫之訛，掛於牆壁，以免過眼，其惡士子甚於沙石。」見氏著〈蔣萬爲墓
誌銘〉，《南雷文定》，四集，卷三。案：據張廷玉，《明史》（臺北：鼎文書局，
1979～1980年），〈選舉志〉載錄，明代之鄉、會試各有三場：「初場試四書義
三道，經義四道。四書主朱子《集註》，《易》主程、朱《傳》、《義》，《書》
主蔡沈《傳》及古註疏，《詩》主朱子《集傳》，《春秋》主《左氏》、《公羊》、
《穀梁》、胡國安、張洽《傳》，《禮記》主古註疏；二場試論一、判五，詔、
誥、章、表、内科各一；三場試經史策五。」本此可知，明代科考所重者唯
以朱熹《四書集註》爲主之首義，其他科目，雖亦考之，然無與於錄取標準，
加以，評審過程甚不客觀，如此制度，豈能拔擢秀異人才？
〔註46〕顧炎武，《日知錄》，卷十六，〈十八房〉條，言：「今制會試，用考試官二員
總裁，同考試官十八員，分閱五經，謂之十八房。嘉靖末年，《詩》五房，《易》、
《書》各四房，《春秋》、《禮記》各二房，止十七房。萬曆庚辰癸未二科，以
《易》，卷多添一房，減《書》一房，仍止十七房，丙戌《書》、《易》，卷語
多，仍復《書》爲四房，始爲十八房。……楊子常（案：即楊彝）曰：『十八
房之刻，自萬曆壬辰《鉤玄錄》始，旁有批點。……』天下之人，惟知此物
可以取科名，享富貴，此之謂學問，此之謂士人，而他書一切不觀。……舉
天下而惟十八房之讀，讀之三年五年而一幸登第，則無知之童子，儼然與公
卿相揖讓，而文武之道，棄如弁髦。嗟呼，八股盛而六經微，十八房興而廿
一史廢。」則明代會試制度之弊，乃至文武之道之棄，誠繫乎十八房之興矣。
〔註47〕見黃宗羲，〈蔣萬爲墓誌銘〉，梨洲謂科考之答題方式，曰：「片語不能攙入，
限以一先生之言，非是，則爲離經畔道。」

學，便於學必有本此一節目上，再三致意。嘗謂：「受業必先窮經，經術所以經世；方不爲迂儒之學，故兼令讀史。」又言：「讀書不多，無以證斯理之變化；多而不求於心，則爲俗學。」〔註48〕又云：「當以書明心，不可玩物喪志。」〔註49〕由窮經至讀史，由多讀書至反求於心，梨洲所指示之爲學內容與方法，誠針對其時儒者士人背棄儒者儒世之學而發。加以梨洲自身之學術，以周敦頤之濂學，程顥、程頤之洛學爲統系，融會各家，舉凡張載之禮教，邵雍之象數學，呂祖謙之文獻學，薛季宣、陳傅良之經制學及葉適之文章，未有不旁推交通，連珠合璧，誠「合理義、象數、名物而一之，又合理學、氣節、文章而一之」，〔註50〕以如此博洽之學識講學，遂令前來受教者「曉然於九流百家之可以返于一貫」，〔註51〕而於爲學時，非僅不墮其時講學之流弊；亦無論發爲文章或垂爲傳註，皆爲載道、經術也，遂合文苑、儒林於一身，而爲深具「巖廊之器」〔註52〕與經世之才之醇儒。梨洲之講學，遍于大江之南，凡甬上、語溪、海昌、會稽、均嘗駐留，而所作育之弟子，亦多各有所成，除前文所提萬氏兄弟之長於史學外，其他較著名者，如陳夔獻、萬充宗、陳同亮之以經術名；王文三、萬公擇之以名理稱；高州之以文章著；又如張旦復、董吳仲之躬行踐履，〔註53〕則梨洲變通經世思想之實踐方式，而以講學作育人才延續其經世之志之作法，誠有斐然之成績。

講學之外，梨洲更致力於著述，其部分重要著作，如《明夷待訪錄》、《留書》、《行朝錄》、《明儒學案》、《南雷文案》、《南雷文定》、《南雷文約》、《今水經》、《明文案》、《明文海》、《明文授讀》、《破邪論》等，大致於此時期先後撰述或選編完成。梨洲之著述，實寓有深意，如其自言《明夷待訪錄》之

〔註48〕 此二段引文，俱見全祖望，〈梨洲先生神道碑文〉，《鮚埼亭集》，卷十一。

〔註49〕 同前註，〈二老閣藏書記〉，外編，卷十七。

〔註50〕 同前註。

〔註51〕 同前註。

〔註52〕 同前註，〈梨洲先生思舊錄序〉，卷三十一。全祖望言：「（梨洲）嘗以講經自給，東維以論文爲生，靈光巋然，長謝鶴書，河汾弟子，多出而爲巖廊之器，而先生亦已老。」從梨洲受學者，固多能成「巖廊之器」，是知梨洲爲天下作育人才之功，實不可沒。

〔註53〕 同前註，〈二老閣藏書記〉，外編，卷十七，全祖望云：「先生講學，徧于大江之南，而辦香所注，莫如吾鄉，嘗歷數高弟，以爲陳夔獻、萬充宗、陳同亮之經術；王文三、萬公擇之名理；張旦復、董吳仲之躬行；萬季野之史學；與高州之文章。……」以梨洲一人之學而能栽培數人於不同領域各展傑出才學，益見梨洲學問之淵博，非是無能致之。

著作動機，云：

> 昔王晃倣《周禮》，著書一卷，自謂「吾未即死，持此以遇明主，伊、
> 呂事業不難致也」，終不得少試以死。晃之書未得見，其可致治與否，
> 固未可知。然亂運未終，亦何能爲「大壯」之交！吾雖老矣，如箕
> 子之見訪，或庶幾焉。豈因「夷之初旦，明而未融」，遂祕其言也！
> （《明夷待訪錄》，〈題辭〉）

既標以王晃著書而欲致伊、呂事業之事，復期以箕子見訪而不欲祕其言，梨
洲企望平治天下之用心固甚明，而其藉《明夷待訪錄》之撰述以載存其經世
思想之本意亦昭然若揭。如此用意亦見於梨洲之撰作與保存《留書》，謂：

> 僕生塵冥之中，治亂之故，觀之也熟，濃鎖餘隙，條其大者，爲書
> 八篇。（《留書》，〈留書序〉）

又言：

> 吾之言非一人之私言也，後之人苟有因吾之言而行之者，又何異乎吾
> 之自行其言乎？是故其書不可不留也。（《留書》，〈留書序〉）〔註54〕

《留書》之撰作，原爲闡述「治亂之故」，之所以未刊刻，乃基於政治因素之
考慮，因書中多嫌諱之言辭；然而，梨洲仍冒死存留此書，目的即欲傳諸後
世，以待來者實行。是知梨洲用世之心非僅未嘗因時事之不爲而稍減，更殷
切寄望於後繼者之踵行。然則，著述立言誠爲梨洲實踐其經世思想之權變作
法。唯梨洲之重視並用力於著述立言，實有其不得已苦衷。誠然，「我欲載之
空言，不如見之於行事之深切著明也」，〔註55〕儒者之經世思想，意在透過實
際施爲以達內聖外王之目標，但無可避免，見諸行事之政經施爲須有客觀環
境之配合，而尤以君王之見用與信任爲要；然此亦即儒者經世所面臨困境之
根源。審諸歷史，經世儒者固常因不見用於時君或時事之不可爲，而空懷經
世才具不得用世。雖然，儒者經世之志又不得不伸，遂令儒者退而求其次，
藉著述立言存留其經世思想而待有心人。魏體嘗言：

> 古之言不朽者曰立德、立功、立言，則既以立言爲末。雖然，亦視其
> 所立之言何如也。使專攻于風雲月露之辭，則誠足末之矣，而言纂重
> 者是不然。堯、舜之道德，非典謨之言不傳也；孔子有《春秋》之言，
> 故大義凜凜至于今；忠臣義士與夫功業稽天者，世逝而蹟泯矣，非記

〔註54〕 轉引自洪波，〈黃宗羲《留書》評述〉，頁492。
〔註55〕 見司馬遷，《史記》，〈太史公自序〉。

載之言不傳；姬公無《周禮》、《儀禮》之言，六官禮儀之典制莫攸定；
孫、吳諸人不著書，則兵法之言絕；無〈禹貢〉之言，則山川導治之
法亡矣。夫傳忠臣義士，非特傳其人而已，所以作則于後世存焉也。
由是觀之，立言惡得末乎？且夫德修於身，而不能期其必章，不彰則
無傳；功業施于當世，宏濟生民，此聖賢之所急也，有時命焉，而非
己所能必。立言者，德與功待而傳，己能必者也，在爲不爲而已。讀
百世以上之書，而能感發興起于百世之下，非言乎？即末之，而道情
款，陳鄙事，刻寫物狀，宕蕩其胸中之懷來，亦言所不得廢也。立言
者不慕重乎？（《魏季子文集》，卷八，〈答蕭來巢書〉）

當外在客觀環境無法配合時，儒者唯有著述立言，此乃「己能必者也」，而著
述立言之價值亦即在此。故梨洲於政治活動失敗後乃專注於著述立言者，其
用意即合道德、事功並傳於後世。《明夷待訪錄》、《留書》、《破邪論》等直接
敘及梨洲經世思想之作品外，梨洲之撰一般文集與學術史著作，亦寓有濃厚
之經世願望。梨洲自述《南雷文定》之作，云：

余多敘事之文，嘗讀姚牧菴《元明善集》，宋、元之興廢，有史書所
未詳者，於此可考見。然牧菴《明善》，皆在廊廟，所載多戰功；余
草野窮民，不得名公鉅卿之事以述之，所載多亡國之大夫，地位不
同耳，其有裨於史氏之缺文，一也。（《南雷文定》，〈凡例〉）

以所作敘事文章「有裨於史氏之缺文」，則梨洲之爲文誠有警戒世人以爲世範
之用世意義。故靳治荊乃評梨洲之文，曰：

文也者，所以載夫道者也，故離道不可以言文。……今觀先生之文，
有褒譏予奪、微顯闡幽者，一聖賢中正之矩也；有痛哭流涕、感動
激發者，一忠孝旁薄之氣也；有研析精微、發揮宏鉅者，一窮理盡
性，彰教辨治之本也。若其力厚思深，包舉萬有；海涵地負，睥睨
千秋，要皆有實際可循，而非徒工鑿悅者所得而坪也。所謂載夫道
者非與？（《南雷文定》，〈南雷文定序〉）

梨洲爲文不尚空言，舉凡評騭人事、抒發性靈、闡明義理，皆所致意，而必
有「實際可循」者，是知梨洲爲文之本色乃載道，亦即「文即爲道」，〔註56〕

〔註56〕 見黃宗羲，〈南雷文案序〉，《南雷文案》。鄭梁曰：「昔者子貢之於夫子，有文
章可聞，言性與天道不可聞之說，先儒謂其悟後，始有斯語。而愚獨以爲是
終多識之見。夫三代而下，或有不言性道之章矣，寧夫子之文章，而有不言

固非掉弄書袋、無病呻吟之文所可比。梨洲之門人鄭梁嘗述梨洲之爲文，謂：

> 要之原本於六經，取材於百氏，浩浩乎其胸中，而落落乎其筆端，
> 固濂、洛、韓、歐所不能兼也。(《南雷文案》，〈南雷文案序〉)

「經術所以經世」，爲文亦本諸六經，則梨洲之撰作文章，固有經世之祈向。

至於梨洲有關學術史方面之著作，以《明儒學案》最著名。梨洲之編纂《明儒學案》，目的即在辨析明代儒學各派之源流演變及思想特色，既見各派學術宗旨，〔註57〕亦爲明代之學術思想史做一總結。雖然如此，梨洲之編纂此書，仍隱含有經世之用意。曰：

> 夫先儒之語錄，人人不同，只是印我之心體，變動不居，若執成定
> 局，終是受用不得。此無他，修德而後可講學。今講學而不修德，
> 又何怪其舉一而廢百乎？時風愈下，兔園稱儒，實老生之變相；坊
> 人詭計，借名母以行書。誰立廟庭之中正？丸品參差，大類釋氏之
> 源流；五宗水火，遂使杏壇塊土爲一闤之市，可哀也夫！(《明儒學
> 案》，〈黃梨洲先生原序〉)

時風之下，儒者之學備受戕害，目睹杏壇塊土變爲一闤之市，以梨洲強烈用世之心，豈能坐視？故梨洲之纂述《明儒學案》，誠欲正學術也。馮全垓言：

> 夫有明講學之家，其辨析較宋儒爲更精，而流弊亦較宋儒爲更甚。垓
> 謂學術必原心術，但使存心克正，兢兢以愼獨爲念，從此存養省察，
> 雖議論或有偏駁，亦不愧爲聖人之徒。倘功利之見未忘，借先正之名
> 目以自樹其門户，則矯誣虛僞，勢必色屬内荏，背道而馳。先生是書，
> 殆欲以正心術者正學術歟。(《明儒學案》，〈馮全垓跋〉)

學術必正，人才乃出，而安邦定國之事方有可爲。然則，《明儒學案》編纂之意義，乃在此書反映明末清初天崩地解之時代精神，而自思想上總結有明滅

性與天道者乎？不知文即爲道，而謂道在文章之外者，非鄙陋之儒，欲自掩其短，則浮華之士，未能一窺其奧也。善讀先生（案：即梨洲）之文者，寧如是乎？」鄭梁可謂深知梨洲之爲文。

〔註57〕《明儒學案》一書之節目，即在「宗旨」上。梨洲言：「大凡學有宗旨，是其人之得力處，亦是學者之入門處，天下之義理無窮，苟非定以一、二字，如何約之，使其在我。故講學而無宗旨，即有嘉言，是無頭緒之亂絲也。學者而不能得其人之宗旨，即讀其書，亦猶張騫初至大夏，不能得月氏要領也。是編分別宗旨，如燈取影，杜牧之曰：『丸之走盤，橫斜圓直，不可盡知。其必可知者，知丸不能出於盤也。』夫宗旨亦若是而已矣。」見〈明儒學案發凡〉，《明儒學案》。梨洲之特重「宗旨」，本此可知。

亡之經驗與教訓，於梨洲力求客觀之釐清學派，呈現宗旨中，斲喪已久之儒
學精神與內涵乃得再生。

綜觀梨洲後半生之持守講學、著述工作，誠為其經世願望之變通實踐。
雖然，嚴格而論，梨洲之經世思想終未能見諸行事。內聖外王之經世思想，
至梨洲，因時代變局之客觀因素，遂令其致力於事功之創建；然而，事功之
創建不外兩途，一為身居治權系統之中，或文或武，實際承擔施政理民、開
疆禦土之責任；一為由個人道德修持出發，期盼人民受到深切之感化。明亡
前後，梨洲既受紊亂朝政牽制，復遭勢蹙力窮窘境，事功外王之創建遂無可
為；入清之後，大事益發不可為，梨洲雖曾參與政治活動抗清，然終無所成，
而其恥事二姓，高標忠義，更令其無實際施政理民之可能，〔註58〕則梨洲於
實踐其經世思想時，誠遭遇相當大之困境，唯梨洲雖面臨經世困境，固未嘗
因此棄守其經世抱負，而猶竭盡心力尋求變通方式以持續之。是以，就政經
施為之實際成果言，梨洲固未曾真正實踐其經世思想；但若就其堅守經世抱
負之態度言，梨洲誠已充分體現儒者經世之精神。

第三節　變通實踐經世之原因

自孔、孟以來，儒者所遭逢之最大困境，即在滿懷經世大志而不得見諸
行事；由是儒者只能退守於講學、著述此一既能堅持經世之志，又得以安身
立命之最後據點。觀梨洲一生行止，由政治活動之參與至講學、著述之持守，
固未嘗棄經世大志，唯於實踐方式略有變通；然而，就經世必言「用」之觀
點論，梨洲之經世思想終究未曾真正見諸行事。探究梨洲之採變通方式以實
踐其經世思想，此誠為經世於實踐時遭遇困境所使然，而此困境產生之來源，
大抵有二：一為客觀環境之限制，一為主觀思想之影響。本節即就此二方面
深入了解，以明梨洲變通實踐經世之因素。

首先就客觀環境限制言，眾所週知，時代變局原為激發儒者亟欲經世之
最大因素。時代變亂愈劇烈，天下政局愈動盪，儒者經世之企望亦即隨之增
強；然而，不容否認，過於惡劣之客觀環境，亦將對儒者經世抱負之施展有
所妨害、阻礙。所謂「過於惡劣之客觀環境」，主要乃指無見用機會，或有機
會而未受重用，或受重用而未得人事配合。檢視歷來儒者經世理想之未得實

〔註58〕見林保淳，《明末清初經世文論研究》，第三章，第一節，頁114。

現，多受此「過於惡劣之客觀環境」限制。蓋因經世理想之圓滿完成必見於「用」，而一言及「用」即必與客觀環境結合，是以客觀環境之配合與否，遂為儒者經世理想能否實現之重要關節。二千多年前，孔、孟即為此慨歎其志不得伸；二千多年後，梨洲亦以此抱撼終生，而發出「一炭之光，不堪為鄰女四壁之用」，〔註59〕「念六十年來，所成何事？區區無用之空言，即能得千古之所不變者，已非始願」，〔註60〕如此語重心長之言。則「過於惡劣之客觀環境」之限制，誠為儒者經世困境之源由。

思宗自縊後，梨洲目睹流賊擾攘天下，而滿清異族猶虎視眈眈、伺機而動，國家正漸趨步向徹底瓦解之危急存亡關頭，乃亟思有以救之，非但自組「世忠營」抗清，更聯合當時抗清勢力，率兵西渡敗清，並遠赴日本乞師。凡此行動均證明梨洲經世之不變決心與付諸實踐。然而，梨洲一連串反清復明之政治行動終告失敗。究其原因，固與當時之客觀環境有關。《明史》嘗述有明末葉之政治、社會情況，曰：

> 莊烈之繼統也，臣寮之黨局已成，草野之物力已耗，國家之法令已壞，邊疆之搶攘已甚。……當夫群盜滿山，四方鼎沸，而委政柄者非庸即佞。剿撫兩端，茫無成算；內外大臣救過不給，人懷規利自全之心。言語戇直，切中事弊者，率皆摧折以去。其所任為閫帥者，事權中制，功過莫償，敗一方即戮一方之將，隳一城即殺一吏。賞罰太明而至於不能罰，制馭過嚴而至於不能制。加以天災流行，饑饉洊臻，政繁賦重，外訌內叛；譬一人之身，元氣羸然，疽毒並發，厥症固已甚危，而醫者良否錯進，劑則寒熱互投，病入膏肓而無可救，不亡何待哉？是故明之亡，亡於流賊；而致亡之本，不在流賊也。(《明史》，卷三〇九，〈流賊傳序〉)

當其時，庸佞掌政，賢臣盡去，施法無當，邊患正盛，流寇擾攘，天災流行，有明歷世政治之腐化，民生之凋敝，未有甚於其時者。崇禎登基，雖思有以

〔註59〕 見黃宗羲，〈題辭〉，《破邪論》。謂：「余嘗為《待訪錄》，思復三代之治。崑山顧寧人見之，不以為迂。今計作此時，已三十餘年矣。秦曉山十二運之言，無乃欺人。方飾巾待盡，因念天人之際，先儒有所未盡者，稍拈一、二，名曰：《破邪》。……顧余之所言，邈幽不可稽考。一炭之光，不堪為鄰女四壁之用。或者憐其老而忘學也。」是知梨洲用世之心猶在，唯以年事已高，故慨歎亦深。

〔註60〕 見黃宗羲，〈庚戌自序〉，《南雷文定》，前集，卷一。

奮發，然大勢已去，隄崩魚爛，終至於不救，而步向亡國一途。唯明之滅亡，並未解決充斥當時政治、經濟、社會等各方面之問題。思宗既歿，南明諸王相繼即位、監國，有明一代積重難返之問題，至此遂成為南明諸王抗清復明行動之障礙。其中尤以庸佞奸臣掌政之弊病影響最鉅。以弘光之世為例，於馬士英、阮大鋮之弄權掌政下，福王既無意北進復國，而二人更藉機遂其私心，飽其私欲。故梨洲歎曰：

> 帝（案：即福王、朱由崧）之不道，雖豎子小夫，亦計日而知其亡也。然諸壞政，皆起於利天下之一念。歸功定策，懷仇異議。馬、阮（案：即馬士英、阮大鋮）挾之以翻逆案，四鎮挾之以領朝權，而諸君子亦遂有所顧忌而不敢為，於是北伐之事荒矣。迨至追理三案，其利災樂禍之心，不感恩於闖賊者僅耳。《傳》曰：「臨禍忘憂，憂必及之。」此之謂也！嗚呼！南都之建，帝之酒色幾何？而東南之金帛聚於士英；士英之金帛幾何？而半世之恩仇快於大鋮。曾不一年，而酒色、金帛、恩仇不知何在？論世者徒傷夫帝之父死於路而不知也。尚亦有利哉！（《弘光實錄鈔》，序）

南都之建，原為反清復明高舉大旗，以之為北伐抗清之根據地，豈料福王貪圖酒色，無意北進；而馬士英、阮大鋮更乘弄權之便，專事報復，戮殺賢臣，而無視於天下之未定，社稷之垂危。〔註 61〕處憂患之境，不戒慎恐懼，而猶掉以輕心，甚至務為私人恩怨之鬥爭，〔註 62〕如此情況，即自保已不可得，更遑論復國大業之完成。儒者處此惡劣之客觀環境中，容或有傑出之經世才略，實亦無以施為。

〔註61〕馬士英之受賄貪污，與阮大鋮之專事報復，其事俱見於梨洲《弘光實錄鈔》中。梨洲嘗評云：「南都之立，百無一為，止為大鋮殺一周鑣而已。斯時亦有告大鋮者曰：『天下未定，不知為□為賊，公毋專以報復為也！』大鋮曰：『鐘鳴漏盡，吾及時報復，亦何計其為□為賊乎？』」見黃宗羲，《弘光實錄鈔》（收入《黃宗羲全集》，第二冊），卷四。則阮大鋮心中，固務以報復為重，而無視家國、天下之存亡續絕。以如此心態佐王，遂私行徑之產生，自無可避免；而寄望興復大業於如此奸佞之人，亦無異緣木求魚，白日作夢。

〔註62〕當是時，朝中人士競為私人恩怨鬥爭。梨洲載其事曰：「逆閹魏忠賢既誅，其從逆者，先帝定為逆案，頒行天下，逆黨合謀翻之。己巳之變，馮銓用數萬金導北兵至喜峰口，欲以疆場之事翻案；溫體仁許錢謙益而代之，欲以科場之事翻案。小人計無不至，毅宗詎不可。大鋮利國之災，得士英而用之，然後得志。嗚呼！北兵之得入中國，自始至終，皆此案為之崇也。」同前註。則逆黨之欲翻案，誠為弘光之世朝中人士務為私人恩怨鬥爭之根源。

除人事不臧外，明思宗之不明盡才之道，亦爲梨洲所慨歎。謂：

> 帝（案：即思文皇帝、朱聿鍵）英才大略，不能鬱鬱安於無事。在
> 藩服之時，已思撥亂而反之正。及其遭逢患難，磨礪愈堅。兩京既
> 覆，枕戈泣血，勅斷葷酒，後宮不滿三十人，半係老嫗，於世之嗜
> 好淡如也。……論者徒見不能出關，遂言其好作聰明，自爲張大，
> 無帝王之度，此以成敗而論也。……其一、二心膂之臣，所藉以經
> 營恢復者，如黃道周、蘇觀生，皆有儒者氣象，未嘗非諸葛之亞也，
> 而束縛其手足，使之不能一展其所長。蛟龍受制於螻蟻，可責其雷
> 雨之功哉！向使蜀漢有竊命之雄，諸葛不能發其一甲，轉其斗粟，
> 則雖欲成三分之業，亦豈可得乎！故帝之亡，天也，勢也。（《行朝
> 錄》，卷一，〈隆武紀年〉）

以思文皇帝之英才大略，經世大志與黃道周、蘇觀生之儒者氣象，而終不能
平致天下。人不能盡其才乃一大因素，故梨洲歎曰：「帝之亡，天也，勢也。」
天勢、時運固爲重要因素。然則儒者經世思想之得以實踐，於人事臧否考慮
外，亦須獲人盡其才之天勢、時運之配合。觀梨洲佐魯王（案：即朱以海）
監國時，嘗任職官，而有用世之機會，然即因其時之人事不臧，遂錯失西渡
抗清之良機。〔註63〕又由梨洲最初本胡翰所謂十二運之說，而以「向後二十
年交入『大壯』，始得一治」爲有望；〔註64〕至後來以「秦曉山十二運之言，
無乃欺人」之無奈心聲，亦見因天勢、時運之不得配合，遂令其經世抱負未
能充分施展。〔註65〕雖然如此，梨洲仍儘可能掌握一切用世機會努力施爲，
此誠可見於其積極參與政治活動，與致力於南明史之著述中。

明亡之初，天下民心猶未失，倘能把握時機，運籌帷幄，或果眞有復明
之希望。然而，南明諸王朝中，若非爲奸佞庸臣把政，殘害忠良，自毀長城；
則以識見短淺者用事，貪圖逸樂，僅求偏安，無意北伐；凡此導致明代滅亡
之弊政，復於南明朝中重見，則南明之亡與無能力興復故國大業，良有以也。
梨洲處此人事不臧、天勢不濟之惡劣環境中，而冀求一展經世才略以措之天
下，潤澤萬民，其困境之產生，勢屬必然。是知梨洲之未能切實踐履經世思

〔註63〕梨洲曾獻西渡之策。詳見黃炳垕編輯，《黃梨洲先生年譜》，卷中，〈順治三年
丙戌，公三十七歲〉條記載。
〔註64〕見黃宗羲，〈題辭〉，《明夷待訪錄》。
〔註65〕見黃宗羲，〈題辭〉，《破邪論》。

想，固受客觀環境之限制。

其次就主觀思想之影響論，此所謂之主觀思想，主要乃指梨洲對民族氣
節之堅持。儒者之重氣節，自古即然。孔子嘗言：「士而懷居，不足以爲士
矣。」〔註66〕又謂：「邦有道，穀；邦無道，穀，恥也。」〔註67〕而孟子亦
云：「古之人，未嘗不欲仕也，又惡不由其道；不由其道而往者，與鑽穴隙
之類也。」〔註68〕儒者固求出仕爲官以行正道，然若寡廉鮮恥、卑恭屈膝、
競逐名利而不由其道者，則爲醇儒所唾棄，而不足以稱爲儒者、士人。唯儒
者重氣節之傳統，至明末之梨洲，有民族大義之融入。明亡之後，梨洲之政
治活動既告失敗，乃深以遺民自居，未出仕任官，而時於詩文中表露故國之
思與亡國之痛，曰：

> 亡國何代無？此恨眞無窮；青天白日淡，幽谷多悲風；更無雜鳥來，
> 杜宇哭朦朧。（《南雷詩歷》，卷三，〈宋六陵〉）

亡國遺民之悲痛誠深重而無窮。唯梨洲於此亡國之悲痛下，並未灰心喪志，
而猶亟亟思救國治亂，云：

> 一生甜苦歷中邊，治亂循環豈偶然？曾向曉山推卦運，時從拾得哭
> 蒼天，摩娑黃獨長鑱手，抖擻花牛落日肩，人物中原憔悴盡，豈容
> 吾輩只安眠？（《南雷詩歷》，卷一，〈次韻答旦中〉）

是知梨洲用世之心，復國之志，實未嘗斷絕。大抵梨洲乃以遺民爲天地元氣
之所在，而維忠義之心於不墜，〔註69〕謂：

> 嗟乎！亡國之戚，何代無之，使過宗周而不憫黍離，陟北山而不憂父
> 母，感陰雨而不念故夫，聞山陽笛而不懷舊友，是無人心矣！故遺民
> 者，天地之元氣也。然士各有分，朝不坐，宴不與，士之分亦止於不
> 仕而已。所稱宋遺民如王炎午者，嘗上書速文丞相之死，而己亦未嘗
> 廢當世之務，是故種瓜賣卜，呼天搶地，縱酒祈死，穴垣通飲饌者，
> 皆過而失中者也。（《南雷文約》，卷二，〈謝時符先生墓誌銘〉）

梨洲之意，乃以遺民之出處行事爲儒者、士人氣節之具體表徵，而以士之止

〔註66〕見《論語》，〈憲問篇〉。
〔註67〕同前註。
〔註68〕見《孟子》，〈滕文公篇〉。
〔註69〕梨洲乃以鄭思肖著《心史》，鐵函封固，沈之井中一事，爲「自有宇宙，祇此
　　　忠義之心，維持不墜」，則梨洲誠視遺民之心爲忠義。事見氏著，〈謝時符先
　　　生墓誌銘〉，《南雷文約》，卷二。

於不仕爲儒者持守氣節之分際，故其於宋遺民王炎午之激進態度，以爲乃「過而失中」。觀梨洲一生堅不仕清，對於清廷之屢次徵召，或堅辭、或婉拒，則梨洲固能持守遺民止於不仕之分也。然而，梨洲之堅不仕清，除具儒者表彰氣節意義外，究其實，更蘊含有民族大義之情結。蓋因就實際行動言，梨洲曾積極從事反清復明之政治活動；而就思想主張言，梨洲之民族意識實頗強烈，此由梨洲《留書》中稱明朝爲本朝，而稱清朝爲僞朝，及當其爲文時，將宋、明二朝並列而論之作法，即可得知。梨洲言：

> 宋之亡也，張世傑嘗遣使往海外某國借兵，陳宜中亦身至占城借兵。
> 崖山既陷，兩國之師同日至，遂不戰而返。今日之事，何其與之相
> 類耶！（《行朝錄》，卷八，〈日本乞師〉）

檢視以往歷史，亡國之事何代無？然於眾多亡國朝代中，梨洲獨擇宋亡之事以與明亡相類，其著眼點誠在宋、明二朝俱亡於異族之手上。以故，梨洲對於宋代遺民之行事，多所致意。謂：

> 宋之亡，文、陸身殉社稷，而謝翱、方鳳、龔開、鄭思肖徬徨草澤之
> 間，卒與文、陸並垂千古。（《南雷文定》，三集，卷二，〈余恭人傳〉）

是知身殉社稷與徬徨草澤者，同爲民族氣節之表彰，而亦均爲梨洲所肯定。然而，梨洲之特重民族氣節，並躬身行之，誠令其經世思想之實踐陷入困境。蓋因經世理想之施爲，必落實於施政理民上，而欲施政理民，即須出仕爲官；而爲官之道，乃「爲天下，非爲君也；爲萬民，非爲一姓也。」〔註70〕亦即，當「以天下萬民起見」。〔註71〕唯梨洲因堅守民族氣節，而恥事異姓，高標忠義，遂令出仕做官以施政理民之事益發不可爲，如此而欲求其經世思想得以確實踐履，無異緣木求魚，其困境之產生，不亦宜乎？爲因應此困境之存在，又爲堅持儒者經世之理想與抱負，梨洲乃不得不採行講學、著述之變通方式以實踐其經世思想。

由參與反清復明之政治行動至終生不仕清朝，梨洲之堅持民族氣節，誠屬事實。然而，論者頗以梨洲晚年之志節有虧而加以貶損。〔註72〕如其晚年亟稱清帝爲聖天子，又與當時之在朝者若尙書徐乾學、明史館總裁徐元文、

〔註70〕 見黃宗羲，〈原臣〉，《明夷待訪錄》。

〔註71〕 同前註。

〔註72〕 如章太炎，即評黃宗羲曰：「守節不遜，以言亢宗，又弗如王夫之」。見章太炎，〈章錄初編〉，〈非黃〉，《太炎文錄》（收入氏著《章氏叢書》下冊，臺北：世界書局，1982年再版），卷一。又：見錄於林保淳導讀之《明夷待訪錄》。

葉方藹等人，頗有來往。〔註73〕凡此均予人梨洲氣節之勁，已不如昔日之感。
唯觀梨洲之言：

> 天下之治亂，不在一姓之興亡，而在萬民之憂樂。是故桀、紂之亡，
> 乃所以為治也；秦政、蒙古之興，乃所以為亂也。（《明夷待訪錄》，
> 〈原臣〉）

則梨洲誠已自長遠廣大之萬民憂樂著眼，而不必侷限於一姓之興亡以論天下
之治亂。儒者經世之目的原為平治亂世，而安天下百姓。梨洲晚年，滿清政
局漸趨穩固，而天下亦見承平之象；梨洲既主張公天下之政治思想，並以天
下治亂繫於萬民憂樂上，則其目睹清立之後漸入軌道之天下大勢，復相較於
晚明政治腐敗，民生凋敝，天下陷於陸沈泥腐之局勢，必深有所感，是知其
晚年諸行事之不再蒼勁、凜然，實有原因，絕非志節有虧四字所可解說。而
究其原因，正在於梨洲經世願望之未嘗消失。是以，梨洲本人雖堅持民族氣
節而不直接參與明史之編撰，〔註74〕但基於存留有明三百年歷史，以警惕後
人並資經國濟世之用，梨洲非僅對清廷延其子百家參史局，未加阻攔，〔註75〕
更命弟子萬斯同亦加入修史行列。則就民族氣節之持守言，梨洲或有可議之
處，然原其本心，梨洲堅守其經世濟民之抱負未嘗改變。唯以其囿於民族意
識之主觀思想影響，遂令其實踐經世思想時，不得不改行權變之道，而無能
獲得真正之政經施為之實踐。

　　總而言之，梨洲變通實踐經世思想之方式，誠受主、客觀因素之限制與
影響。雖然，梨洲面臨經世困境之產生，仍儘可能克服，唯就客觀環境限制

〔註73〕 梨洲與朝官交往之事，可參見黃宗羲，〈傳是樓藏書記〉，《南雷文約》，卷四，
　　　　及〈次葉訒庵太史韻〉，〈次徐立齋先生見贈〉，《南雷詩歷》，卷二，卷四。至
　　　　於梨洲之稱清帝為聖天子之事，可參見〈餘姚重修儒學記〉，《南雷文約》，卷
　　　　四，言：「聖天子崇儒尚文。」又可見〈周節婦傳〉，云：「今聖天子無幽不燭，
　　　　使農里之事，得以上達，綱常名教，不因之而益重乎？」見《南雷文定》，三
　　　　集，卷三。
〔註74〕 由《黃梨洲先生年譜》及〈答萬貞一論明史歷志書〉，《南雷文定》，後集，卷
　　　　一，可知，舉凡史局大案，必請梨洲正之，而於梨洲之論著或見聞，有資明
　　　　史編撰者，朝廷即令當地之地方官鈔錄送京，宣付史館。是知梨洲固未嘗親
　　　　自參與明史之編修，然間接涉及此修史工作，誠無庸置疑。
〔註75〕 監修明史總裁徐立齋嘗延請梨洲子百家參史局，對於此事，梨洲之反應乃以
　　　　書戲徐立齋，曰：「昔聞首陽二老，託孤於尚父，遂得三年食薇，顏色不壞，
　　　　今我遣子從公，可以置我矣。」則梨洲實不反對其子之參史局。事見黃炳垕
　　　　編輯，《黃梨洲先生年譜》，卷下，〈康熙十九年庚申，公七十一歲〉條。

言，此原非梨洲一人能力所可改變；若就主觀思想影響言，梨洲終因個人民族氣節之考慮，而放棄出仕爲官之以政經施爲實踐經世思想之機會。容或如此，梨洲經世之企望仍甚強烈，故終其一生亟思變通之道以行，是知梨洲之用心誠深矣！

第七章　結論：黃宗羲經世思想對後世之影響

　　考察梨洲廣博之學術，經世致用思想非僅爲其宗旨之所在，亦爲其一生立身行事之依歸。是以梨洲終生所矻矻不倦者，即在體現並亟思實踐其經世致用思想。綜觀梨洲之經世思想，主要乃因應明末清初天崩地解之時代變局，其本諸儒者固有憂患意識與儒學爲經緯天地之經世傳統，而於陽明、蕺山之心學傳人基礎上，參酌南宋以來浙東學派〔註1〕之講史學、重事功；復加以其自身對經術、史學之獨特領會，乃特重有明一代史實、史事之纂述，而藉以檢討明代之施政弊端與覆亡原因，冀復三代之治，以博施濟眾、平治天下，而達內聖外王之境。古清美即言：

> 梨洲……以「經」植其根，以儒者之經緯天地爲懷抱而顯用於「史」；故其學雖似駁雜，卻是以一「經世致用」之思想貫串而成。由於其學術乃以此種精神爲指南針，故他可以總攬各門學問而非專居其中之一以成名，他沿心學而著意於蕺山學挽救衰敝之精神，卻不往心學的精深處走下去：他提倡窮經以正學術之流，卻非傾全力以治傳注；他講史學專務當代之明史，並以史的方式去整理學術、政治、

〔註1〕　王鳳賢嘗釐清「浙東學派」之定義，曰：「所謂『浙東學派』，從大範圍來說，應當包括南宋以來浙東各個學派在內，其中有以呂祖謙爲代表的金華學派，以葉適爲代表的永嘉學派，以陳亮爲代表的永康學派，以及明代中葉的王陽明心學（姚江學派）但歷代學者，也有把『浙東學派』理解爲以黃宗羲爲代表的學派，這實際上指的是清代浙東學派。」參見氏著〈試評歷代學者論清代浙東學派〉，頁88，此文收錄於《黃宗羲論》，頁88～108。

文學各方面，囊括一代之史，以他的思想去檢討批判，才真正貫注了他作學問最終講求的「經世致用」的目的和精神；故我們可以說梨洲學術之經絡即其史學精神。(《黃梨洲之生平及其學術思想》，第四章，第二節)

重經講史誠為梨洲經世思想之重要特色。唯梨洲終未能於實際之政經施為上徹底踐履其經世思想，實現其理想政治。雖然如此，經由梨洲變通經世之實踐方式，其經世思想仍得延續於身後，並為後人所發揚，而其中尤以史學經世與政治理念二者，影響後世最為深遠，非僅促成清代浙東史學之興盛，亦於清末之革命運動有所啟發。以下即分別針對此二方面進行檢視，冀明梨洲經世思想對後世之影響，亦見其經世思想存續於後世之面貌。

第一節　清代浙東史學之興盛

關於浙東學術之興起，章學誠嘗作說明，謂：

浙東之學，雖出婺源，然自三袁〔註2〕之流，多宗江西陸氏，而通經服古，絕不空言德性，故不悖於朱子之教。至陽明王子揭孟子之良知，復與朱子牴牾；蕺山劉氏本良知而發明慎獨，與朱子不合，亦不相詆也。梨洲黃氏出蕺山劉氏之門，而開萬氏弟兄經史之學，以至全氏祖望輩尚存其意，宗陸而不悖於朱者也。(《文史通義》，內篇，二〈浙東學術〉)

則清代浙東學術之盛，實由梨洲開其端，其學術歸趨，乃「宗陸而不悖於朱」。然而，若就整個浙東史學之發展過程言，〔註3〕實「歷有淵源」，非僅限於滿清一朝所有。章學誠即言：

浙東史學，自宋元數百年來，歷有淵源。(《校讐通義》，外篇，〈與

〔註2〕所謂三袁，乃指南京袁變及其子袁肅、袁甫三人。三人俱接受陸象山之心學思想。

〔註3〕關於「浙東史學」一名，杜維運曾辨析，謂：「全祖望於《宋元學案》稱浙東之學為『浙學』，又稱之為『婺學』、『永嘉之學』。至章學誠則『浙東學術』之名出。『浙學』之範圍過泛，『婺學』、『永嘉之學』又失之於偏，章氏所定之名，自較適宜。浙東學者，皆攻史學，『浙東史學』之名，因之可立。章氏亦時直稱浙東史學。此浙東史學命名之不容置疑者也。」見氏著〈黃宗羲與清代浙東史學派之興起〉，《清代史學與史家》，頁164。然則，「浙東史學」一名之立，誠有依據，蓋因浙東學者，皆攻史學也。

胡雒君論校胡樨威集二簡〉〉

又云：

> 浙中自元、明以來，藏書之家不乏。蓋元、明兩史，其初稿皆輯成
> 於甬東人士。故浙東史學，歷有淵源，而乙部儲藏，亦甲他處。（《章
> 氏遺書》，卷二九，外集，二，〈與阮學使論求遺書〉〉

而梨洲亦謂：

> 昔也宋金華，文章莫與儷；後此三百年，玉峰爲介邱。元、明二代
> 史，屬之以闡幽；推琴起講堂，束帛多英儔；直不讓南董，於以贊
> 《春秋》。（《南雷詩歷》，卷四，〈次徐立齋先生見贈〉〉

是知浙東史學形成於南宋，且相傳甚久，以至清代，乃無庸置疑。〔註4〕唯元、
明之世，浙東史學漸趨衰微；至明末清初之梨洲，方啓振興之契機，而下開
萬斯同、全祖望，章學誠、邵晉涵之史學。〔註5〕則清初以後，浙東史學之昌
盛，誠由梨洲啓之也。故梁啓超以爲梨洲乃「清代浙東學派之開創者」。〔註6〕

　　清代浙東史學家中，受梨洲經世思想影響較大者，有：梨洲弟子萬斯同，
與全祖望、章學誠等人。其中以萬斯同，最能繼述梨洲以史學經世之思想。
嘗云：

> 經世之學，實儒者之要務，而不可不宿爲講求者。今天下生民何如
> 哉？歷觀載籍以來，未有若是其憔悴也。使有爲聖賢之學，而抱萬
> 物一體之懷者，豈能一日而安居於此？……吾竊不自揆，常欲講求
> 經世之學，若無與我同志者。……夫吾之所謂經世者，非因時補救，
> 如今所謂經濟云爾也；將盡取古今經國之大猷，而一一詳究其始末，
> 斟酌其確當，定爲一代之規模，使今日坐而言者，他日可以作而行
> 耳。（《石園文集》，卷七，〈與從子貞一書〉〉

萬斯同以經世之學爲儒者要務，實即梨洲以「儒者之學，經緯天地」觀念之

〔註4〕　金毓黻即否定浙東史學之存在。其論點乃以梨洲之學與呂祖謙、葉適、陳傅
　　　　良、陳亮無相關涉，故反對上溯清代浙東之學至南宋之永嘉、永康學派；至
　　　　於對章學誠、邵晉涵二人與浙東史學之關係，亦視爲乃地理環境接近，受風
　　　　氣流衍影響所致，而非有學派家法之傳授。詳論參見氏著《中國史學史》（上
　　　　海：上海書店，1989年），第九章。案：杜維運嘗針對此論予以辨證，同前註
　　　　中杜維運之文，頁164～168。
〔註5〕　參見杜維運之論述，同前註中杜維運之文。頁164～165。
〔註6〕　見梁啓超，《中國近三百年學術史》，頁40。

繼承。〔註7〕至若所謂盡取古今經國大猷，詳其始末，以定一代之規模，而待日後施行者，則誠爲梨洲著《明夷待訪錄》一書用意之延伸。萬斯同又謂：

> ……吾竊怪今之學者，其下者既溺志於詩文，而不知經濟爲何事；其稍知振拔者，則以古文爲極軌，而未嘗以天下爲念；其爲聖賢之學者，又往往疏於經世，見以爲粗跡而不欲爲。於是學術與經濟，遂判然分爲兩途，而天下始無眞儒矣，而天下始無善治矣。嗚呼，豈知救時濟世，固孔、孟之家法，而己飢己溺，若納溝中，固聖賢學問之本領也哉？……使古今之典章法治爛然於胸中，而經緯條貫，實可建萬世之長策。他日，用爲帝王師，不用則著書名山爲後世法，始爲儒者之實學，而吾亦俯仰於天地之間而無媿矣。（《石園文集》，卷七，〈與從子貞一書〉）

萬斯同認爲能以天下存心，而合學術、經濟爲一，方可謂「眞儒」。而所謂學術、經濟不二，即同於梨洲「儒、墨諸家，其所著書，大者以治天下，小者以爲民用，蓋未有空言無事實者」之意。〔註8〕是知萬斯同實有經世之志，明顯承傳梨洲以經世致用爲儒學要旨，並作爲己身整個學術所寄之一貫精神。本此經世原則，萬斯同以布衣參與《明史》之編修，不署銜、不受祿，以持其志節。除此之外，萬斯同尙撰有《宋季忠義錄》、《六陵遺事》、《兩浙忠賢錄》、《明季兩浙忠義考》，或表彰忠烈節義，或追述鄉邦遺獻；又所撰《儒林宗派》，性質與《明儒學案》相近，是則梨洲以史學經世之精神，誠爲萬斯同所充分發揚。

　　萬斯同之後，全祖望雖未及見梨洲，然甚服膺梨洲爲人及其學術。梨洲以史學經世之主要方式，即撰人物、碑銘等史以表彰明季忠節，徵存明季文獻。全祖望秉承梨洲遺風，亦撰作明末遺臣、遺民之神道碑與墓誌銘，詳載、考證其人之忠烈事蹟，以表彰明末氣節之士。換言之，亦以碑傳爲史傳，此固時見於全祖望《鮚埼亭集》一書中，而與梨洲之《南雷文約》、《文定》、《文案》類似。全祖望之欽慕梨洲，非僅見於其詳考梨洲生平事蹟與學術思想，〔註9〕更

〔註7〕見黃宗羲，〈贈編修弁玉吳君墓誌銘〉，《南雷文定》，後集，卷三。

〔註8〕見黃宗羲，〈今水經序〉，《今水經》。

〔註9〕對於梨洲之著作，全祖望時爲作序、作跋，非僅詳明其旨，亦於所已考訂之經、史篇章，參酌梨洲意見，而頗有訂正；此外，又有論《明儒學案》事目多條，並於梨洲學術多所研究，且踵梨洲之續，詳研《水經》，凡此皆見於全祖望《鮚埼亭集》，外編。案：此部分論點，參考古清美，《黃梨洲之生平及

以續成梨洲所未完成之《宋元學案》為最具體表現。嘗言：

> 黃竹門牆尺五天，辦香此日尚依然；千秋兀自綿薪火，三逕勞君盼
> 渡船。酌酒消寒欣永日，挑燈講學憶當年；《宋元儒案》多宗旨，肯
> 令遺書歎失傳。（《鮚埼亭詩集》，卷四，〈仲春仲丁之半浦陪祭梨洲
> 先生〉）

全祖望之精神誠上接於梨洲。唯全祖望之續纂《宋元學案》，乃本諸梨洲未完成之志，非如梨洲撰《明儒學案》時，存有校正當代學術之用心。嘗言：

> 予續南雷《宋儒學案》，旁搜不遺餘力；共有六百年來儒林所不及知，
> 而予表而出之。（《鮚埼亭集》，卷三十，〈戢山相韓舊塾記〉）

又云：

> 關洛源流在，叢殘細討論；茫茫溯薪火，渺渺見精魂；世盡原伯魯，
> 吾慚褚少孫；補亡雖兀兀，誰與識天根。（《鮚埼亭詩集》，卷五，〈舟
> 中編次南雷宋儒學案序目〉）

全祖望誠本補亡拾佚以完成前人志向之心情，續纂《宋元學案》。則其受梨洲史學經世之影響固深矣，而於梨洲學術思想之繼述闡揚甚有貢獻。

全祖望之後，另一持續發揚梨洲經世思想者，即章學誠。章學誠乃清代浙東史學一重要人物，蓋因其身居乾嘉考據學風最盛時期，而能不屑為之，自立於正統之外，堅守史學經世之主張，而於浙東史學有發明之功。章學誠嘗從劉文蔚學，而得聞戢山、梨洲之說，對於梨洲之經世思想，頗有領會，曰：

> 史之大原本乎《春秋》，《春秋》之義昭乎筆削。筆削之義，不僅事
> 具始末、文成規矩已也；以夫子義則竊取之旨觀之，固將綱紀天人，
> 推明大道，所以通古今之變而成一家之言者，必有詳人之所略，異
> 人之所同，重人之所輕，而忽人之所謹，繩墨之所不可得而拘，類
> 例之所不可得而泥，而後微茫秒忽之際有以獨斷於一心；及其書之
> 成也，自然可以參天地而質鬼神，契前修而俟後聖，此家學之所以
> 可貴也。（《文史通義》，內篇，四，〈答客問〉上）

以《春秋》筆削之義，非僅「事具始末，文成規矩」，而將「綱紀天人，推明大道，所以通古今之變而成一家之言」，由是，方可「參天地而質鬼神，契前修而俟後聖」，則章學誠固重史學之寓有義理者，亦即以史學經世；而非純粹史事、史實載錄之史學。如此觀點，實與梨洲寓義理於史學中之主張，若合

符節。章學誠又言：

> 君子苟有志於學，則必求當代典章以切於人倫日用，必求官司掌故
> 而通於經術精微，則學爲實事而文非空言，所謂有體必有用也。不
> 知當代而言好古，不通掌故而言經術，則鑿悅之文，射覆之學，雖
> 極精能，其無當於實用也審矣。（《文史通義》，內篇，五，〈史釋〉）

「自當代典章以切人倫日用，由官司掌故而通經術精微」，此誠梨洲「學必原本於經術，而後不爲踞虛，必證明於史籍，而後足以應務」之進一步具體發揮。〔註10〕章學誠既以通變適用論史，故於當代、近世史之重視，自屬必然，此誠爲浙東史家史學經世精神之發用，此於梨洲經世思想中已見端倪。章學誠述浙東史學，曰：

> 史學所以經世，固非空言著述也。且如六經同出於孔子，先儒以爲
> 其功莫大於《春秋》，正以切合當時人事耳。後之言著述者，舍今而
> 求古，舍人事而言性天，則吾不得而知之矣。學者不知斯義，不足
> 言史學也。（《文史通義》，內篇，二，〈浙東史學〉）

梨洲寓義理於史學中，與章學誠「言性命者必究於史」之精神實相吻合，〔註11〕故章學誠之論史學經世，「不可謂非是梨洲學術思想一脈留存」。〔註12〕

綜上所述，浙東史學之發展誠「歷有淵源」，但若就清代浙東史學之興發乃至昌大言，梨洲體現並存續其經世思想之功實不可沒。

第二節　對清末變法、革命之啓發

梨洲經世思想對後世之另一項影響，在其政治理念啓發清末變法、革命之思想。梨洲之政治理想，主要顯現於《明夷待訪錄》一書。清乾隆年間，《明夷待訪錄》被列爲禁書，蓋因書中揭櫫「公天下」觀念，而激烈反對「家天下」之專制政體，並極力抨擊君主專制之弊害，其中尤以〈原君〉、〈原臣〉、〈原法〉三篇論點，最具衝擊性；爲專制王朝所深惡，因而並未對當時產生影響；雖時至清末，由於西方民主思潮東傳，此書觀點頗有與之相符者，以故隨即發揮其作用，產生巨大之影響。

〔註10〕見全祖望，〈甬上證人書院記〉，《鮚埼亭集》，卷十六。
〔註11〕見章學誠，〈浙東學術〉，《文史通義》，內篇，二。
〔註12〕見古清美，《黃梨洲之生平及其學術思想》，第四章，第二節，頁191。

　　滿清末年，政治腐敗，民生凋敝，內亂迭生，外患頻仍，儒者士人目睹國勢日衰，國運日頹，乃思有以挽救之，而主張變法維新。當時，即配合此書之印行，而倡民權共和之說。維新變法之代表人物爲梁啓超、譚嗣同。梁啓超嘗引述梨洲〈原君〉篇中謂後之爲人君者，「以天下之利盡歸於己，天下之害盡歸於人」，視天下爲一己莫大之產業，並以君臣之義規範小儒使無所逃於天地間，「欲以如父如天之空名，禁人窺伺」之說，與〈原法〉篇中「有治法而後有治人」之言，而評論道：

> 此等論調，由今日觀之，固其普通、甚膚淺，然在二百六、七十年前，則眞極大膽之創論也。故顧炎武見之而歎，謂「三代之治可復」。而後此梁啓超、譚嗣同輩倡民權共和之說，則將其書節鈔，印數萬本，秘密散布，於晚清思想之驟變，極有力焉。(《清代學術概論》，六)

是知梨洲《明夷待訪錄》，於梁、譚提倡變法之際，誠扮演改變世人思想之重要角色。梁啓超又謂：

> 先是嗣同、才常等設「南學會」聚講，又設《湘報》、《湘學報》，所言雖不如學堂中激烈，實陰相策應。又竊印《明夷待訪錄》、《揚州十日記》等書，加以案語，秘密分布，傳播革命思想，信奉者日眾，於是湖南新舊派大鬨。(《清代學術概論》，二十五)

本此可證明梨洲《明夷待訪錄》之印發，誠於當時造成廣大回應。梁、譚等人既特別重視此書，自然亦深受此書之影響。梁啓超即言：

> 在三十年前——我們當學生時代，實爲刺激青年最有力之興奮劑，我自己的政治運動，可以說是受這部書的影響最早而最深。(《中國近三百年學術史》，五)

觀梁啓超謂《明夷待訪錄》甚具「民主主義的精神」，[註13]並以之爲「對於三千年專制政治思想爲極大膽的反抗」，[註14]而時有「警拔之說」，[註15]足見梁啓超改革思想之形成，當受《明夷待訪錄》之啓發。而譚嗣同亦云：

> 君統盛而唐虞后無可觀之政矣，孔教亡而三代下無可讀之書矣！乃若區玉檢於塵編，拾火齊於瓦礫，以冀萬一有當於孔教者，則黃梨

[註13] 見梁啓超，《中國近三百年學術史》，頁47。梁啓超並言：「此書乾隆間入禁書類，光緒間我們一班朋友曾私印許多送人，作爲宣傳民主主義的工具。」是知梁啓超甚以《明夷待訪錄》爲涵攝民主主義精神之書。
[註14] 同前註。
[註15] 同前註。

洲《明夷待訪錄》，其庶幾乎！其次，爲王船山之遺書。皆於君民之
際，有隱恫焉。（《仁學》，三一）

譚嗣同之重視《明夷待訪錄》一書，由此可知。而審諸其所論君臣之關係，
益見其受《明夷待訪錄》之影響。謂：

生民之初，本無所謂君臣，則皆民也。民不能相治，亦不暇治，於
是共舉民爲君。夫曰共舉之，則非君擇民，而民擇君也。夫曰共舉
之，則其分際又非甚遠於民，而不下儕於民也。夫曰共舉之，則因
有民而後有君；君末也，民本也。天下無有因末而累及本者，亦豈
可因君而累及民哉？夫曰共舉之，則且必可共廢之。君也者，爲民
辦事者也；臣也者，助辦民事者也。（《仁學》，三一）

較諸梨洲之〈原君〉、〈原臣〉二篇，黃、譚二人立論之觀點誠極相似。大抵梨
洲以古之人君，乃「有人者出」，又「以千萬倍之勤勞而己又不享其利」，〔註16〕
而畢世所經營者，必爲天下也。若古之人臣，則與君同爲曳大木、共治國事之
人，「必以天下萬民起見」，〔註17〕而不得務遂人君之私心、私欲。至若譚嗣同
則以君爲民所共舉而須爲民辦事，故君民之分際非甚遠，而以民爲本，以君爲
末；由是，君必可共廢。若爲人臣者，則助君辦民事。是知譚嗣同之政治理念
固受梨洲《明夷待訪錄》啓發。

雖然如此，梁、譚等人均未具體論及有關此書之內，尤其是維新人士如
何將此二百多年前深具時代氣息之著作之論點應用至清末時代？以及此書內
容如何配合清末之民主理論等問題，均於梁、譚等人著作中未能獲得明確而
具體之答案。梁啓超嘗就《明夷待訪錄》之內容，概略言之：

書中各篇——如田制、兵制、財計等，雖多半對當時立論，但亦有
許多警拔之說，如主張遷都南京，主張變通推廣「衛所屯田」之法，
使民能耕而皆有田可耕，主張廢止金銀貨幣，此類議論，雖在今日
或將來，依然有相當的價值。（《中國近三百年學術史》，五）

如此論說，雖可略見梗概，但於民主理論之如何配合問題仍未見說明。容或
如此，梨洲《明夷待訪錄》中所揭示之政治理念，對清末維新變法運動之啓
發，畢竟不容懷疑。

除維新變法外，對清末推翻滿清專制政體之革命活動，梨洲之《明夷待

〔註16〕見黃宗羲，〈原君〉，《明夷待訪錄》。
〔註17〕同前註，〈原臣〉。

訪錄》亦有啓發之功，蓋因　國父孫逸仙先生於海外奔走提倡革命之際，即隨身攜帶摘錄自《明夷待訪錄》之〈原君〉、〈原臣〉二文，〔註 18〕則梨洲之政治理念於革命運動亦多所啓發。

　　綜觀梨洲之經世思想，固未嘗眞正實踐於當世，然此固爲歷來儒者所必遭逢而又無可突破之困境。雖然，梨洲仍試圖體現並存續其經世思想，以待後世有王者起之用。由是乃有《明夷待訪錄》、《明儒學案》等深具時代意義之著作流傳至今；其中，尤以《明夷待訪錄》一書，予中國政治以深遠之影響，而就推翻滿清專制政權，建立民國政府言，梨洲之經世思想，或可謂已得部分實踐，而梨洲之經世精神亦得見延續於其身後。

〔註18〕參見吳相湘，《孫逸仙先生——中華民國　國父》（臺北：傳記文學出版社，1971 年初版），第一冊，下，頁 129～130。

主要參考書目

一、**黃宗羲著作**（依出版年代順序排列）

1. 《吾悔集》（又名《南雷續文案》），四卷（四部叢刊初編），臺北市：臺灣商務印書館，1967 年 9 月。

2. 《梨洲遺著彙刊（上）、（下）》三十二種，臺北市：隆言出版社，1969 年 10 月 96 臺初版。（原宣統二年薛鳳昌編次，時中書局出版，1927 年上海掃葉山房增訂再版。）

   （1）《南雷文約》，四卷。

   （2）《南雷文定》，前集，十卷。

   （3）《南雷文定》，後集，四卷。

   （4）《南雷文定》，三集，三卷，附錄一卷。

   （5）《南雷文定》，四集，三卷。

   （6）《南雷文案》，四卷，外卷一卷。

   （7）《南雷詩歷》，四卷。

   （8）《明夷待訪錄》，一卷。

   （9）《破邪論》，一卷。

   （10）《歷代甲子攷》，一卷。

   （11）《西臺慟哭記註》，一卷。

   （12）《冬青樹引註》，一卷。

   （13）《汰存錄》，一卷。

   （14）《隆武紀年》，一卷。

   （15）《贛州失事紀》，一卷。

（16）《紹武爭立紀》，一卷。

（17）《魯紀年》，二卷。

（18）《舟山興廢》，一卷。

（19）《日本乞師紀》，一卷。

（20）《四明山寨紀》，一卷。

（21）《永歷紀年》，一卷。

（22）《沙定洲紀亂》，一卷。

（23）《滇考》，一卷。

（24）《賜姓始末》，一卷。

（25）《鄭成功傳》，一卷。

（26）《張元著先生事略》，一卷。

（27）《思舊錄》，一卷。

（28）《金石要例》，一卷，附論文管見。

（29）《今水經》，二卷。

（30）《匡廬游錄》，一卷。

（31）《孟子師說》，七卷。

（32）《海外慟哭記》，一卷。

3. 《黃宗羲全集》，第二冊（歷史・地理），杭州市：浙江古籍出版社，1986年 5 月一版。

（1）《弘光實錄鈔》。

（2）《行朝錄》。

（3）《海外慟哭記》。

（4）《西臺慟哭記註》。

（5）《冬青樹引註》。

（6）《金石要例》。

（7）《歷代甲子考》。

（8）《四明山志》。

（9）《匡廬遊錄》。

（10）《今水經》。

4. 《明儒學案》，三冊，臺北市：華世出版社，1987 年 2 月臺一版。

5. 《黃宗羲全集》，第一冊（哲學・政治思想），臺北市：里仁書局，1987年 4 月。

（1）《孟子師說》。

（2）《深衣考》。

（3）《喪制或問》。

（4）《梨洲末命》。

（5）《破邪論》。

（6）《子劉子行狀》。

（7）《子劉子學言》。

（8）《汰存錄》。

（9）《思舊錄》。

（10）《黃氏家錄》。

6. 《明夷待訪錄》，林保淳導讀，臺北市：金楓出版社，1987 年 5 月初版。

7. 《宋元學案》（清・全祖望補修），六冊，臺北市：華世出版社，1987 年 9 月臺一版。

8. 《南雷雜著真蹟》，吳光整理釋文，臺北市：臺灣學生書局，1990 年 5 月初版。

9. 《黃宗羲全集》，第九冊（天文曆算・象數類），杭州市：浙江古籍出版社，1992 年。

（1）《易學象數論》。

（2）《曆學假如》。

（3）《授時曆故》。

10. 《黃宗羲全集》，第十、十一冊（《南雷詩文集》），杭州市：浙江古籍出版社，1993 年。

11. 《黃宗羲全集》，第十二冊（附錄），杭州市：浙江古籍出版社，1994 年。

二、古籍經典（先依經史子集分類，再本作者年代排序）

（一）經

1. 《詩經》（十三經注疏本），臺北：藝文印書館，1985 年 12 月十版。

2. 《論語》（十三經注疏本），臺北：藝文印書館，1985 年 12 月十版。

3. 《孟子》（十三經注疏本），臺北：藝文印書館，1985 年 12 月十版。

4. 晉・杜預，《春秋經傳集解》，臺北市：臺灣商務印書館，1979 年臺一版。

5. 清・王夫之，《周易外傳》，臺北市：河洛圖書出版社，1973～1977 年。

（二）史

1. 西漢・司馬遷，《史記》（正史全文標校讀本），臺北市：鼎文書局，1979～1980 年。

2. 東漢・班固，《漢書》（正史全文標校讀本），臺北市：鼎文書局，1979～1980 年。

3. 晉・陳壽，《三國志》（正史全文標校讀本），臺北市：鼎文書局，1979～1980 年。

4. 南朝宋・范曄，《後漢書》（正史全文標校讀本），臺北市：鼎文書局，1979～1980 年。

5. 唐・房玄齡，《晉書》（正史全文標校讀本），臺北市：鼎文書局，1979～1980 年。

6. 唐・張守節，《史記正義》（景印文淵閣四庫全書本），臺北市：臺灣商務印書館，1983～1986 年。

7. 明・王夫之，《讀通鑑論》，臺北市：里仁書局，1985 年。

8. 清・陸士儀，《復社紀略》，收於蔣平階等撰《東林與復社》，臺北市：臺灣銀行經濟研究室，1968 年。

9. 清・張廷玉，《明史》（正史全文標校讀本），臺北市：鼎文書局，1979～1980 年。

10. 清・黃炳垕編輯，《黃梨洲先生年譜》，收入《梨洲遺著彙刊（上）、（下）》三十二種，臺北市：隆言出版社，1969 年 10 月 96 臺初版。

11. 清・江藩，《漢學師承記》，臺北市：臺灣商務印書館，1970 年臺一版。

12. 清・魏源，《海國圖志》，臺北市：成文出版社，1967 年。

13. 清・皮錫瑞，《經學歷史》，臺北：藝文印書館，1985 年。

（三）子

1. 北宋・周敦頤，《周子通書》（四部備要本），上海市：中華書局，1936 年。

2. 北宋・周敦頤，《周子全書》，臺北市：臺灣商務印書館，1978 年臺一版。

3. 北宋・程顥，程頤，《二程全書》，臺北市：中華書局，1966 年。

4. 南宋・陸九淵，《陸象山全集》，臺北市：世界書局，1979 年再版。

5. 南宋・朱熹，呂祖謙輯，《近思錄》，臺北：藝文印書館，1969 年。

6. 南宋・眞德秀，《大學衍義》（景印文淵閣四庫全書本），臺北市：臺灣商務印書館，1983～1986 年。

7. 明・丘濬，《大學衍義補》（景印文淵閣四庫全書本），臺北市：臺灣商務印書館，1983～1986 年。

8. 明・王守仁，《王陽明全集》，臺北市：古新書局，1978 年。

9. 明・王守仁，《王陽明全集》，上海市：上海古籍出版社，1992 年第一版。

10. 明・王艮，《王心齋全集》，臺北市：廣文書局，1987 年。

11. 明・高攀龍，《高子遺書》（景印文淵閣四庫全書本），臺北市：臺灣商務

印書館，1983～1986 年。

12. 明・劉宗周，《劉子全書及遺編》，日本京都：中文出版社，1981 年。

13. 明・陳確，《陳確集》，臺北：漢京文化事業公司，1984 年。

14. 清・章學誠，《文史通義》，臺北市：華世出版社，1980 年 9 月。

15. 清・章學誠，《章氏遺書》，臺北市：漢聲出版社，1973 年。

（四）集

1. 三國魏・嵇康，《嵇中散集》（景印文淵閣四庫全書本），臺北市：臺灣商務印書館，1983～1986 年。

2. 南宋・朱熹，《朱子語類》，臺北市：正中書局，1962 年。

3. 南宋・朱熹，《朱子文集》，臺北：藝文印書館，1969 年。

4. 南宋・陳傅良，《止齋文集》，臺北市：臺灣商務印書館，1979 年臺一版。

5. 南宋・陳亮，《陳龍川文集》，臺北市：新興書局，1956 年。

6. 明・李贄，《焚書》，臺北市：河洛圖書出版社，1974 年。

7. 明・焦竑，《澹園集》（叢書集成續編本），臺北市：新文豐出版公司，1989 年。

8. 明・陳第，《書札燼存》（陳季立五種），明刊本。

9. 明・顧憲成，《小心齋箚記》，臺北市：廣文書局，1975 年。

10. 明・顧憲成，《涇皋藏稿》（景印文淵閣四庫全書本），臺北市：臺灣商務印書館，1983～1986 年。

11. 明・許西山，《政學合一集》，臺北市：臺灣大學聯善本，康熙刊本。

12. 明・繆昌期，《從野堂存稿》（四部分類叢書集成三編本），臺北：藝文印書館，1971 年。

13. 明・陳貞慧，《陳定生先生遺書》，臺北：藝文印書館，1971 年。

14. 明・顧炎武，《日知錄》，臺北市：臺灣商務印書館，1965 年臺一版。

15. 明・顧炎武，《原抄本顧亭林日知錄》，臺北市：文史哲出版社，1979 年。

16. 明・顧炎武，《顧亭林詩文集》，臺北：漢京文化事業公司，1984 年。

17. 明・顧炎武，《亭林詩文集・亭林餘集》，臺北市：臺灣商務印書館，1979 年臺一版。

18. 明・魏禧，《日錄論文》，臺北市：新文豐出版公司，1989 年臺一版。

19. 明・魏禧，《魏叔子文集》，臺北市：臺灣商務印書館，1973 年。

20. 清・黃嗣艾，《南雷學案》，上海市：正中書局，1936 年。

21. 清・朱彝尊，《靜志居詩話》，收入楊家駱主編《中國學術名著》第三輯，《明詩綜：歷代詩文總集》，臺北市：世界書局，1989 年。

22. 清・萬斯同,《石園文集》(叢書集成本),臺北市:新文豐出版公司,1989年臺一版。

23. 清・全祖望,《鮚埼亭集》,臺北市:華世出版社,1977年。

24. 清・譚嗣同,《譚嗣同全集》,臺北市:華世出版社,1977年臺一版。

三、近人專著(先依作者姓氏筆劃,再本出版時間排列)

1. 中央研究院近代史研究所編,《近世中國經世思想研討會論文集》,臺北市:中央研究院近代史研究所,1984年。

2. 王爾敏,《中國近代思想史論》,臺北市:華世出版社,1982年1月。

3. 包遵信,《批判與啓蒙》,臺北市:聯經出版事業公司,1989年8月。

4. 古清美,《明代理學論文集》,臺北市:大安出版社,1990年5月一版。

5. 存萃學社編集,《中國近三百年學術思想論集三編》,香港:崇文書局,1972年3月。

6. 牟宗三,《從陸象山到劉蕺山》,臺北市:臺灣學生書局,1979年8月。

7. 牟宗三,《中國哲學的特質》,臺北市:臺灣學生書局,1990年10月再版。

8. 呂師凱,《魏晉玄學析評》,臺北市:世紀書局,1980年7月。

9. 杜正勝,劉岱總主編,《中國文化新論・社會篇——五土與吾民》,臺北市:聯經出版事業公司,1982年11月。

10. 杜維運,《清代史學與史家》,臺北市:東大圖書公司,1984年8月。

11. 杜維運,《清乾嘉時代之史學與史家》,臺北市:臺灣學生書局,1989年4月。

12. 余英時,《歷史與思想》,臺北市:聯經出版事業公司,1987年1月十二次印。

13. 余英時,《史學與傳統》,臺北市:時報文化出版事業公司,1988年6月。

14. 李澤厚,《中國古代思想史論》,臺北市:三民書局,1996年。

15. 吳相湘,《孫逸仙先生——中華民國 國父》,臺北市:傳記文學出版社,1971年。

16. 吳光主編,《黃宗羲論——國際黃宗羲學術討論會論文集》,杭州:浙江古籍出版社,1987年12月一版。

17. 吳光,《黃宗羲著作彙考》,臺北市:臺灣學生書局,1990年5月。

18. 吳光,《儒家哲學片論》,臺北市:允晨文化實業公司,1990年6月。

19. 林聰舜,《明清之際儒家思想的變遷與發展》,臺北市:臺灣學生書局,1990年10月。

20. 林保淳,《經世思想與文學經世:明末清初經世文論研究》,臺北市:文津出版社,1991年12月初版。

21. 侯外廬等著，《中國思想通史》第五卷，北京市：人民出版社，1958 年 1 月第一版。

22. 侯外廬、邱漢生、張豈之主編，《宋明理學史》二冊，北京市：人民出版社，1987 年 6 月第一版。

23. 韋政通，《開創性的先秦思想家》，臺北市：現代學苑月刊社，1972 年 3 月。

24. 徐復觀，《中國人性論史‧先秦篇》，臺北市：臺灣商務印書館，1987 年 3 月。

25. 徐復觀，《兩漢思想史》卷三，臺北市：臺灣學生書局，1989 年 2 月。

26. 章太炎，《章氏叢書》，杭州：浙江圖書館刊本，1917～1919 年，線裝版。

27. 梁啟超，《儒家哲學》，臺北市：臺灣中華書局，1956 年 5 月臺一版。

28. 梁啟超，《飲冰室文集》，臺北市：新興書局，1962 年二版。

29. 梁啟超，《清代學術概論》，臺北市：臺灣中華書局，1985 年 11 月臺十版。

30. 梁啟超，《中國近三百年學術史》，臺北市：臺灣中華書局，1987 年 2 月臺十一版。

31. 淡江大學中文系主編，《晚明思潮與社會變動》，臺北市：弘化文化事業公司，1987 年 12 月。

32. 張灝等著，周陽山、楊肅獻編，《近代中國思想人物論——晚清思想》，臺北市：時報文化出版事業公司，1980 年 6 月。

33. 張君勱，《新儒家思想史》，臺北市：弘文館出版社，1986 年 2 月。

34. 勞思光，《中國哲學史》（新編）第三卷上、下冊，臺北市：三民書局，1981 年 2 月增訂初版。

35. 黃仁宇，《萬曆十五年》，臺北市：食貨出版社，1986 年 4 月三版。

36. 黃秀政，《顧炎武與清初經世學風》（山廬文庫本），臺北市：臺灣商務印書館，1987 年 7 月二版。

37. 劉述先，《黃宗羲心學的定位》，臺北市：允晨文化實業公司，1986 年 10 月。

38. 董師金裕編撰，《明夷待訪錄——忠臣孝子的悲願》，臺北市：時報文化出版事業公司，1987 年 1 月。

39. 錢穆，《中國近三百年學術史》，臺北市：臺灣商務印書館，1990 年 10 月臺十版。

40. 蔡仁厚，《新儒家的精神方向》，臺北市：臺灣學生書局，1982 年 3 月。

41. 羅光，《中國哲學思想史》，臺北市：臺灣學生書局，1985 年 11 月再版。

42. 蘇德同纂輯，《劉蕺山、黃梨洲學案合輯》，臺北市：正中書局，1954 年 8 月臺初版。

四、期刊論文（先依作者姓氏筆劃，再本出版時間排列）

1. 山井湧著，盧瑞容譯，〈明末清初的經世致用之學〉，《史學評論》，1986年7月第12期，頁141～157。

2. 王聿均，〈清代中葉士大夫之憂患意識〉，《中央研究院近代史研究所集刊》，1982年6月第11期，頁1～12。

3. 王爾敏，〈經世思想之義界問題〉，《中央研究院近代史研究所集刊》，1984年6月第13期，頁27～38。

4. 王家儉，〈晚明的實學思潮〉，《漢學研究》，1989年12月第7卷第2期，頁279～302。

5. 石錦，〈略論明代中晚期經世思想的特質〉，《中國歷史學會史學集刊》，1972年5月第4期，頁202～219。

6. 古清美，〈清初經世之學與東林學派的關係〉，《孔孟月刊》，1985年11月第24卷第3期，頁44～51。

7. 朱鴻林，〈理論型的經世之學——真德秀大學衍義之用意及其著作背景〉，《食貨月刊》（復刊），1985年9月第15卷第3、4期合刊，頁16～27。

8. 余英時，〈清代學術思想史重要觀念通釋〉，《史學評論》，1983年1月第5期，頁19～98。

9. 杜維運，〈中國傳統史學的經世精神〉，《歷史月刊》，1988年4月第3期，頁20～23。

10. 李焯然，〈論儒家的經世之學〉，《大陸雜誌》，1989年10月第79卷第4期，頁18～26。

11. 何佑森，〈明末清初的實學〉，《臺大中文學報》，1991年6月第4期，頁37～51。

12. 周師浩治，〈通經致用的再出發〉，《孔孟學報》，1982年4月第43期，頁293～313。

13. 林麗月，〈明末東林派的幾個政治觀念〉，《臺灣師範大學歷史學報》，1983年6月第11期，頁21～42。

14. 林聰舜，〈傳統儒者經世思想的困境——從明清之際的顧、黃、王等人談起〉，《哲學與文化》，1987年8月第14卷第7期，頁47～58。

15. 林保淳，〈舊命題的全新架構——明清之際的經世思想〉，《幼獅學誌》，1987年10月第19卷第4期，頁170～192。

16. 唐端正，〈試論儒家之道德的宇宙觀〉，《新亞書院學術年刊》，1963年9月第5期，頁19～35。

17. 韋政通，〈從周易看中國哲學的起源〉（上）、（下），《現代學苑》，1967年9月第4卷第9期，10月第4卷第10期，頁15～22，9～16。

18. 陳弱水,〈「內聖外王」觀念的原始糾結與儒家政治思想的根本疑難〉,《史學評論》,1981 年 3 月第 3 期,頁 79～116。

19. 陳熙遠,〈黃梨洲對陽明「心體無善無惡」說的述解與其在思想史上的意涵〉,《鵝湖月刊》,1990 年 3 月第 15 卷第 9 期,頁 11～26。

20. 黃克武,〈經世文編與中國近代經世思想研究〉,《中央研究院近代中國史研究通訊》,1986 年 9 月第 2 期,頁 83～96。

21. 黃克武,〈理學與經世——清初切問齋文鈔學術立場之分析〉,《中央研究院近代史研究所集刊》,1987 年 6 月第 16 期,頁 37～66。

22. 黃尚信,〈黃梨洲思想淵源探索——明代王學對黃梨洲思想的影響〉,《新竹師院學報》,1990 年 12 月第 4 期,頁 23～39。

23. 張顯清,〈晚明心學的衰落與實學思潮的興起〉,《明史研究論叢》,1982 年 4 月第一輯,頁 307～338。

24. 張淑娥,〈黃宗羲之學術思想述要〉,《臺南師專學報》,1987 年 4 月第 20 期（下冊）,頁 53～67。

25. 崔永東,〈孔學的經世風格及其對中國知識分子的影響〉,《中國文化月刊》,1990 年 4 月第 126 期,頁 4～19。

26. 溝口雄三,〈論明末清初時期在思想史上的歷史意義〉,《史學評論》,1986 年 7 月第 12 期,頁 99～140。

27. 劉光漢,〈孔學眞論〉,《國粹學報》,清光緒年間第 17 期。

28. 劉師培,〈儒家出於司徒之官說〉,《國粹學報》,清光緒年間第 33 期。

29. 董師金裕,〈理學的先導——韓愈與李翱〉,《書目季刊》,1982 年 9 月第 16 卷第 2 期,頁 33～40。

30. 劉廣京、周啓榮,〈皇朝經世文編關於「經世之學」的理論〉,《中央研究院近代史研究所集刊》,1986 年 6 月第 15 期,頁 33～99。

31. 暴鴻昌,〈清代史學經世致用思潮的演變〉,《中國社會科學院研究生院學報》,1991 年 1 月第 1 期,頁 31～38。

五、學位論文（先依作者姓氏筆劃,再本出版時間排列）

1. 古清美,《黃梨洲之生平及其學術思想》,臺北市:臺灣大學中文研究所博士論文,1974 年。

2. 李東三,《黃梨洲及其明夷待訪錄之研究》,臺北市:臺灣大學中文研究所碩士論文,1983 年。

3. 李京圭,《明代文人結社運動的研究——以復社爲主》,臺北市:中國文化大學歷史研究所博士論文,1990 年。

4. 李紀祥,《明末清初儒學之發展》,臺北市:中國文化大學歷史研究所博士論文,1990 年。

5. 林朝和,《黃梨洲政治哲學之研究》,臺北市:中國文化大學哲學研究所碩士論文,1986 年。

6. 林保淳,《明末清初經世文論研究》,臺北市:臺灣大學中文研究所博士論文,1990 年。

7. 康長健,《黃宗羲政治思想之研究》,臺北市:政治大學政治研究所碩士論文,1986 年。

8. 張高評,《黃梨洲及其史學》,高雄市:高雄師範大學國文研究所碩士論文,1976 年。

9. 黃啓霖,《黃梨洲與孫中山經世思想之比較研究》,臺北市:臺灣大學三民主義研究所碩士論文,1985 年。

10. 黃尚信,《黃梨洲經世之學研究》,臺北市:中國文化大學中文研究所博士論文,1991 年。

11. 劉莞莞,《復社與晚明學風》,臺北市:政治大學中文研究所碩士論文,1985 年。

12. 鄭吉雄,《經史與經世——清代浙東學者的學術思想》,臺北市:臺灣大學中文研究所碩士論文,1990 年。